世界文学名著名译典藏

全译插图本

傲慢与偏见

〔英〕简·奥斯汀◎著　罗良功◎译

PRIDE AND PREJUDICE

长江出版传媒 | 长江文艺出版社

图书在版编目（C I P）数据

傲慢与偏见 / （英）简·奥斯汀著；罗良功译. --
武汉 : 长江文艺出版社， 2018.5
（世界文学名著名译典藏）
ISBN 978-7-5702-0274-4

Ⅰ. ①傲… Ⅱ. ①简… ②罗… Ⅲ. ①长篇小说－英国－近代 Ⅳ. ①I561.44

中国版本图书馆 CIP 数据核字(2018)第 062300 号

责任编辑：高田宏　　责任校对：陈　琪
封面设计：格林图书　　责任印制：邱　莉　王光兴

出版：长江出版传媒 | 长江文艺出版社
地址：武汉市雄楚大街 268 号　　邮编：430070
发行：长江文艺出版社
电话：027—87679360
http://www.cjlap.com
印刷：长沙鸿发印务实业有限公司

开本：880 毫米×1230 毫米　1/32　　印张：13.5　插页：4 页
版次：2018 年 5 月第 1 版　　2018 年 5 月第 1 次印刷
字数：327 千字

定价：34.00 元

目录

Contents

译者前言

简·奥斯丁（Jane Austin,1775—1817）生活在18世纪与19世纪之交。身处政治风云激荡的历史时期，面对变换更迭的文学趣味，她坚持以冷峻独立的笔触表现社会道德现状和作家个人独特的生活体验，用自己精心构筑的艺术世界启迪和影响读者，成为被公认的最有世界影响的小说家之一。她的艺术魅力在其身后近两百年里历久弥香。美国著名文艺评论家埃德蒙·威尔逊指出，最近一百多年来，英国文学史上出现过几次趣味革命，文学口味的翻新影响了几乎所有作家的声誉，唯独莎士比亚和简·奥斯丁经久不衰。

简·奥斯丁1775年12月16日出生于英国南部汉普郡斯蒂温顿村的一个教区长家庭。她的父亲乔治·奥斯丁毕业于牛津大学，兼任两个教区的主管牧师。童年的奥斯丁断断续续在牛津、南安普顿等地寄宿学校学习过，但主要还是在家里接受父亲的教育。她广泛阅读了当时的流行小说和古典文学作品，并从戏仿流行小说开始了她的文学生涯。1798至1799年，她戏仿当时流行的哥特式小说，创作了她的首部小说《诺桑觉寺》（Northanger Abbey），巧妙地将哥特式小说与以纯真少女走进陌生世界为传统题材的风俗小说相糅合，并初步涉及到了她所有小说的基本主题，即对世界和自我的认识。1801年，奥斯丁随父亲迁居到英国东南部著名的温泉疗养地巴斯，在那里接受了一个庄园继承人的求婚，但随即意识到这是一桩没有感情的婚姻，继而悔婚并终身未嫁。1805 年，父亲的去世之后，奥斯丁一家居无定所，经过一番颠沛流离，她与母亲等人在汉普郡的乔顿定居下来。随后，她陆续创作和发表了《理智与情感》(Sense and Sensibility,1811)、《傲慢与偏见》(Pride and Prejudice,1813)、《曼斯菲尔德庄园》(Mansfield Park,1814)、《爱玛》(Emma,1816)、《劝导》(Persuasion,1818) 这 5 部作品。1817 年 7 月，奥斯丁在开始动笔写作《沙地屯》之后不久，因病去世，享年 42 岁。

《傲慢与偏见》是奥斯丁的代表作，是她自己最喜爱也最受读者喜爱的作品，被英国小说家毛姆称为世界十大小说之一。这部小说原名《初次印象》(First Impressions), 于 1797 年以书信体形式写成，1809 年奥斯丁进行了彻底改写，于 1813 年发表。改写后的书名来自范尼 · 伯尼的感伤小说《西西丽亚》结尾的一句话 :“整个不幸事件是傲慢与偏见的结果。”作品在情节上也与《西西丽亚》有着某些相似之处，但是奥斯丁经过其独特的艺术处理，将这部小说精心雕琢成为超脱流俗的艺术精品。

与奥斯丁的其他小说一样,《傲慢与偏见》以男女青年的恋爱婚姻为题材。然而，同其他作品不同的是，这部小说以男女主人公的爱情纠葛为主线，共计描写了四起姻缘，是作者最富于喜剧色彩、也最引人入胜的一部作品。乡绅贝内特家有五个女儿，没有男性继承人，由于遗嘱附加条款的限制，贝内特先生身后的家产只能由远亲柯林斯牧师继承，于是尽快为女儿们寻找可以仰靠的佳婿成为贝内特太太的头等大事。从伦敦搬来的单身阔少宾利先生成为她追猎的目标。宾利爱上了贝内特家温柔美丽的大女儿简，他的朋友达西则倾情于二女儿伊丽莎白。由于她听信了青年军官韦恩的谗言，对达西产生了偏见。经过一连串周折，误会终于得以消除。达西克服了傲气，伊丽莎白也排出了对他的偏见，最后两人终成眷属。与此同时，故事还涉及了其他两对男女的结合过程，即已是27岁的夏洛特出于寻找可以依靠的“归宿”而答应了柯林斯的求婚，丽迪亚一贯轻浮，与韦恩私奔后经达西搭救而苟合成亲。

表面上来看，故事讲的是伊丽莎白·贝内特与达西的爱情，但寻遍全书，却难见热情澎湃的只言片语，难怪《简·爱》的作者夏绿蒂·勃朗特说，奥斯丁不知激情为何物。奥斯丁的作品更多地透射着理性的光芒。她以理智诠释爱情，虽然没有生离死别的爱恨情仇，没有《简·爱》的那种浪漫热烈，但其所反映的社会现实却是一针见血，作者的态度也是泾渭分明。奥斯丁在这部小说通过四起婚姻家事的对照描写提出了道德行为的规范问题，表达自己对建立在相互理解和真诚爱情的基础上的婚姻的赞扬和对以门第财产和情欲为基础的婚姻的讽刺。

人们常常笼统地认为奥斯丁专门描写爱情与婚姻，其实她首先并且主要写婚姻问题，她所描写的不是作为爱情结果的婚姻，而是作为经济需要的婚姻。事实上，作品开篇即用一句看似真理的命题将读者引向了对婚姻与经济关系的思考：“单身男人一旦有了钱财，必定想要寻妻觅偶，这是一个举世公认的真理。”在简与宾利、伊丽莎白与达西的婚姻中，经济基础与爱情共同成为了他们婚姻幸福的基石；对夏洛特而言，经济基础是她婚姻选择的唯一条件，虽然婚后缺乏爱情滋润，但生活倒也衣食无忧，这种婚姻成为奥斯丁怜悯而又嘲讽的对象；而丽迪亚追求的是一个既缺乏经济基础又缺乏理性爱情的婚姻，整个婚姻最终是一种彻头彻尾的失败，对此作者只有嘲讽。这里似乎透露出奥斯丁本人的婚姻观：她不是一个社会秩序的颠覆者，不是脱离实际的理想主义者，不否认经济基础对婚姻的重要性；但是她否定婚姻中的市侩态度，强调爱情在幸福婚姻中的不可或缺性。这一点似乎可以说明奥斯丁本人在现实生活中悔婚并终生独身的人生选择。

这部小说也反映了奥斯丁对于在婚姻选择中人的独立意识和自主情感的关注。作品所塑造的伊丽莎白一反当时感伤主义小说中按照男性标准塑造的美貌高尚的淑女形象，而是被描绘成一位貌不惊人、性格刚硬的泼辣少女，她一无美貌二无门第三无当时社会所期待的女性的德行。在婚恋方面，她没有自惭形秽地向社会地位优越者乞求爱情，也没有受宠若惊地接受达西，更不是以美貌的外表、多才多艺的修为和女性的柔弱之美来吸引达西，而是以其活泼真诚的、“想从心灵深处说真话的有理性的人”的气质吸引达西。面对傲慢的达西、宾利小姐和德·波尔夫人，她表现出强烈的自尊和独立人格。她在婚姻的选择上基于自己的价值观独立判断、自主抉择，既争取了自己的幸福，又遏制了达西的傲气，在婚姻双方之间建立起一种平等关系。

整部小说投射出奥斯丁对决定婚姻关系乃至人的一切关系的物质原因的深刻思考和揭露。但在这部喜剧性的世态小说中，这种揭露不是感伤的或出于道德义愤的，也不是玩世不恭的，而是反讽的、严肃的。反讽不仅成为该作品的亮丽风格，而且渗透于全书的字里行间，在人物塑造和情节的构筑上起了关键作用，成为叙述的灵魂。例如，小说开篇写道，“单身男人一旦有了钱财，必定想要寻妻觅偶，这是一个举世公认的真理。”可故事的发展却使得本应该成为“猎手”的有钱的单身汉却沦为女人们追逐的“猎物”；伊丽莎白自以为能观人识相，可是她对达西的偏见在很大程度上却来自她对骗子韦克汉的轻信；傲慢的达西曾极力阻止宾利与简的交往，可到头来自己两次求婚才娶到贝内特家的二女儿；势利高傲的德·波尔夫人亲自出面阻拦达西与伊丽莎白的婚姻，反而为这对默默相爱的年轻人沟通了信息，促成了他们的婚事。这种对日常生活题材的真实描写和喜剧性处理不仅使作品妙趣横生，而且绵里藏针、机锋暗藏，浅显轻松的文字背后隐含着深邃的思想和启示。

《傲慢与偏见》在写作技巧和艺术形式上别具匠心、独树风格。这部作品十分注重运用戏剧性对话和场景描写来揭示主题、渲染气氛、刻画人物性格。奥斯丁运用全知叙述，采用讽刺技巧，成功地将人们熟悉的生活题材进行艺术转化。正如国内学者所论述的，她“对菲尔丁的‘史诗型喜剧小说’的叙述形式作了一定的修正，以19世纪作家的审美意识与道德理念相结合的方式以及幽默与讽刺的口吻来揭示人物从复杂的对立情绪到简单的解决方式的转变过程”(见李维屏《英国小说艺术史》第131页)。这种对传统小说形式可能性的新的发现成为这部杰作的一大贡献。

奥斯丁在其短促的一生中创作的多部小说虽然大多远离政治中心和社会主流，但她的小说堪称以小见大的典范。她的作品没有拜伦式慷慨激昂的情感抒发，极少见惊心动魄的现实主义描写，既无政治寓意也无神秘象征，多以爱情婚姻为主题，刻意描绘的都是平常的人和事，大都是她自己熟悉的乡间所谓体面人家的生活与交往，但却以其严肃的道德感和喜剧精神，展示了她所生活的时代英国乡绅阶层的生活景观，如财产继承、家庭问题、教育状况、妇女地位和出路、社会道德与习俗等，理性地刻画出了人与人、人与现实的复杂关系，包涵了超越时空的对复杂人性的透视和哲思。

事实上，奥斯丁将“一个乡村中的三四户人家”视作自己“最合适的写作对象”、甘愿在二寸象牙上细细地描画，不是她艺术创作中的无奈之举，而是一种艺术上自觉的选择。她在自己的小说和书信中多次谈到自己的小说写作准则：情节要可信、细节要真实、人物性格发展要符合逻辑、结构要精巧、语言要简洁等等。她对自己的创作特长也有清醒的认识，总是从自己最熟悉的生活中取材，以喜剧精神观照日常琐事，以女性作家特有的敏锐和细腻刻画英国乡村中产阶级的生活和思想。“历史小说之父”司各特敏锐地看到，奥斯丁的小说一反当时流行的浪漫感伤风尚，代之以“按照普通阶层生活的真实面貌来描摹自然的艺术”，向读者提供的不是灿烂辉煌的想象世界的画面，而是对于他周围日常发生的事情所作的正确而引人注目的描绘，这正是19世纪小说发展的新方向。

奥斯丁是继菲尔丁之后的一位自觉关心小说艺术的作家。她始终把小说看作是一种艺术形式，认为小说是“只有具备才华机智和鉴赏力才可能写得出的作品”。她在《诺桑觉寺》中为被人轻视的小说辩护：“它们展现了智慧的最伟大的力量；作者用最精确的语言向世界传达了对人性的最彻底的了解，而且巧妙地描述了其丰富多彩的各个方面，文中充满了最活泼的机智和幽默。”这番言论不仅是奥斯丁本人对于小说艺术形式信心的体现，而且也是对她小说的最恰当的总结。在《傲慢与偏见》发表近两百年之后，我们重译和重读这部作品，无疑会深切地感受到这一点。

本书根据英国企鹅英语文库1972年版翻译而成。

罗良功

2018年1月

第一章

单身男人一旦有了钱财，必定想要寻妻觅偶，这是一个举世公认的真理。

这个真理早已深深扎根于人们的心中，所以每当这样一个男子初到某地，左邻右舍即使对他的感受和想法还一无所知，也总会把他视为自己某个女儿应得的一份财产。

一天，贝内特太太对丈夫说："亲爱的，你听说了吗？泥泽地别墅终于租出去了。"

贝内特先生说自己还没听说过这事儿呢。

"这可是千真万确的。"她接着说，"龙太太刚才来过，把事情一五一十地告诉了我。"

贝内特先生没管理。

他的妻子不耐烦了，叫道："难道你不想知道是谁租了别墅？"

"既然你想说，我只好洗耳恭听了。"

对贝内特太太来说，有这句话就足够了。

"哎，亲爱的，你要知道，龙太太说，租住泥泽地别墅的是一个年轻人，英格兰北部来的，很有钱。"她说，"那位阔少，星期一乘驷马大车来看地方，对房子非常满意，当即就与莫里斯先生拍板成交，她还说，他准备在米迦勒节之前搬进来，到下个周末就会有一些仆人来收拾呢。”

“他叫什么？”

“宾利。”

“成家了吗？”

“哈！还是单身一人呢，亲爱的。这可是千真万确！他可是家底富足的单身汉哪，一年有四五千镑的收入呢！对咱们女儿来说，这可是天大的好事！”

“别瞎扯。这和她们有什么关系？”

“我亲爱的贝内特先生，”贝内特太太说，“你怎么这么不开窍？你要知道，我还盘算着他怎么才会娶上我们的一个女儿呢。”

“他搬家到这儿来，就冲着这个目的？”

“冲这个目的？瞎说。别胡扯了。不过，他还是很有可能爱上咱们的一个女儿的，所以呀，等他一搬来，你就得登门拜访。”

“我不知道那有什么必要。你叫女儿们去得了，要么你就和她们一块儿去，这或许会更好。反正你的模样也不比她们差，说不定宾利先生还会相中你呢。”

“亲爱的，别奉承我了。想当年我的确算得上天生丽质，到如今，再修饰也扮不出什么仙女模样。一个女人有了五个都已成人的女儿，她就不必再看重自己的脸蛋了。”

“这么说，女人到了这个时候，值得被看重的地方往往就不多了。”①

“亲爱的，不管怎么说，当宾利先生搬来的时候，你务必去登门拜访。”

“我可以肯定地说，无法做到。”

“可是你得为女儿们着想啊！对于咱们任何一个女儿来说，那将是多大的造化啊！威廉爵士和卢卡斯夫人都决定去拜访宾利先生，纯粹就是为着这个目的。你知道，他们对新来的人通常都是不

---

① 法国作曲家普朗盖特（1847—1903）所作的轻歌剧。

"I'm the tallest"

闻不问的。不管怎么说，你必须走一趟，要不然，我们就无法和他接近。”

“你就不必过于拘泥小节了。我敢说，宾利先生会很高兴见到你们的。我会写上几句，请你捎给宾利先生，就说不管选中迎娶我的哪个女儿，我都会打心眼里赞成。不过，信上我会为我的小丽兹多说句好话的。”

“希望你别这样做。丽兹丝毫就不比其他女儿强。我敢说她赶不上简一半俊俏，也没有丽迪亚那样好的性情，亏你还总是一味偏向她。”

贝内特先生说道：“她们没有一个值得称道，既愚蠢，又无知，和别的姑娘家没什么两样，可是丽兹却比她的几个姐妹们更伶俐。”

“贝内特先生，你怎么能用这样的方式来挖苦自己的女儿呢？你就是以惹怒我为乐，你完全不体谅我本来就有神经衰弱。”

“你误解我了，亲爱的。我对你那神经衰弱症可是敬重有加，它可是我的老朋友了。我听到你提到它至少二十个年头了，哪一次我不是肃然起敬，洗耳恭听？”

“唉，你不知道我受的什么罪啊！”

“我倒是希望你能去病消灾，好好活下去，看到许许多多年进四五千镑的年轻人搬进来做邻居。”

“如果你不去拜访，就算来了二十位这样的年轻人也无济于事。”

“这要看情况而定，亲爱的，等到有了二十个，我会一一登门造访。”

贝内特先生就是这么性情古怪复杂，既机敏诙谐、喜欢冷嘲热讽，又保守矜持，让人捉摸不定，难怪二十三年的共同生活都不足以让他的妻子真正了解他的性格。而她的心思却不难理解，她是一个悟性平庸、孤陋寡闻、喜怒无常的女人。只要遇事不顺心遂意，就臆想着自己神经衰弱症发作，她平生的大事就是将女儿一一嫁出去，而东走西访四处打探就成了她精神上的慰藉。

第二章

贝内特先生是第一批前去拜访宾利先生的人中的一位。虽然自始至终他在妻子面前嘴硬，说不去拜访宾利，可心里老早就有了打算。到了那天晚上，他都还把妻子蒙在鼓里，不想在那时候还是给泄露出来了。事情是这样的：贝内特先生看着二女儿忙着装饰帽子时，冷不丁地对她说道："丽兹，但愿宾利会喜欢你的帽子。"

"我们压根儿就无法知道宾利先生喜欢什么，反正我们不打算去拜访人家。"她的妈妈忿忿说道。

"可是妈妈，别忘了我们在参加舞会时会见到他的。"伊丽莎白说道，"龙太太答应过我们要引荐一下的呢！"

"我想龙太太不会这样做。她自己就有两个侄女，况且她这个女人又自私又虚伪，我还瞧不上她呢。"

"我也是。"贝内特先生接着话茬说道，"看到你们不打算靠她帮忙，我很高兴。"

贝内特太太不屑搭理他，可又按捺不住心中的怨气，于是开始责骂起女儿来。

"看在老天爷的分上，凯蒂，别一个劲儿地咳嗽了。可怜可怜我的神经吧，都快让你给撕裂了。"

"凯蒂咳嗽也不分个场合，"父亲说道，"太不会安排时间了。"

凯蒂恼怒地回敬了一句："我又不是咳嗽逗乐呢。"

"你所说的下一场舞会是什么时候，丽兹？"

"从明天算起还有两个星期。"

"呵，事情是这样的。"她的妈妈大喊起来，"龙太太要等到舞会的前一天才会回来。看来她自己都来不及认识他，自然就不可能帮我们引荐了。"

"那样的话，亲爱的，你或许就能胜出你的朋友一筹，反过来把宾利先生介绍给她呢。"

"怎么可能呢？我的贝内特先生，不可能！我自己与他还是素昧平生呢！你怎么能这样热一句冷一句的呢？"

"您考虑问题真是细密周到，令人佩服。两个星期的相识的确太短，转瞬即逝，到头来仍然不能真切地了解一个人。但是假如我们不先去尝试，别人就会捷足先登，结果龙太太和她的侄女就会占尽先机。所以说，如果你不担此大任，那我可就自告奋勇了，我想龙太太会理解这其中的良苦用心的。"

女儿们瞪大眼睛望着父亲，贝内特太太只是一个劲地说"废话！废话！"

"你这么翻来覆去地嚷嚷，到底是什么意思？"贝内特先生大声叫喊起来。"我们说的都是在替别人牵线搭桥，难道都是胡说八道？我对这点不敢苟同。玛丽，你饱读诗书，博闻强记，应该是一位思想深刻的才女了，说说你的看法吧！"

玛丽很想说点富有哲理的话，可一时不知从何说起。

于是，贝内特先生接着往下说："既然玛丽还在整理自己的思想，那我们还是回到关于宾利先生的话题上吧！"

"我已经对宾利先生感到厌烦了。"他的妻子叫喊道。

"你这么一说，倒让我感到没趣了。可是以前你为什么不这样告诉我呢？假如今天早上我知道这事，就不会去拜访他了。真是不幸。但是，既然我已经登门造访了，我们就免不了要结识人家。"

女士们立时惊诧万分，这正是他所希望的。尤其是贝内特太太比谁都诧异，一阵狂喜之后，她立刻宣称，这种场面她早就预料到了。

“你真是太好啦，我亲爱的贝内特先生！我就知道当机立断的道理，我就知道你那么疼爱几个女儿，决不会错过这样攀龙附凤的机会，唉，我别提有多高兴了。你也太会开玩笑了，今天早上就去过了，居然还把我们一直蒙到现在。”

“好了，凯蒂，你可以想怎么咳嗽就怎么咳嗽了。”贝内特先生说着，走出了房间，看着妻子那副欢天喜地的模样，不免生出几分厌恶。

“你们的爸爸多么出色呀，姑娘们。”房门一关上，贝内特太太就叫嚷开了，“真不知道你们怎么样才能报答他的爱呢！不过，在这件事上，我也功不可没。说实在的，到了我们这岁数，就算是天天结识新朋友也不如今天这么让人高兴。但是为了你们，我们做什么都心甘情愿。丽迪亚，我的心肝，虽然你年龄最小，但是我敢肯定，到了舞会上，宾利先生一定会请你跳舞。”

丽迪亚毫不怯场，说：“嘀，我才不担心呢。我年龄最小，可身材最高。”

接下来，这母女几人的话题就没有离开宾利先生，猜测着他何时回访贝内特先生，计划着什么时候邀请他共餐，整个晚上在没完没了的议论中就这么过去了。

第三章

贝内特太太在五个女儿的协助下，千方百计想从丈夫口里套出一些有关宾利先生的情况，却始终未能得到令人满意的信息，她们从多方面向贝内特先生发起攻势，正面提问啦，巧妙想像啦，迂回推测啦，真可谓用尽心机，但贝内特先生毕竟道高一丈，没让她们的图谋得逞，她们也就无可奈何，只好从邻居卢卡斯夫人那里去打听一些二手信息。卢卡斯夫人全是赞誉之辞，威廉爵士对宾利先生也满意有加，说他年轻英俊，风流倜傥，和蔼可亲。最重要的是，他还打算率一大批人去参加即将举行的舞会呢。还有什么比这个消息更令人兴奋的呢？喜欢跳舞是坠入爱河的第一步，姑娘们都满怀希望，渴望着赢得宾利先生的倾心。

“我要是能看到我的一个女儿在泥泽地别墅幸福地安家，其他几个女儿也能攀上这样好的姻缘，那就终身无憾了。”贝内特太太对丈夫这样说。

不几天，宾利先生前来回访贝内特先生，在书房里坐了约莫十分钟。他对贝内特先生家的几个女儿的美貌早有耳闻，实指望这次能一睹芳颜，不想只见到了她们的父亲。而这些小姐们还是要幸运一些，她们利用得天独厚的条件，从上方的窗户里把宾利先生看了个真真切切：他身着蓝色外套，骑的是黑色骏马。

不久，贝内特一家就向宾利先生发出邀请，请他赴宴，贝内特太太还计划好了精心制作什么样的拿手菜。可是宾利先生的回话使这一切得往后推延。他说自己将于次日进城，故尔无法抽身赴宴等等。贝内特太太顿时感到左右为难，不知所措。她怎么也想像不出，这个宾利先生才到赫特福郡不久就进城，到底会有什么事？想着想着，她不由得担心起来，害怕他可能一直这样东奔西走，根本不会在泥泽地别墅长久安顿下来。后来听卢卡斯夫人说，宾利先生这次去伦敦好像为了邀请一大班人马来参加舞会，这才消除了她的一些担心。不久又传来消息说，宾利先生将携十二位佳丽和七位先生前来赴会。一听说要来那么多的女士，这儿的姑娘们不由得黯然伤心。可是等到了舞会的前一天她们又听说宾利先生从伦敦带来的女士没有十二位，仅有六位，而且其中五位是他的亲姊妹，还有一位是他的表妹，这消息让她们大舒了一口气。到了舞会开始，这一行人走进舞厅时，人们发现他们只有五人：宾利先生本人，他的两位姐妹，姐夫以及另外一位年轻男人。

宾利先生仪表堂堂，温文尔雅，举止自然得体，待人和颜悦色。他的姐妹天生丽质，有着高贵不俗的气质。他的姐夫赫斯特先生仅仅只是看上去颇有教养，没有什么过人之处；而他的朋友达西先生则身材高大，相貌不俗，英俊潇洒，气宇超凡，很快就赢得满堂注目。更有甚者，他入场不足五分钟，关于他年进万镑的话就在人群中传开了。男士们说他真是玉树临风，女士们则称他比宾利先生更英俊。他每到一处都有人们艳羡的目光追随。当舞会进展到一半的时候，他的行为举止终于激起了人们的憎恶之情，致使他的人气急转直下。人们发现这家伙高傲、不合流、难相处，纵然他在德比郡的偌大家产也无法挽回已然在人们的心目中形成的恶感，大家觉得他那副神情实在令人憎恶，根本不能和他的朋友宾利先生相媲美。

宾利先生很快就与在场的主要人物们熟识了。他热情奔放，翩翩起舞，场场不漏，恨只恨这场舞会结束得太早。他甚至放话说他将在泥泽地别墅亲自举行一场舞会。这种可亲可敬的品质本身就说

明了一切。他和他的朋友简直就是天壤之别。达西先生只是和赫斯特太太和宾利小姐各跳了一曲，而将其他女士冷落一旁，整个晚上就是在大厅里四处走动，偶尔与同伴们说上几句。他的个性就是那样鲜明，他算得上是世界上最高傲、最可憎的人了，谁都不希望再见到他，对他最为反感的要数贝内特太太了。她对达西先生的言谈举止没有丝毫好感，特别是看到他怠慢了她的一个女儿时，她心中的厌恶之情顿时化作一团憎恨。

由于男宾少于女士，伊丽莎白·贝内特有两场舞被冷落一旁，坐在一边观看。一次，宾利先生从舞池下来，用了几分钟时间来劝说达西先生去跳舞，他的朋友碰巧就站在离伊丽莎白很近的地方，他们之间的谈话被她听了个清清楚楚。

“上场吧，达西，”宾利先生说，“我非得让你跳舞不可。我不喜欢看到你一个人傻乎乎地站着。你最好上场来跳舞。”

“我是决意不跳了，你知道，除非我与舞伴特熟，否则我讨厌跳舞，这样一场舞会简直让人难以忍受。你的姐妹们都在忙活，而要是和在场的其他任何一位女士跳舞，对我来说简直就是在经受刑罚。”

“瞧，我可不会像你那样挑剔。”宾利叫出声来，“我敢说，我这一生中还从来没有遇到过今晚这么多可爱的姑娘呢。你看，其中有几位还真是美艳超凡呢！”

“你的舞伴是这大厅里唯一漂亮的姑娘。”达西说着，眼睛瞅着贝内特家的大小姐。

“噢，她可是我见过的最美的姑娘。不过，她们姐妹中就有一位还坐在你身后，我敢说，也是非常美丽可人。我来让我的舞伴把你介绍给她，好吗？”

“你说的是哪一位？”达西转过身，往伊丽莎白身上打量了一会儿，正巧碰到对方的目光。四目相对，达西赶紧避开，冲着朋友淡淡地说道：“她的长相倒也还过得去，可是还没有美得让我一见倾心。况且此时此刻，我也没有兴趣去抬举那些被别的男人冷落的年轻姑娘。你还是回到你的舞伴的身旁，去欣赏她的微笑吧！别在我身上浪费时间了。”

听了这话，宾利先生回到了舞场，达西先生也走开了。伊丽莎白仍坐在那里，她原先对达西尚心存亲切和热情，此刻荡然无存。可是她生性活泼顽皮，对一切滑稽可笑的事情都能怡然处之，于是她把刚才的事兴致勃勃地告诉了朋友们。

对贝内特一家来说，这是一个愉快的晚上。贝内特太太亲眼看到了自己的大女儿大受泥泽地别墅那一行人的青睐：宾利先生还请她跳了两曲，他的姐妹们对她也是另眼相待。简和她妈妈一样对此十分得意，只是她没有那样显露而已。伊丽莎白也感觉到了简的喜悦。玛丽听到有人向宾利小姐提起过自己，说自己是这一带最有才华的女子。凯瑟琳和丽迪亚也非常幸运，整个舞会中她们从未缺少过舞伴，这可是在舞会上她们最为关心的事情。就这样，她们兴高采烈地回到了龙博恩村（她们在这村上算得上大户）。回到家里，贝内特先生还没有睡觉。他只要翻开书就会把时间忘到脑后；而此刻，他满脑子翻涌的是对这场曾激起美妙憧憬的舞会的好奇。他本认为妻子对那位初识的年轻人会大失所望，可是很快就发现自己所听到的事情却正好相反。

“唉呀，我亲爱的贝内特先生，”妻子一进屋就嚷嚷起来，“这个夜晚多么愉快，这场舞会多么精彩！你要是在场就好了。咱们的简可是最受青睐的了，那情景简直无法形容。人人都夸她容颜出众，宾利先生也认为她是国色天香，竟然请她跳了两曲舞呢！你想想，亲爱的，他请她跳了两曲，这可是半点不假的呀！整个舞厅得到宾利先生第二次邀请的只有你女儿一人。起先，他邀请的是卢卡斯小姐，看到他俩站在一起，我着实恼怒了一阵子，不过还好，他并不欣赏她。事实上，你知道，没有人会的。简走进舞池的时候，他似乎一下子着迷了，赶忙打听她的姓名，请人引荐，请她跳了一曲双人舞。接下来，他与金小姐跳了第三曲，与玛丽亚·卢卡斯跳了第四曲，第五曲又是与简一起跳的，然后就是丽兹、包兰格……”

“要是他对我有点怜悯之心的话，就不会那么跳个不停，跳那一半都已经够多的了。”她的丈夫不耐烦地嚷了起来，“看在上帝的分上，别再提他的什么舞伴了。嗨，真希望他跳第一场舞就扭伤了脚踝骨。”

“哎呀，亲爱的，我对他十分满意。”贝内特太太接上话茬说道，“他那么英俊，他的姐妹们那样迷人，我这辈子还真没见过有什么比她们的礼服更精美的了。我敢说，赫斯特太太长裙上的花边……”

她的话又一次被打断。贝内特先生最对讨厌别人谈论服饰。无奈之中，她只好换了一个相关的话题，以尖酸刻薄略带夸张的话语，谈起了达西先生那惊人的无礼。

末了，她补充说道：“不过我敢肯定，丽兹没有得到他的欢心，也没什么可惜的，他根本就不配让人去取悦。那家伙是个十足的讨厌鬼，高傲、自负，实在让人受不了。他一会儿走到这里，一会儿踱到那里，寻思着自己多么了不起呢！长得也不够英俊，谁愿意和他跳舞？亲爱的，我真希望你能在场，给他一顿呵斥。那家伙实在可恶。”

第四章

简一向都不轻易显露对宾利先生的赞誉之情，可当她和伊丽莎白单独相处的时候，不由得向妹妹吐露出对他的由衷爱慕。

“他真是年轻人的典范呀！心思细腻，性情温存，热情大方，他的举止俊逸，又颇有教养，这可是我从未见过的。”

“他也很英俊。”伊丽莎白接过话茬说道，“年轻人就应该像他那样。他的性格可以说是完美无瑕。”

“当他第二次请我跳舞时，我简直是受宠若惊了。真没想到他竟然那样瞧得起我。”

“没想到？我可是替你想到了。不过这就是我们俩的不同之处。别人的赞誉总是让你惊慌失措，我却能泰然处之。他第二次邀请你是再自然不过的事了。他不会没有注意到你比舞厅里任何姑娘都漂亮几倍。不要因为他对你献个殷勤就感激涕零。好了，他的确很讨人喜欢，你尽管去喜欢他好了。你以前不是连许多笨蛋都喜欢过的吗？”

“好丽兹！”

“噢，你知道，你太容易对人产生好感了，总是看不到别人的缺点。在你的眼里，整个世界都是善良美好。我从来就没听你说过谁的不是。”

“我只是不想草率地指责谁。可我说的却是真心话。”

“我知道。不过这也正是让我不解的地方。凭借你的心智，怎能对他人的荒唐愚蠢的行为熟视无睹呢？道貌岸然故作坦诚是再平常不过的伎俩，随处可见。唯独你坦诚耿直，绝不卖弄，毫无矫饰，只看到别人的优点，唯恐夸奖得不够，却绝口不提别人的不足。这么说，你也喜欢上他的妹妹们啦？她们的气质风度可比不上他呀！”

“乍看上去当然比不上啦，可是要是与她们攀谈起来，就会发现她们都是些可爱的女人，宾利小姐将和她的哥哥生活在一起，帮他管理家务。这样的人我们都不认为是好邻居，那我们眼力就太差了。”

伊丽莎白默默地听着，心里并不同意姐姐的观点，据她看来，宾利先生的几个妹妹在舞会上的表现，总的来说，并没有那么讨人喜欢。与姐姐相比，她的观察力更敏锐，性情也不那么柔顺，倒是更有主见，决不会因为别人的青睐而改变自己的观点，因而她并不认同宾利先生的几个姐妹。事实上她们也都是一些出类拔萃的姑娘，高兴起来，她们不乏和颜悦色，兴之所至，她们也会平易近人，问题是她们太高傲自负。她们都有着俊美的容貌，在城里一流的女子学院受过教育，拥有两万镑的家产，可都养成了挥霍无度、专交名流的习惯，因此在每个方面她们都自命不凡，贬低别人。她们出生英格兰北部的名门望族，对于这一点她们刻骨铭心，却忽视了一个事实，那就是她们兄弟的财产以及她们自己的财产都是靠做生意一点点积攒起来的。

宾利先生从父亲那里继承了十万英镑的遗产。他的父亲本来打算购置一处地产，不幸生前未能如愿。宾利先生也有此打算，有时候他也在本郡动过念头，可是现在既然有了一幢漂亮房子和一片庄园田地，那就另当别论了。在许多谙熟他随遇而安的个性的人看来，他说不定就会租住泥泽地别墅过上一辈子，而将购置地产之事留给下一代人。

他的姐妹们着实为他着急，希望他能拥有自己的一座庄园。不过，尽管他现在只是租住别墅，宾利小姐也一千个愿意做他餐桌的主人，赫斯特太太也是如此，她虽然嫁给了那位没有钱财的名流丈夫，但也乐意把这里当作自己的家，高兴就来，不高兴就走。宾利先生是无意中听人提起泥泽地别墅才动了心思去看一眼的，那时他还差两年才步入成年。他果真去了，用半个小时把里里外外看了个遍，对这里的位置和几间主房十分中意，又加上房主一番赞誉之辞，非常受用，立刻就将房子租了下来。

他和达西之间虽说性格迥异，但一直保持着良好的友谊。达西之所以喜爱宾利，是因为宾利为人随和，坦诚直率，性情温顺，这正好与达西本人的性格形成鲜明对比，不过达西从来也没有对自己的性格表现出不满。而另一方面，宾利则对达西的处事能力极为倚重，对他的见解更是佩服。论心智，达西更胜一筹；宾利丝毫也不迟钝，但达西更为聪明。达西虽然受过良好的教育，但目空一切，寡言少语，眼光挑剔，因而很不合群。而在这一方面，他的朋友就更有优势：宾利所到之处极受欢迎，而达西常常让人反感。

他们谈论起麦里屯舞会的语气就最能说明他们之间的性格差异。宾利觉得自己在这里遇到的人个个都讨人喜欢，姑娘们人人美丽可爱，大家都十分友善礼貌，毫无拘束，非常融洽，他很快就觉得与满场的人熟识起来。尤其是贝内特小姐，他简直就想像不出还有比她更美的天使。达西则正相反。在他看来，这群人既没有美感，又缺乏风度，没有一个人能吸引他丝毫的兴趣，自己也没有获得任何人的青睐和欢心；他虽然承认贝内特小姐天生丽质，但又觉得她笑得太多。

赫斯特太太和宾利小姐对这一看法没有异议，不过她们还是欣赏她，喜欢她，说她是个可人的姑娘，并且愿意多与她交往。就这样贝内特小姐成为了她们心目中可人的姑娘。她们的兄弟本来就是这么认为，一听到她们也这样赞美，顿时觉得找到了权威依据。

Chap 34.

第五章

离龙博恩不远的地方，住着一户人家，那便是威廉·卢卡斯爵士的府邸，他们与贝内特一家格外亲近。卢卡斯爵士早年在麦里屯经商发迹，当上了镇长，其间他上书国王，获得爵士封号。或许是这一荣誉对他的影响过于强烈，他开始厌恶自己的行当，厌恶在这小集镇上的生活，于是他干脆放弃，举家迁到了距麦里屯大约一里处居住，从此那儿就被称为卢卡斯府。在那里他摆脱了做生意的束缚，又拥有极高的社会声望，自得其乐，将一门心思都用到迎来送往的社交上。尽管他的地位让他得意，但并没有使他目空一切，相反他接人待物十分周到。他生性和善友好，礼貌谦让，后来去了一趟圣·詹姆士王宫，愈发谦恭有加。

卢卡斯女士是一位不错的女人，丝毫没有乖张之气，被贝内特太太一直视为难得的好邻居，卢卡斯夫妇膝下有几个子女，最大的叫夏洛特，是伊丽莎白的闺中密友。

这两家的女人们都觉得有必要聚到一起，谈谈麦里屯舞会的事。于是，舞会之后的第二天早晨，卢卡斯一家就来到龙博恩与贝内特一家人交换看法。

“你可是在舞会上开了个好头哇，夏洛特。”贝内特太太一见到卢卡斯小姐就开腔了，显得客气但又沉着，“宾利先生首先就选中了你做舞伴。”

“是的，不过他似乎更喜欢第二个舞伴。”

“噢，我猜想你指的是简吧？就因为他和她跳了两曲？看来他好像真的对她有意——说实在的，我倒真是这么想的——我听到了一些与这有关的话——不过我弄不清是怎么回事——那话是冲着鲁滨逊先生（即达西——译者注）的。”

“您可能指的是我碰巧听到的他和鲁滨逊先生之间的谈话吧？难道我没有向您提起过这事吗？鲁滨逊先生问他对麦里屯舞会的感觉怎样，问他是否认为舞厅里漂亮姑娘不多，问他认为谁长得最美。宾利先生脱口而出，回答了这最后一个问题——哦，毫无疑问是贝内特家的大小姐了。在这一点上不可能有不同的意见。”

“哎呀呀，说起来，这事的确已成定势——看起来确实像——不过，说不准也是一场空呢！”

“我中途听到的话比你听到的要更中听些，伊丽莎。”夏洛特说道，“达西的话不像他朋友的话那么中听，是吗？——可怜的伊丽莎——他竟然说你的长相只是‘过得去’”。

“请你不要再提这事，丽兹听了又会为那家伙的无礼而生气的。他实在是太可恶，谁要是被他喜欢才是倒霉呢！龙太太昨天晚上对我说，他在她附近坐了足足半小时，口都没向她开一次。”

“真的吗，夫人？不会有错吧？”简问道，“我亲眼看见达西先生和她说话了呵。”

“呵，那是因为她终于忍不住了，问他对泥泽地别墅的印象如何，他不得不回答她。可她说那家伙好像很不高兴有人和他讲话。”

“宾利小姐对我说过，他是从不多开口的，除非是和非常熟识的人在一起。”简说道，“与她们在一起，他可是格外亲切。”

“我可是一个字也不信。如果说他很亲切，他就一定会与龙太太攀谈了。据我的猜测，他一定是听说龙太太连马车都没有，还是临时雇请马车来参加舞会的，才那样对待她。谁都说那家伙一向高傲自大。”

“我倒不在乎他不同龙太太讲话，”卢卡斯小姐说，“我只是觉得他不该不和伊丽莎跳舞。”

“假如我是你，丽兹，”贝内特太太对女儿说道，“下一次他请我，我也不跳。”

“妈妈，我向您保证永远不和他跳舞。”

卢卡斯小姐接上话茬：“傲慢确实让人生气，可他的傲慢倒还没怎么让我生气，人家有理由傲慢。一个这么优秀的年轻人，门第好，家境好，一切都好，难怪人家会自恃清高。我这么说吧，他有资格摆架子。”

“这倒也是，”伊丽莎白说道，“要不是他冒犯了我的尊严，我很容易就会宽恕他的傲慢。”

“我认为，傲慢是一种人所共有的通病。”玛丽一向认为自己思想深邃严密。此时不由得又是一番宏论。“根据我的书本知识，我坚信傲慢是一种流弊，人性在这一方面极为脆弱，因为我们很少有人不因为自己的某种品质或者其它什么而沾沾自喜、洋洋自得，不管这种品质是存在于真实中，还是仅仅存在于想象中。虚荣与傲慢尽管常被用作同义词，实际上却是两回事。一个人可能傲慢但不虚荣，傲慢是我们对自己的评价，虚荣则是我们希望别人如何评价我们自己。”

“我要是像达西那么富有，”卢卡斯家中一位年龄较小的少年冷不丁地冒出声来，“我才不在乎傲慢不傲慢呢！我会养一大群猎狐犬，每天还要喝上一瓶葡萄美酒。”

“那你就会大大超量。”贝内特太太呵斥道，“要是我看到你在喝酒，我会不管三七二十一夺下你的酒瓶。”那少年抗议说她不能那样做，她一个劲儿地宣称她会说到做到。他们的争论直到客人告辞才算终止。

第六章

龙博恩的女人们不久就去拜访了泥泽地别墅的小姐们，宾利的姐妹们也礼尚往来到龙博恩回拜，贝内特小姐温文尔雅的谈吐举止愈发增添了赫斯特夫人和宾利小姐的好感。虽说贝内特太太让人难以忍受，她的几个小女儿也不值得攀谈，但对于她的两个大女儿，宾利家的姐妹表示愿意多多交往。简万分荣幸地领了情，伊丽莎白对她们却总是喜欢不起来，她依旧觉得她们对待任何人仍然傲气十足，就连简也不例外；她们之所以对她那么好，十之八九是受其兄宾利先生的影响。因为他对简颇为仰慕。无论他们俩什么时候在一起，宾利先生的爱恋之情都溢于言表；伊丽莎白也清楚姐姐简对宾利先生的感情，自打第一次见面她就心仪于他，并一发不可收拾，在某种程度上，可以说她已经坠入爱河。不过简毕竟矜持沉稳，对任何人都热情友善，纵然她心中激荡着对宾利先生的炽烈情感，也不可能让世人窥透，这样就不会有人把她当作轻薄女子。这也正是让伊丽莎白感到欣慰之处，她曾把自己的心事向闺中好友卢卡斯小姐吐露过。

“在这种情况下瞒过世人的眼睛固然值得欣慰，”夏洛特评价这事说，“可是过多地掩藏有时候反而不利。如果一个女人用尽办法掩藏自己的感情，连心爱的人都被蒙在鼓里，她可能会坐失良机，失去心上人，到那时，纵使天下人都不知情，也只有空叹而已。爱恋之中的每个男女几乎都不是心存感激就是太顾及颜面，如果任由这种心情左右，终究难成好事。恋爱开始时，我们都可以随心所欲，表现出些许的好感是再自然不过的事，可要是得不到对方的响应，我们很少有人有足够的勇气执着地爱恋下去。在百分之九十的情况下，女方都应该多表露出一点爱恋之情。宾利喜欢你的姐姐，这是毫无疑问的，可要是你姐姐不主动作出姿态，他对她的感情永远只会停留在喜欢上。”

“可是她实在作不出什么姿态，对她的性格而言，已经到了极限。如果连我都感觉得到她对宾利先生的爱恋而他本人还不能觉察的话，那他就是一块榆木疙瘩了。”

“伊丽莎白，别忘了，他可不像你那样了解简的性情。”

“可是女人要是倾心于一个男人，只要不刻意掩饰自己的感情，他一定会觉察得到。”

“如果他对她有足够的了解，或许他会觉察到。问题是宾利和简虽然见面还算比较频繁，但呆在一起的时间并不多。还有，他们见面从来都是在大型集会上，他们俩不可能把每时每刻都用在私下里交谈。所以每当简牢牢吸引了宾利的注意力，她就得最好地把握好机会，一旦把他控制在手里，简就可以从从容容随心所欲地谈情说爱了。”

“你的主意不错，如果只是想嫁一户好人家的话。”伊丽莎白回答说，“假如我决心嫁给一位有钱的丈夫，管他什么都行，我敢说我一定会照你的计划办。可是简的感情又另当别论，她不是一个工于心计的人。而且，她至今还不能肯定自己爱到了什么程度，也不知道这种感情是否明智，她认识宾利毕竟才两个星期呀！她在麦里屯和他跳了四次舞，那天上午去宾利家拜访时见了他一面，在那以后与他一同用餐四次。这根本就不足以让她了解宾利的性格。”

“事情并不像你说的那样。假如她真的只与他一同用餐，或许她只知道他的胃口好不好，可是你千万别忘了，他们还在一起度过四个晚上呢——四个晚上是很管用的！”

“的确，这四个晚上让他们弄清了彼此的爱好，原来他们都爱玩二十一点而不爱科墨斯牌。而至于其它主要个性特点，我想他们双方还远远没有相互了解呢。”

“唉，我真诚地希望简能如愿以偿。”夏洛特说道，“就算她明天就嫁给了宾利，我想她也把握住了一个幸福的机会，即使她花上一年去研究他的性格再嫁，结果还会如此。婚姻的幸福完全是看缘分。即便说男女双方在婚前对彼此的性情了如指掌，或是情投意合，也丝毫不能保证婚后就一定幸福；结婚之后，两人之间的分歧免不了会潜滋暗长，到头来还是各怀怨气。所以说，对于一个你打算一起厮守一辈子的男人，还是尽量少知道他的缺点为好。”

“夏洛特，你说得我心花怒放了。不过，你的观点经不住推敲，你知道这一点，而且你也知道自己是决计不会这样去做的。”

伊丽莎白只顾关注宾利先生是否真心对待自己的姐姐，却全然没想到宾利先生的那位朋友正意味深长地关注着自己。起初，达西先生并不认为她怎么漂亮，在舞会上看到她时也没有丝毫爱慕之意，甚至当他们再次相遇时，他都只是用挑剔的眼光来打量伊丽莎白。可是正当他认定了她的容颜全无动人之处，并把这一看法告诉朋友们时，刹那间他开始发现，她那双深邃的眼睛美丽传神，整个脸庞因之而熠熠闪烁着智慧之光。随之他又从她身上获得几个同样惊人的发现。虽然他曾经百般挑剔，发现她的身材这儿不够匀称，那儿不够完美，但现在他不得不承认她体态轻盈，令人赏心悦目，尽管他曾断言说她的风度与上流社会格格不入，却被她落落大方活泼幽默的气质所倾倒。而对这一切伊丽莎白浑然不知，在她眼里，达西只是一个处处让人厌恶的家伙，一个嫌她不够漂亮、不愿请她跳舞的家伙。

达西开始渴望更多地了解她了。为了能与她交谈，他开始留意她与其他人的谈话。终于在威廉·卢卡斯府上的一次盛大舞会上，他的这种行为终于引起了伊丽莎白的注意。

她忍不住对夏洛特说："达西竟然凑在旁边听我和福斯特上校的谈话，真不知道他想干什么？"

"这个问题只有达西先生本人才能回答。"

"不过，要是他再这样下去，我一定会让他知道，我可不是糊涂蛋。他可是特能寻机嘲讽，我要是不给他点颜色，用不了多久我岂不就怕他了。"

不一会儿，达西朝这边走来，不过看起来并不打算搭腔。卢卡斯小姐立刻来了个激将法，让自己的朋友向达西当面说说，这一激果然奏效，伊丽莎白立刻转身冲着达西说道："刚才我开玩笑说，让福斯特上校在麦里屯为我们举办一次舞会。您看我这么个提法是不是极为得体呢？"

"提得很棒。可这类话题总会让女士们热血沸腾。"

"您可够尖刻的呀！"

"马上得轮到她被提要求了，"卢卡斯小姐说着，转过身来，"伊丽莎，我去把琴打开，接下来做什么你是知道的。"

"你这种朋友倒是罕见——当着谁的面你都要我去弹唱。要是我借助音乐满足了自己的虚荣，你确实功不可没。不过我可不愿意为那些习惯了听顶级高手表演的大人物弹唱。"她见卢卡斯小姐执意坚持，只好改口说："好啦，如果非得演唱，我遵命就是。"她一本正经地瞥了达西一眼，又继续说道："有一句老话，想必在场的各位都非常熟悉'留口气好吹凉粥'。我现在可要留口气去放声高歌了。"

她的演唱称不上精妙绝伦，但也美妙动听。一两支歌唱毕，一些人恳请她再唱几首，还没等她应答，妹妹玛丽就迫不及待地顶替了她的位置，坐到了琴旁。这个玛丽可算得是贝内特家姿色最不出众的了，正因为如此，她发奋努力，想要用博学和才艺来弥补天生的缺陷，因而无论在什么场合，她总是急于表现自己的本事。

玛丽既没有天分也缺乏品位，出于虚荣她奋发图强，居然有成就，但同时也造就了她满身迂腐的学究气和自命不凡的傲气，结果得不偿失，大煞风景。伊丽莎白的弹唱虽不及玛丽的一半好，但她天性大方，毫无做作，反倒更受欢迎。玛丽弹奏的是一支很长的协奏曲，几个小妹妹正和卢卡斯家的几个姐妹陪着两三个军官在大厅的另一端跳着舞，兴致高昂，眼见着这支曲子终了，立刻要求姐姐继续演奏，这让玛丽喜出望外，乐得再弹几首苏格兰和爱尔兰风格的曲子以多博取一点赞誉和奉承。

达西先生站在旁边一声不吭，只觉得今天晚上过得实在让人憋气，全然不去搭理谁。他光顾着一个劲儿地想着自己的心事，竟没有觉察到威廉·卢卡斯就在自己的身边。威廉爵士终于先开口：

“达西先生，舞蹈可真是年轻人的娱乐啊！它的魅力无与伦比，堪称为上流社会最高雅的一种娱乐形式。”

“这话不假，爵士。不过在草莽民间，舞蹈也大行其道啊。每个野蛮人都能舞会蹈。”

威廉爵士笑了笑，没有立即回应，忽然看见宾利正随人们翩翩起舞，说道：“您的朋友舞姿高雅，我坚信您本人也精通此道，达西先生。”

“爵士，我想您在麦里屯舞会上一定看见我跳舞了。”

“的确见过，那才真让人大开眼界呢。您经常去圣·詹姆士王宫跳舞吗？”

“从来没有。”

“难道连那种地方您都不肯赏光？”

“对于这种赏光能免就免，无论被邀请去哪儿都是一样。”

“我想您在城里一定有府宅吧！”

达西先生深深地点了点头。

“我也曾想过到城里安家——我这人喜欢与上流人士交往。但又拿不准伦敦的空气是不是适合于卢卡斯夫人。”

威廉爵士顿了顿，指望对方应上一两句，不想达西先生无意多说一句话。正在这时，伊丽莎白朝这边款款走来。威廉爵士灵机一动，正好可以借此献献殷勤，便把伊丽莎白叫住。

“亲爱的伊丽莎白，你怎么不跳舞呢？达西先生，请允许我把这位年轻的姑娘介绍给您，她将是一名非常理想的舞伴。我想遇到这等佳丽,您总不会拒绝跳上一曲吧！”说着,便牵起伊丽莎白的手,准备把她交给达西。达西虽然颇感意外，但还是喜不自禁地去接那只纤纤秀手，不想她嗖地把手收回，惊慌地对威廉爵士说道：

“说实在的，爵士，我一点也不想跳舞。请您千万不要认为我到这儿来是为了乞求一个舞伴。”

达西先生十分认真地恳请她能赏脸，未能如愿。伊丽莎白决心已定，纵使威廉爵士极力劝说，终究未能动摇她。

“伊丽莎白小姐,你的舞姿超群脱俗,要是你此时不去跳上一曲,让我一睹你的风采，未免太残忍了吧！而且这位先生，虽然平素不喜欢什么娱乐活动，可是要请他赏光为我们跳上一会，我相信他一定不会不答应的。”

“达西先生太客气了。”伊丽莎白微笑着说道。

“他的确客气。不过，亲爱的伊丽莎白，想想人家这么客气是为什么。谁不想和你这样的姑娘跳舞呢？难怪人家对你那么殷勤相邀呢。”伊丽莎白调皮地扫了一眼，转身走开。她对达西的拒绝丝毫没有损坏她在这位先生心目中的形象，反倒让他沉浸在对她的回味中。正当他在自我陶醉的时候，宾利小姐走上前来，神秘地说道：

“我能猜出你现在的心思。”

“我谅你也猜不出。”

“你在想，一个个晚上就这么耗掉，还是和那样一帮子人一起，实在太让人难以忍受。说实在的，我和你感觉一样，在过去我还从没像这样烦恼过。单调乏味，吵吵嚷嚷，空虚无聊，还有那些自以为是的人。真恨不得听你好好训斥他们。”

“告诉你吧，你的猜测全错了。我的脑子里现在全是开心事。我总琢磨着，一个漂亮女人加上一对水灵灵的眼睛，那会产生多大的魅力啊！”刹那间，宾利小姐眼睛盯在达西的脸上，一动不动，渴望着他能说出到底是什么样的女人有幸让他如此心动。达西鼓起勇气，说道：

“伊丽莎白·贝内特小姐。”

“伊丽莎白·贝内特小姐！”宾利小姐不由得重复了一遍，“太让人感到意外了。你看中人家多长时间了？说说，我该什么时间向你们贺喜呀？”

“我早料到你会问这个问题。女人的想象真可谓变化多端，一会儿是仰慕，马上跳到恋爱，转瞬间又从恋爱跳到谈婚论嫁。我就知道你会向我道喜的。”

“哎，要是你那么一本正经，我可就真的认为这事已经铁板钉钉了。话说回来，你的岳母也算得上人品出众，你们结婚之后她理当住到彭伯里去，时刻伴你们左右。”

宾利小姐讲得神采飞扬，达西在旁边似听非听。看到达西一副不温不火的神情，她更是无所顾忌，任凭自己的伶牙俐齿滔滔不绝地说下去。

第七章

贝内特先生拥有一块每年收入两千镑的田产，这差不多是他的全部家产了，然而膝下无男，这份家业将由一位远房亲戚来继承，对于他的女儿们来说，这真是一件不幸事儿。贝内特太太的父亲生前在麦里屯做过律师，去世时留给她一笔四千镑的遗产，虽说这笔钱足够她本人的生活开销，可是由于丈夫经营不善，她只好用自己的私房钱来补贴家用。

她有一位妹妹嫁给了一位菲力普先生。菲力普先生原先是她父亲的办事员，后来继承了她父亲的行业。她还有一位兄弟家住在伦敦，干着一个体面的行当。

龙博恩村离麦里屯只有一里之遥，对贝内特家的几位姑娘来说，这段距离再合适不过了。她们每星期要上麦里屯三四次，既可以去看看姨妈，还可以顺道逛女帽店。她们中最小的两位姑娘，凯瑟琳和丽迪亚尤其热衷于这样的旅行。她们俩没有姐姐们那么多心事，只要是觉得无事可做的时候，就必定会一路溜达到麦里屯，在那里消磨早晨的时光，并为晚上的聊天收集谈资。尽管乡下向来消息闭塞，她们总能够设法从姨妈那里打听到一些什么。这不，最近这一带开来了一个民兵团，总部就设在麦里屯，整个冬天都要驻扎在这儿呢。姐妹俩把这事打听得清清楚楚，心里止不住欢天喜地。

现在她们再去姨妈家，每次都会大长见识，听到很多有趣的事情。她们每天都能打听到更多军官们的姓名以及他们的社会关系，甚至把他们的住所都弄得清清楚楚，于是她们就开始与军官们直接接触，菲力普先生曾一一拜访过这些军官，却未曾想到他的造访竟为几个侄女开辟了一条幸福之渠。现在她们口口声声念叨的就是那些军官；在她们眼里，一直让母亲谈起来就手舞足蹈的宾利先生的偌大家产比起军官们的制服，简直是一文不值。

一天早上，她们俩就这个话题各抒己见，讨论得火热，恰好被贝内特先生听到。他冷冰冰地骂道：

“从你们俩的言谈举止我敢断定，这全国上下没有比你俩更蠢的丫头片子了。对这一点，我有时候还半信半疑，现在我可完全相信了。”

凯瑟琳顿时感到窘困难当，一声不吭了。丽迪亚却显出一副无所谓的样子，继续表达着自己对卡特上尉的爱慕之情，并说自己希望当天就见到他，因为他第二天就要去伦敦了。

在一旁的贝内特太太开腔了：“亲爱的，我觉得很奇怪，你竟然那样坦然地说自己的孩子蠢。换了我，谁的孩子都可以瞧不起，但决不会瞧不起自己的孩子。”

“如果我的孩子傻，我就应该明白这点。”

“是的，可事实上，她们恰恰个个聪明。”

“让我庆幸的是，只有在这一点上我们的看法有所不同。我曾经抱有幻想，希望我们俩时时处处都能想到一块儿，到如今我还是必须和你持不同的观点。我就是认为，我们最小的两个女儿蠢得出奇。”

“亲爱的贝内特先生，你怎么能要求像她们这么大的女孩子具有她们父母那样多的见识？等她们到了我们这年纪，肯定会跟我们一样不会再想着什么军官了。记得我自己也曾经非常喜欢身穿红制服的军人，说实在的，我现在还喜欢呢！如果真的有哪位年收入五六千镑的年轻英俊的上尉娶我的哪一个女儿，我绝不会拒绝。那天晚上在威廉爵士家，福斯特上校一身戎装，看上去就挺精神的。”

“妈妈，”丽迪亚叫道，“姨妈说，福斯特上校和卡特上尉初来时往华生小姐那儿跑得勤，现在少多了，她倒是常常见他们去克拉克图书馆。”

贝内特太太正要开口，一位男仆走了进来，递上一封写给简·贝内特小姐的信。信是泥泽地别墅送来的，仆人还候着回话。贝内特太太顿时两眼放光，喜不自禁，还没等女儿读完，就迫不及待地嚷嚷开了：

“哎，简，谁写的？写了些什么？他怎么说的？好了，简，快告诉我，快点，宝贝。”

“这信是宾利小姐写来的。”简说着，就大声朗读起来。

我亲爱的朋友：

我和露易莎邀请您在今天与我们一同用餐，望请赏光，否则我们可就会终生怨你了。你知道，两个女人整天在一起言来语去，难免发生争吵。请接信后速来。我哥哥和那几位先生将出去与军官们进餐。

你永远的

卡罗琳·宾利

“与军官们一起进餐！”丽迪亚叫出声来，“真奇怪，姨妈怎么没告诉我这件事呢？”

“出去吃饭？真是不巧。”贝内特太太嘀咕道。

“我可以用马车吗？”简问道。

“不行，亲爱的，最好还是骑马去。瞧，看上去像是下雨了。要是那样，你还得在那儿呆一晚上呢。”

伊丽莎白接上一句，说道：“如果您能肯定人家不会送她回来，那倒是个不错的安排。”

“噢，那些先生们一定是用宾利先生的马车去麦里屯的，赫斯特夫妇自己是没有马的。”

“我还是想乘马车去。”

“亲爱的，你爸爸一定腾不出马给你，农田里还要用马呢！是吧，老爷子？”

“农田里都不够用，我也还想要马呢！”

“如果您今天用马，妈妈的目的就算达到了。”伊丽莎白说。

这样，母亲终于逼着父亲承认了家里的马全都给派上了用场。简无奈地骑上了马，妈妈一直侍候着她到了门口，口中欢喜地念念有词，说天气一定会变坏。她果然如愿以偿了。简出门不多久，天空中就下起了大雨。她的姐妹们不由得为她担心起来，她的妈妈却喜上眉梢。这场雨一刻没停，整整下了一晚，简自然也就无法回家。

“多亏了我的好主意。”贝内特太太不止一次地这样说，那居功自傲的样子就好像这场雨也是她一手安排似的。不过，她是在第二天早上才真正意识到自己的妙计给女儿带来了多大幸福。当时，贝内特一家早餐还没有用完，泥泽地别墅的仆人就已经送来了一封写给伊丽莎白的信。信是这样写的：

最最亲爱的丽兹：

今天早晨我感到身体不舒服，恐怕是因为昨日我被雨水淋得透湿的缘故。这里的朋友们出于善意，执意让我身体康复之后再回家，并且坚持请琼斯先生为我治病。因此，你们听说琼斯先生为我看病的消息时，千万不要惊慌。其实，我并无大碍，不过是喉咙发炎和头痛而已。

姐姐字

“啊，天哪！”伊丽莎白大声念完信，贝内特先生就叫了起来，“要是你女儿染上了重病，送了性命，那可全都怪你，全都是因为遵从你的旨意去追求宾利先生造成的。”

CEB

“嗬，我根本就不担心她会有性命之忧。谁会因为一丁丁点感冒没了性命？有人会把她照顾得好好的。只要她呆在那儿，一切都会顺顺当当。要是我有马车，我一定去看她。”

伊丽莎白内心里甚是着急，她打定主意，即使没有马车，她也要去看望姐姐，由于她不会骑马，她唯一的选择就是步行去。她把自己的决定告诉了大家。

她的妈妈一听就大声呵斥起来：“你怎么这么傻。路上泥泞不堪，亏你也想得出来。等你到了别人家里，你那副模样怎么能见人？”

“我只要见到简就行，这是我的唯一目的。还管什么模样？”

“丽兹，你的意思是不是让人去把马找来？”

“不必了，我不是在逃避走路。只要有动力，这点路程算不了什么，不过三里嘛！晚饭前我就回来。”

“我很佩服你的这种仁厚之心，”玛丽开始发表高论了，“不过，做事不可单凭感情冲动，还得有理智。我的意见是，应该量力而行。”

“我们陪你一起走到麦里屯。”凯瑟琳和丽迪亚一齐说道。伊丽莎白答应让她们做伴，于是三个姑娘一起出发了。

路上，丽迪亚说：“我们要是赶紧点，说不定还会在卡特上尉走之前见到他呢。”

到了麦里屯，她们分手了。两个小妹妹去了一位军官妻子的住所，伊丽莎白一个人继续赶路。她脚步匆匆，穿过一片接着一片的田地，跳过一道又一道的篱笆，跨过一处又一处的水洼，终于发现那幢别墅出现在视野之中。这时，她脚也酸了，袜子也脏了，脸颊却因为赶路而涨得通红。

她被领进了早餐室，所有的人都在那里，只是没有看见简。她的到来无疑引发一阵惊叹：她竟然一大早就步行了三英里，而且是在这样湿漉漉雨淋淋的天气里独自一人走来的！这对赫斯特太太和宾利小姐来说，简直太让人难以置信了。伊丽莎白心中十分清楚她们瞧不起自己的行为，不过她们待她还是非常客气。她们的哥哥宾利先生的言行举止可就不同了，他不仅礼貌待她，而且十分温和友善。达西先生说话不多，而赫斯特先生根本就没开过口。达西先生内心波澜起伏，他既为伊丽莎白在走路之后脸庞透出的红艳光泽所倾倒，又在心中嘀咕着她为看姐姐而独自一人从大老远跑来是否值得。赫斯特先生满脑子里惦记的只是早饭。

伊丽莎白询问起姐姐的情况，才知道情况并不乐观。简昨晚睡眠不好，虽说起床了，但因仍在发高烧，不便离开卧室，于是，伊丽莎白也乐得被人领进房间去看姐姐。简一看见妹妹进来，喜出望外，她早就盼望着家人前来探望，只是担心会让家里人着急，或者给他们带来不便，才没有在信中流露出这种想法。不过，她身体还很虚，不能多说话，只是在宾利小姐走开后，才吃力地讲了一些这里的人是怎样格外友善地待她，她是如何心存感激之类的话。伊丽莎白一声不吭，默默地照顾着姐姐。

吃完早饭后，宾利两姐妹来到她们旁边。看着这两姐妹对简表现出的亲切和关心，伊丽莎白渐渐地对她们萌生了好感。这时医生来了，检查了一下病人的情况，说简患的是重感冒，她们得尽力帮她康复，并建议简回到床上去休息，还给她开了些药剂。虽说医生的话没有什么特别之处，大家还是立刻遵嘱照办，因为这时简的发烧症状有所加重，头痛得也很厉害。伊丽莎白一刻不离地守在姐姐身边，宾利姐妹也极少走开；几位先生都出门去了，实际上他们在家也无事可做。

钟敲了三下，伊丽莎白意识到自己得走了。依依不舍地向大家告辞。宾利小姐要她乘马车回家，伊丽莎白稍作谦让，准备接受她的美意，这时，简开口说自己舍不得让妹妹走，宾利小姐当即改变初衷，不再提出让伊丽莎白乘坐自家的马车回家，而是邀请她留在泥泽地别墅陪伴姐姐。伊丽莎白满怀感激，一口答应了下来。于是宾利小姐又差人去龙博恩，把伊丽莎白留住别墅的事告知贝内特一家，并顺便给她们带些换洗的衣物来。

第八章

五点钟的时候，宾利姐妹出去更衣，到了六点半，有人来请伊丽莎白去吃饭，用餐时，大家纷纷询问简的状况。看到大家十分礼貌，尤其是看到宾利先生一副真诚关切的样子，伊丽莎白顿时感到欣慰，可惜，她的回答无法给大家带来慰藉——简的病情压根儿就没有好转。听到这一消息，宾利姐妹唏嘘不已，说她们心里有多么难过，说重感冒有多么可怕，说她们对于生病是怎样深恶痛绝。这些话翻来覆去说了三四遍之后，这事就被抛置于脑后。此刻，伊丽莎白看着简不在场时她们一个个表现出的那种冷漠，不由得再次对她们产生了恶感。

实际上，在这一群人中唯一让伊丽莎白感到称心的人就是她们的兄弟宾利先生。他的言行举止都透出对简的担忧，他对伊丽莎白本人的关爱也热情周到，她原本认为自己会被别人当作不速之客，现在这种想法已经荡然无存。这里除了他外，其他人几乎并不在乎她的存在，宾利小姐一个劲儿地围着达西先生转，她的姐姐也在一旁凑热闹，而坐在伊丽莎白旁边的赫斯特先生纯粹是个平庸之辈，似乎他活着就是为着吃饭、喝酒、玩扑克。当他发现伊丽莎白只爱吃普通小菜而不爱蔬菜炖肉时，与她完全无话可说。

饭后，伊丽莎白径直回姐姐身边去了。她的脚刚一迈出餐厅，宾利小姐就开始数落起她来，断言她不懂规矩，既高傲又无礼，还说她不善言辞，心无城府，没有品位，而且相貌平庸。赫斯特太太点头称是，甚至还补上几句：

“总而言之，她除了擅长走路，就再没有值得称道的地方。她今天早上那副模样我是终生不忘的，瞧那野性十足的样儿！”

“露易莎，你说的不错。当时我差点没笑出来。她跑一趟有什么用？姐姐得了点感冒，她就非得满世界乱窜？瞧，她那乱蓬蓬的头发，一副邋遢相。”

“一点不假。还有衬裙，你要是看到她的衬裙就好了。上面糊的泥巴，我绝对敢肯定，足有六寸厚。她还有意放低长裙想遮住衬裙上的泥巴，其实根本不管用！”

“露易莎，你描述得十分逼真。不过我看这算不了什么。”宾利先生说道，“今天早上伊丽莎白小姐走进这房间的时候，我一点都没感觉到她的形象有什么不妥的，我根本就没看见什么满是泥巴的衬裙。”

“达西先生，你一定看到了。”宾利小姐说，“而且我想，你一定不会希望自己的妹妹弄成那副模样。”

“当然不会。”

“走了三英里，或许四英里、五英里，或者还不止呢，踩着一脚多深的泥巴，而且是一个人走来的！你说那是为什么？我看哪，这正表现了她那我行我素、狂妄自大的性格，这是一种漠视礼仪没有教养的可恶的乡里气息。”

宾利反驳道：“这恰恰表现了她对姐姐的亲情，难能可贵啊！”

“达西先生，”宾利小姐压低声音说，“我恐怕这次经历影响到了你对她那双美眼的崇拜之情呢。”

“根本没有，我反而觉得她那么一路走来，两只眼睛更有神了呢！”达西说完，大伙儿谁也没吭声。过了一会儿，赫斯特太太又开腔了。

“我格外欣赏简·贝内特，她确实是一位可爱的姑娘，我也真希望她能攀上一户好人家。可一想到她的父母和那些低俗的亲友，又觉得这事难成。”

“我好像听你说过，她有个姨父在麦里屯当律师。”

“是呀，她们还有个舅舅呢，住在伦敦的契普赛德大街附近。”

“那可是首都啊！”她的妹妹加了一句，两人都会心地笑了。

“就算整条契普赛德大街的人都是她们的叔叔舅舅，她们的魅力也不会因此而减一分。”

“不过，这会使她们嫁给世上又有头脑又有钱的男人的可能性大打折扣。”达西回了一句。

宾利对此没有作出任何表示，他的妹妹们都极力点头称是，接着，又继续拿她们亲爱的朋友家的穷亲戚寻开心。

闹了一阵子之后，她们走出餐厅，重新换上了一副温存的面孔，来到简的房间，一直陪伴着，直到有人来请她们出去喝咖啡。简的状况仍然不见好转，伊丽莎白一直陪着姐姐，不愿意离开半步，直到夜已深了，她才欣慰地看到姐姐入睡。这时，她觉得自己该下楼去走一走，她并不是很高兴这样做，只是觉得应该而已。一到客厅，发现大伙全都在那儿玩牌。有人立刻邀她入伙，可她担心他们玩得太大，便以要照顾姐姐为借口拒绝了，只是说在楼下拿本书随便翻翻就得上去了。赫斯特先生眼睛盯着她，不胜惊讶，说道：

“你不喜欢玩牌，反而喜欢看书？”

宾利小姐也附和说：“伊丽莎白小姐不屑于玩扑克，她是个了不起的读书人，对其它事儿一概没有兴趣。”

“您这是夸奖也好，批评也罢，我都不敢当。我根本不是什么了不起的读书人，只不过是我的兴趣广一点而已。”伊丽莎白大声说道。

“我想你这时最乐意做的是照顾姐姐，我希望看到她好得快一些，你更开心一些。”宾利说。

伊丽莎白真诚地向他道了谢，转身朝一张摆放着几本书的桌子走去。宾利立刻提出去为她拿些别的书，只要他的书房里有的都拿来。

“但愿我的藏书能满足你的阅读，这样我也有面子。可惜我比较懒散，我的藏书不多，读过的可就更少了。”

伊丽莎白告诉他，这房间里的书就已经相当不错了。

宾利小姐在一旁对达西说：“我真弄不明白，我父亲竟然只给我留下了这么一点藏书。你在彭伯里的藏书才真是可观呢！”

“应该不错，那可是我家几代人的收藏啊！”达西回答说。

“那你自己还添加了不少呢。你不是一直在买书吗？”

“在如今这年月，我没有理由忽视家庭藏书这个问题。”

“忽视？我敢肯定，只要是能为那片高雅之地增色添彩的事情，你都不会忽视。查尔斯（即宾利先生——译者），你以后建造的房屋能赶得上彭伯里一半棒就好了。”

“但愿如此。”

“不过我还是建议你就在那附近购地，以彭伯里为榜样好好建设。在英格兰，再没有哪个地方比德比郡更美了。”

“真心谢谢你的建议。不过，如果达西肯出让的话，我还不如干脆把彭伯里买下来得了。”

“查尔斯，我只是说说这事儿的可能性而已。”

“照我看，卡罗琳，买下彭伯里比仿建它更有可能。”

伊丽莎白不知不觉中对他们这言来语去听得入迷，几乎没有心思继续看书，于是干脆就把书往旁边一搁，走近牌桌，坐在宾利和他的姐姐中间观战。

“达西小姐开春以来应该长高了不少吧？”宾利小姐问道，“她将来说不定有我高呢。”

“我想她会的。她现在就差不多有伊丽莎白小姐那高，说不定更高一些呢。”

“我真想再见到她。我还从没遇到过比她更让我喜欢的人呢。那么好的容貌！那么好的风度！还有，那么小就才艺超群！她的钢琴演奏真是精彩绝伦。”

“我感到诧异，年轻的女士们怎么都能如此有毅力，如此有才华。”宾利说。

“所有年轻女士都有才华！亲爱的查尔斯，你这话是什么意思？”

“我想她们全都是这样。她们装饰桌面、装点屏风、编织绣囊，无所不会。我所认识的，没有哪位姑娘不精通此道；我所听到的，没有哪位年轻女子不被人开口就夸她是多才多艺的。”

“你所说的不假，但你所列举出的这些才艺都只是一些普通活计。在你看来，许多女人只要会编织绣囊或者装点屏风，就可以被称为才女。我实在不同意你对女士们一概而论的观点。在我认识的女士中，我敢说，真正有才有艺的不过五六个。”达西说。

宾利小姐连忙附和：“我同意你的见解。”

“这么说，你们所说的才女一定还要具备很多条件啦。”伊丽莎白冒了一句。

“不错，我所理解的才女的确具备很多条件。”达西答道。

“哦，当然了。”他忠实的助手拉大了嗓门，说道，“一个人如果不能大大超出一些稀松平常的技能，就不能真正被称为有才有艺。一位姑娘必须对音乐、歌舞、丹青书画、现代语言样样精通，才能配得上这个美名；而且除此之外，她还得具有高雅的气质、仪态、谈吐、服饰、表情才行，否则就有一半是虚名。”

“所有这些是一个才女必备条件，而且在这基础上，她还得博览群书，加深修养。”达西补充道。

“您刚才说您只认识六位才女，我不再感到诧异了。现在我只是在想，您恐怕连一个这样的才女都不认识。”

“你是对你的女同胞太苛刻，以至于根本就不相信有这种可能？”

“我从没见过这样的才女。我从没见有哪位女子能把您所说的能干、风趣、勤奋、优雅这几种品质集于一身。”

赫斯特太太和宾利小姐一起叫嚷起来，指责她疑心太重，这是不公平的，并抗议说她们就认识许多女士符合才女条件。这时赫斯特先生尖刻地抱怨起来，说她们不注意出牌，请她们注意牌局，这场口头争辩随之平息了下来。过了一会儿，伊丽莎白就走开了。

听到房门在身后关上，宾利小姐又开腔说："像伊丽莎白·贝内特那样的年轻姑娘总是在异性面前提高自己，贬低女同胞。我敢说，这一招对很多男人十分奏效，在我看来，不过是雕虫小技、下三滥的伎俩。"

达西感觉到这话明显是冲着自己来的，立刻应道："毫无疑问，女人们为了得到心上人，有时候不择手段，的确可鄙。凡是奸诈诡秘的伎俩都应该受到鄙视。"

宾利小姐对此并不完全满意，干脆不往下谈论这个话题。

伊丽莎白又走了过来，只是说她的姐姐病情更糟，自己得时刻陪伴她。宾利建议立刻派人去请琼斯先生，他的姐妹都认为乡野医生根本不可能有用，建议快马进城，请一位名医来。伊丽莎白没有听进宾利姐妹的意见，但也不同意宾利的建议，最后大家决定，如果简的病情没有根本好转，第二天一大早就去请琼斯先生。宾利心中深感不安，他的姐妹也声称她们十分难过。不过，晚饭之后，她们俩来了个二重唱，这才算减轻了内心的伤心，而宾利全然找不到用什么方法聊以慰藉，只是吩咐管家，尽一切可能服侍好生病的姑娘和她的妹妹。

第九章

大半个晚上，伊丽莎白都在房间里守候着姐姐。第二天一大早，宾利先生就差一位女仆询问简的病情，一会儿之后，他的姐妹也打发两个仪态优雅的女婢前来探询，伊丽莎白终于可以一一给予令人欣慰的回答。尽管姐姐的病情有了转机，她还是请求宾利先生派人到龙博恩送信，希望母亲来探视简，以便她自己对女儿的病情心中有底。信函马上送出去了。信中的要求很快得到了落实：早饭刚过，贝内特太太就在两个小女儿陪同下到达了泥泽地别墅。

要是看到女儿真有性命之忧，贝内特太太一定会十分悲伤，但事实上她看到女儿的病情并无大碍，也就放心下来，甚至还希望她不要过早痊愈，因为她一旦康复就得离开泥泽地。因此，对于女儿回家养病的提议，她绝不同意；何况与她同时到达宾利家的医生也认为不宜将简带回家中养病。贝内特太太坐在那里陪伴着简，不久，宾利小姐走了进来，邀请她和三位小姐去餐厅用早餐。宾利迎上前去，说他希望贝内特太太这次来看到的简的状况比原先想象的要好。

“先生，我实在没想到她会病得那么重。”贝内特太太回答道，“她现在病得不轻，不便带回去休养。琼斯先生也说不能颠来颠去。所以我们恐怕得多叨扰您一些时日了。”

“送回去？”宾利先生急了，说道，“连想都不要这样想。我可以肯定，我的妹妹也不会同意这么做的。”

“太太，您放心，贝内特小姐留在这里会得到尽心尽力的照顾。”宾利小姐声音冷淡但又不失礼貌。

贝内特太太一听，不由得千恩万谢。末了，又补上一句：“我肯定，要不是遇到这么好的朋友，谁知道她会病成什么样子呢？她病得确实不轻，受了不少的罪，好在她极有忍受力——她从来都这样，她的性格是我见过的女孩中最温柔可爱的。我也常常说，我的其他几个女儿简直就不能与她相比。宾利先生，您这房子真漂亮，从鹅卵石小道望上来，景致格外迷人。真不知道这世上还有什么地方能与这泥泽地别墅相媲美。您的租期虽说不长，我倒是真心希望您不要匆匆搬走。”

“我做事向来都是匆匆完成的。”宾利应道，“所以说，如果我决定离开泥泽地，可能五分钟之内就走了。不过，目前我还是认为这里挺适合我的。”

“这正是我所预料到的。”伊丽莎白说道。

宾利转过身来，朝她大声说道：“你开始理解我了，是吧？”

“是的，可以说是非常了解。”

“但愿您这是一句恭维。不过，被人一眼就看穿，也未免太可悲了。”

“那得视情况而定。城府很深、心机复杂的性格并不一定比你这样的性格更令人敬重，也不会更令人鄙夷。”

“丽兹，”她的妈妈提醒道，“别忘了你这是在哪儿，别再像在家里那样野下去了。”

宾利则接着刚才的话题继续说道：“真没想到，你还是一位研究性格问题的专家呢。那一定是一门有趣的学问。”

“这话不假。不过心机复杂的性格是最有趣的，至少那种性格值得研究。”

达西加入了这场谈话：“总体来说，在乡下，能作为这种研究对象的人微乎其微。你看，人一到乡下就进入了一个非常封闭、一成不变的社会。”

“可是人们自身在改变呀。在他们眼里，永远都有新的东西去关注。”

达西谈论乡下的那种口气把贝内特太太激怒了，她大声说道：“这话不错。我可以向你们保证，咱们乡下一点也不比城里差。”

大伙都吃了一惊，达西朝她望了望，转过头去，不再吱声。贝内特太太见自己打败了达西，大获全胜，不觉心花怒放，继续乘胜追击。

“在我看来，伦敦除了比咱乡下的商店和娱乐场所多些以外，其它也没什么好。相比之下，乡下生活倒更舒服。您说是吗，宾利先生？”

宾利答道：“我到了乡下，决不想离开；我到了城里，我也有同样的感觉。乡下城里各有千秋。无论在哪儿生活，我都同样感到快乐。”

“哎呀，那是因为您性格好，可是那位先生，”贝内特太太瞟了达西一眼，“好像把乡下看得一钱不值。”

“妈妈，老实说，您错了。”伊丽莎白为妈妈感到脸上发烧，“您误解达西先生了。他只是想说在乡下遇到的人不如城里那样形形色色，这您也得承认呀！”

“当然承认，亲爱的，没人说过不是那么回事。可要是说到在这一带有见识的人不多，那就不对了，我认为比这里大的村镇数不出几个。我说，和我们往来吃饭的都有二十四户人家呢。”

要不是顾及伊丽莎白，宾利恐怕早就忍不住大笑开了。她的妹妹可没那么体贴人，向达西挤挤眼，意味深长地笑了。伊丽莎白急于想转移母亲的思路，就问母亲在她离开家的几段日子，夏洛特·卢卡斯有没有去龙博恩找她。

“去过，昨天和她父亲一块去的呢。威廉爵士是个好人哪，宾利先生，您说是吗？他真称得上是社会名流，那么温文尔雅，那么平易近人，他任何时候都能和人攀谈，不管对谁都这样，这就是我心目中的有教养的人，而那些自以为了不起、金口难开的人，在这一点上可就大错特错了。”

“夏洛特和你们一起吃饭了没有？”

“没有，她当时硬要回家，我寻思着是家里等着她回去做肉饼。我可就不同了，宾利先生。我雇请的仆人各自都能把事情做好，所以我自己养育女儿就与卢卡斯家不同。不过大家都有目共睹，我也敢肯定她们家的几位小姐个个不错。遗憾的是，她们的长相都不够俊秀。我倒不是说夏洛特怎样难看……毕竟她是我们不同一般的朋友啊！”

“我觉得这个年轻姑娘看上去还是非常讨人喜欢的。”宾利说。

“哦，可不是吗。不过您得承认，她的长相的确非常平庸，就连卢卡斯太太本人都常常这样说，她还因为简的美貌而忌妒我呢。我不喜欢拿自己的孩子吹嘘，不过可以肯定，简——反正比她容貌更出众的姑娘不多见。大伙都这么说，我这也不是偏心。她十五岁的时候，有一次我们去城里她舅舅家做客，一位先生深深地爱上了她。我的弟媳说，在我们回乡之前，那人肯定会来提亲，可是他没那么做，也许是想到她年纪太小。不过，他给她写了很多诗，非常美的诗。”

“他的爱情就这么终止了。”伊丽莎白极不耐烦地说道，“我想，一定还有很多爱情都是以这同样的方式宣告结束的。只是不知是谁最先发现，诗句祛除爱情的功效竟然那么神奇。”

“我还总在认为诗歌是爱情的食粮呢。”达西说。

“对一般优美、坚贞、健康的爱情来说，诗歌或许是食粮，因为只要本身健壮，一切都能变成养料；假如爱情只是刚刚萌芽，还十分娇嫩瘦弱，我敢说，一首优美的十四行诗反而会叫它饿得彻底完蛋。”

达西只是笑了笑，大伙一下子也没吱声，这沉默让伊丽莎白担心起来，害怕母亲又会丢人现眼，情急之下她想继续说下去，可一时语塞，找不到词儿。就这样沉默了一会儿，贝内特太太终于又开口了。她再次感谢宾利先生对简的热情关怀，对丽兹也来打扰各位表示歉意。宾利先生的应答恳切礼貌，他的妹妹也不得不和哥哥一样客客气气，说了一番场面上的话。尽管宾利小姐表现得并非十分豁达，贝内特太太已经心满意足了，于是她叫人备好马车。一听到回家的信号，贝内特太太的小女儿丽迪亚就向前飞奔出去。从一来到宾利家，这两个最小的姑娘就一直在一旁窃窃私语，最后决定由丽迪亚去责问宾利先生，问他是否还记得自己刚来乡下时曾经许诺要在泥泽地举办舞会一事。

丽迪亚今年十五岁，身体发育良好，体态丰满，面色润泽，看上去整天都乐呵呵的，是她妈妈最钟爱的女儿。正因为妈妈的喜爱，她小小年纪就进入了社交场合。她生性活泼好动，向来我行我素，那些民兵团军官通过她叔叔的一次次宴请，与她接触日益增加，又见她行为轻佻放浪，自然格外垂青，这更使得她不可一世。所以她敢于去和宾利先生重提在泥泽地别墅开舞会的事，并且毫不遮拦地提醒他不要忘了自己的承诺，末了，更是大胆地补充了一句，说如果他食言了，那可是天底下最可耻的事情。对于这种突然袭击，宾利先生回答让她母亲听着十分受用。

“我敢保证，我十分乐意遵守我的承诺。等你姐姐康复之后，如果你愿意，由你来选定舞会的日子，你总不会姐姐的病没好就要开舞会吧？”

丽迪亚感到非常满意，说:“好,这样最好。最好等到简的病好了，卡特上尉也回到了麦里屯的时候。”又补了一句：“等你举办完舞会，我让他们也办一次。到时候我就对福斯特上校说，如果他不照办，那就太丢人了。”

贝内特太太带着两个女儿走了，伊丽莎白也立刻回到简的身边，全然不顾宾利姐妹和达西先生会怎样对自己和自己的家人说三道四。然而，尽管宾利小姐拿“美丽的眼睛”说了许多俏皮话，达西并没有受挑唆去与她们搀和在一起对伊丽莎白品头评足。

第十章

这一天过得和前一天没什么不同。早晨，宾利小姐和赫斯特太太陪了简几个小时，简也在一点点地恢复，到了晚上，伊丽莎白和他们一起呆在客厅里，只是牌桌搬走了。达西先生在写信，宾利小姐在一旁看着，时不时地打断他的思路，请他在信中代自己给他的妹妹写上几句。赫斯特先生和宾利先生两人玩着扑克牌，赫斯特太太在跟前观战。

伊丽莎白做起了针线活，一边饶有兴趣地听着达西和他的同伴的对话。宾利小姐一个劲儿地夸奖达西，一会儿夸他的字体隽永，一会儿夸他的书写匀称整齐，一会儿又是这封信写得不长不短，篇幅适中。一边赞誉之辞无休无止，一边却似听非听全无热情，这种有趣的对话正好印证了伊丽莎白心中对他们俩各自的评价。

“收到这样的信，达西小姐该是多么高兴啊！”

达西没有吱声。

“你写信的速度真是惊人。”

“你正好错了，我写信很慢的。”

“一年之中你得写多少信啊！还有那些商务信函！一想起这些我就感到厌烦。”

“不过，写信的幸好是我而不是你。”

“请一定告诉你妹妹，说我很想见她。”

“我已经照你的意思写过一遍了。”

“我恐怕你的笔不太好用，我替你修一修吧！我修笔可是好手啊。”

“谢谢。不过我总是自己修的。”

“你怎么就能书写那么工整呢？”

达西没说话。

“请转告你妹妹，说我听到她弹竖琴很有进步的消息，感到十分高兴；还有，请你告诉她，我非常喜欢她那幅漂亮小巧的台桌图案。我觉得它远胜于格兰特利太太的设计图案。”

“请原谅，等我下一次写信的时候再向她转达你的喜悦心情，好吗？这会儿不好把这些内容再往里面添加了。”

“嗬，不要紧。在一月份我会见到她的。达西先生，你总是给她写这么长这么动人的信吗？”

“通常篇幅都很长，至于是不是动人，我可就不好说了。”

“在我看来，一个人能轻轻松松写一封长信，他的信写得一定不会差。这是规律。”

“这类恭维话可不能用在达西身上，卡罗琳。”她的哥哥在一旁朝她喊，“你看，他写得并不轻松，他学习那些回声词可是非常费劲的呢。是吧，达西？”

“在写信上我们俩可是风格迥异。”

宾利小姐一听这话，不由得叫了起来：“噢，查尔斯写信要多粗心有多粗心，有时一个词漏掉一半，有时弄得到处是墨点。”

“我的思路太快，完全来不及将它捕捉住表达出来，所以，有时候收信人就会发现，我的信竟然空洞无物。”

“宾利先生，您的谦虚可以消解别人的批评。”伊丽莎白说道。

“没有什么比表面上的谦虚更具有欺骗性的了。”达西说，“这种谦虚有时候是随口乱说，有时候则是间接自夸。”

“那你说说我刚才的谦辞到底属于哪一类呢？”

“间接自夸。实际上你是在为自己写信过程中的缺点洋洋自得，因为在你看来，这些缺点实际上是一种才思敏捷、不屑表达的表现，即使不算可贵，至少也十分有趣。那些做事迅速利索的人总是洋洋自得，却常常看不到自己的表现并非尽善尽美。今天早晨你对贝内特太太说，如果你决定离开泥泽地别墅，五分钟内就能搬走，其实，这不过是你借以自我称道、自我恭维罢了。鲁莽只会使许多必要的事情半途而废，于人于己都没有好处，有什么值得称道的呢？”

“得，这太过分了一点。”宾利大声说道，“早晨说过的那些话竟然到了晚上还挂在嘴上。我敢以名誉担保，我刚才对自己的分析句句是实，此时此刻我仍然相信这一点。至少我不认为，表现出无谓的鲁莽仅仅只是为了在女士面前炫耀。”

“可以说你相信自己的分析是真实，不过，我绝不相信你真会那么果断地离开一个地方，你会瞅准时机再动，就跟我认识的其他人一样。而且，在你上马的时候，如果有朋友对你说：‘宾利，你还是等到下个星期再走吧。’你就会留下来。要是再有挽留，你可能会多呆上一个月呢。”

“您所说的恰好证明了宾利先生并不是由着性子来做事的。您这是在夸他，比他自己夸的还多呢。”

“经你这么一说，我朋友的话一下子变成了对我性情温和的夸奖，这实在令我感激不尽。不过，我恐怕你的解释有悖于那位先生的本意。因为如果我要是断然拒绝朋友的挽留，跃马扬鞭一走了之，反倒会更让他看重。”

“要是那样，达西先生想到的一定不是您最初的动机如何轻率，而是您实施自己的意图时表现出的执着精神。”

“说实在的，这件事我还真说不明白，得请达西亲自解释一下。”

“你说那都是我的观点，事实上我根本没承认过，你其实是期待我给个解释。伊丽莎白小姐，就算你说的情况成立，请您注意，那位朋友希望他留下来，希望他推迟计划，那仅仅是希望而已，仅仅是征求意见而已，绝没有说非留下来不可。”

“这么说，只要是轻松愉快地听从朋友的劝说，就不是优点了。”

“盲目的听从不利于朋友间的相互理解。”

“达西先生，在我看来，您似乎根本就不承认友谊和亲情的影响力。出于对朋友的尊重，一个人往往会很愿意去听从他的请求，而不需等着他来摆道理要求自己那样做。当然，我不是专门针对您刚才为宾利先生作出的假设。我们或许也可以等待，等待这样的事情发生之后，再来讨论他的行为是否审慎合理。但是，一般而言，朋友之间一方希望另一方改变一下并不重要的决定，他没有等到对方劝说就听从了这一请求，您能因此而瞧不起他吗？”

“我们在继续讨论这一话题之前，不如先仔细分析一下这一请求的重要程度，以及双方之间的亲密程度，你说如何？”

“完全同意。”宾利叫道，“我们还是先听你把要点罗列一下吧，别忘了他们相对的身高和体重，这些在讨论中的分量会比你想象的更重要。贝内特小姐，我向你保证，假如达西先生不是比我魁梧，我才不会对他那么言听计从呢，连那一半都做不到。我敢言，在某些场合、某些地点，尤其是在他自己的家里，在星期天晚上，当他闲来无事的时候，他是我所见过的最可怕的家伙。”

达西笑了笑，一声不吭。不过伊丽莎白能够感觉出来，他相当恼怒，于是忍住没有笑出来。宾利小姐对达西受气忿忿不平，言辞犀利地指责她的哥哥不该这样胡说一气。

“我看出你的意图了，宾利。”他朋友说道，“你就是不喜欢辩论，才以这种方式来平息。”

“也许是这样的辩论与争吵似乎没什么区别。不过如果你和贝内特小姐能等我走出房间之后再继续辩论，我将不胜感激。到那时，你们俩爱说啥说啥。”

伊丽莎白说：“您请求退出对我没有损失，反正我也不辩论了。达西先生，您还是接着写完那封信吧。”

达西依言行事，写完了信。末了，他请宾利小姐和伊丽莎白弹奏点音乐。宾利小姐步履轻盈地走到钢琴边，礼貌地请伊丽莎白小姐先起个头，伊丽莎白十分客气但极为诚恳地推辞了，于是，宾利小姐自个儿在钢琴跟前坐了下来。

赫斯特太太为妹妹伴唱。伊丽莎白听着，姐妹俩非常投入的演唱，一边随手拿起钢琴上的几本音乐书翻阅起来，她注意到达西先生的目光经常停留在自己身上。她不敢想象，自己怎么可能成为这位大人物的仰慕对象，可是如果说他是讨厌自己才那么盯着自己看，似乎更解释不通。最后，她只好把这理解为自己之所以引起了他的注意，是因为按照达西的是非标准，自己身上的陋弊和堪可指责的东西比在场的谁都多。这种猜测丝毫也没有令她伤心，因为她根本就不喜欢他，自然就不在乎他对自己是否认可了。

弹奏了几首意大利歌曲之后，宾利小姐一改风格，演奏起欢快的英格兰小调来。不一会，达西先生走近伊丽莎白，对她说："贝内特小姐，您愿不愿意趁着眼前的机会跳一曲苏格兰双人舞？"

她笑了笑，未置可否。见她竟沉默不语，达西不由得有几分诧异，于是把刚才的请求又说了一遍。

"哦，我刚才听到了。"伊丽莎白说道，"我只是不知道怎么立刻回答你。我知道，你是想我说'好'，这样你就会欣然蔑视我情趣低下，好在是我一向以戳穿这类伎俩为乐，并且喜欢捉弄那种存心贬低我的人。所以，我下定决定要对你说，我一点儿也不想跳英格兰双人舞。现在你敢蔑视我，那就请便吧！"

"我确实不敢。"

伊丽莎白本想挫一挫他的锐气，不想他竟然显得那样温顺，不由得心中一愣。不过她乖张又可人，决不轻易当众给人难堪。再说达西还从来没有对哪位女士如此着迷过，他甚至在想，要不是伊丽莎白的一些亲友低俗不雅，他真的会闯入爱情的险滩。

宾利小姐看在眼里，心里顿时猜忌丛生，刹那间，她恨不得自己的好朋友简立刻康复，希望藉此撵走伊丽莎白。

于是，她不断与达西谈论他和伊丽莎白的婚姻，并说这种结合将给达西带来幸福，极力用这种假设的婚姻激起达西对她这位客人

的反感。

第二天，宾利小姐和达西一起在矮树林里散步时，她就这样对达西说：“当良辰吉日到来的时候，我希望你能对你未来的岳母娘好好暗示一下，让她明白闭上嘴少吭声的好处。要是你有能力，务必治一治你那几个小姨妹见了军官就狂追的毛病。还有一点比较敏感，不知道是否可以讲。我想你还得尽力克服尊夫人的一点小毛病，有点像高傲自大，又有点像鲁莽无礼。”

“对我的家庭幸福，您还有其它建议吗？”

“哦，对了，务必要把你的菲力普姨父和姨妈的画像摆放到彭伯里的画廊去，还要放在你的大法官曾叔父的遗像旁边。你知道，他们可算是同行，不过是业务不同而已。至于您的伊丽莎白，你千万不要让人为她画像，什么样的画匠能把她那两只美丽的眼睛画得那么传神呢？”

“的确，用画笔捕捉住她的眼神并非易事，不过眼睛的颜色、形状、睫毛，都美不胜收，或许可以画出来。”

正在这时，赫斯特太太和伊丽莎白从另一条路上走过来，他们四个人碰到了一起。

“真没想到你们也出来走走。”宾利小姐连忙开口，唯恐她们两个听到了她的话，但心中仍不免有几分慌乱。

“你们简直太可恶了，连招呼都不和我们打一个，就跑出来了。”赫斯特太太应答道。

说着，她挽起达西先生另一只空着的胳膊往前走，恰好这条小路只够三人并行，伊丽莎白只好一个人被留在后面独自走着。达西先生感觉这样有失礼貌，立刻说道：“这条小路太窄，不够我们四个人走，我们还是上大路走吧。”

伊丽莎白已经没有丝毫的兴趣继续和她们一起散步，听到这话，笑了笑，答道：

“不了，不了，你们还是在这里走吧。你们三个是迷人组合，显得格外出彩，要是加上第四个，那景致就被破坏了。再见啦！”

说完，她轻快地跑开了。一想到再过一两天就回家了，她心中顿时欢欣鼓舞，不由得放纵自己四处乱窜起来。实际上，简已经康复得差不多了，还打算傍晚的时候到房间外面走两三个小时呢。

第十一章

晚饭过后，女士们走出餐厅，伊丽莎白跑到楼上姐姐身边，姐姐或许是担心着凉，把自己裹得严严实实的，伊丽莎白搀扶着姐姐进了客厅。她的两个朋友立刻说了一大堆的不胜喜悦之类的套话，对简表示欢迎。伊丽莎白还从来没见过宾利姐妹如此讨人喜欢过。她们谈吐的功夫十分了得：描绘起娱乐活动来绘声绘色，讲起轶闻趣事幽默风趣，讥讽起某个熟人来眉飞色舞。

一个小时之后，男士们走了进来。这一次简不再是唯一目标，宾利小姐的目光立刻投向达西，还没等他走过来，她就像是要对他说些什么了。达西径自向简打了招呼，客客气气地说了一些祝贺的话。赫斯特先生也向她微微鞠了一躬，说他感到“非常高兴”。不过还是宾利的问候温馨四溢。他的内心充满了喜悦和关怀。他进门之后足足半个小时，都在忙活着，又是不停地往壁炉里添柴加火，唯恐简因换了房间之后不适应气温而着凉，又是请简移到壁炉的另一侧去坐，不让她坐得离房门太近，一切安排妥当之后，才在她身旁坐了下来。他只顾着一个劲儿地与她说话，全然没有顾及其他人。伊丽莎白坐在对面的一个角落，手中虽然忙着活计，眼睛却把这些看得真真切切，心里感到十分高兴。

喝过茶后，赫斯特先生示意姨妹清理一下牌桌，可是宾利小姐一动也没动，她非常清楚，达西不想玩牌。赫斯特先生又当着大家的面请她安排一下，还是被推绝了。她向他保证没有一个人想玩牌，其他人对此也都沉默不语，似乎证明了她所言不假。赫斯特先生无事可做，只好在一个沙发上平躺下来昏昏睡去。达西拿起一本书翻了起来，宾利小姐也照他的样子看起书来。赫斯特太太全神贯注地抚弄着自己的手镯和戒指，时不时地插上几句，加入到宾利与简小姐的谈话之中。

宾利小姐一面看着书，一面留心着达西先生看书的情况。她不是向达西问这问那，就是凑过来看看他读到哪一面了，折腾个没完，最终还是没有让他停下来和自己谈话。达西对她的问话总是问什么答什么，回答完了又继续看书，从不多说。无奈之中，宾利小姐只好努力从书中去寻找乐趣，本来她选中这本书只是因为它是达西拿的那本书的第二卷，而此刻她怎么也看不进去，结果弄得疲惫不堪。于是她打了个哈欠，说："用这种方式来打发晚上的时光，真是开心！我敢说，读书是最大的享受。一个人读起书来乐在其中，不知疲倦，没有什么东西能够与之相比了。等我有了自己的房子，一定要建一个一流的图书室，要不然就太可悲了。"

见没有人回应，她又打了个哈欠，把书往旁边一扔，眼珠子往房间各处一阵扫视，看能不能找到有什么好玩的，碰巧听到哥哥正向简提到什么舞会的事，立即转过身来，朝他说道：

"哎，我说啊，查尔斯，你当真要在泥泽地别墅办舞会？我有个建议，在你作出决定之前，还是先征求一下在场的各位的意见吧，我要是没说错的话，我们这里一定有人会觉得跳舞不是什么享受，而是受罪。"

"如果你说的是达西的话，那么他可以在舞会开始之前就先上床休息去。"他的哥哥冲她大声说道，"这场舞会，已经是铁定了的事，一旦尼科尔斯准备妥当，我就开始发请帖。"

"要是办舞会能翻出点新花样，我会格外喜欢的。"宾利小姐回应说，"可是，这类的聚会都是老一套，乏味至极。如果这类聚会上不跳舞，只谈话，或许更合适一些。”

“岂止是合适呀，我亲爱的卡罗琳。不过那就不像舞会啦。”

宾利小姐没有吱声。过了一会儿，也站起身来，在房间里四处走动，只见她仪态优美，婀娜多姿，分明是意在达西。可是达西仍然只是专注于书本之中。她不由得感到一阵绝望，然而，她决定再作一次努力，于是她转向伊丽莎白，说道：

“伊丽莎白·贝内特小姐，我劝你学学我的样子，站起来到房间里四处走走。你坐在那里长时间一动不动，这样走走可以让你精神为之一爽。”

伊丽莎白先是一愣，立刻就同意了。这种表面的礼貌倒是让宾利小姐达到了真实目的。达西先生抬起头来，他和伊丽莎白一样，也意识到了这时宾利小姐变着花样在吸引自己的注意。他手中的书不知不觉地合上了。两位小姐立刻过来邀他一道走走，他拒绝了，说，两位小姐选中了要和他一道在房间里走来走去，无非是出于两个动机，而只要他真去和她们一道走，对任何一个动机都会有妨碍。“他这话到底是什么意思？”宾利小姐绞尽脑汁，想弄清楚他到底想说什么，于是问伊丽莎白是否懂得这话的含义。

“谁知道呢？”伊丽莎白回答说，“不过，就这事本身来看，他不过是想刺激一下我们，而让他失望的最稳妥的办法就是别问。”

然而，宾利小姐在任何事情上都不忍让达西先生失望，于是死缠硬磨地让他解释一下这两种动机。

“我很乐意向你们解释。”经宾利小姐这么央求，达西立即就作了解释，“你们选择这种方式来打发晚上的时光，要么是因为你们是推心置腹的好朋友，有很多悄悄话要说，要么是因为你们意识到了自己在走路时更能展示出身材的优势。如果属于第一种情况，我的加入会大大妨碍你们；而如果属于第二种情况，那我坐壁炉边就更能欣赏到你们的美态了。”

“嗨，讨厌不？”宾利小姐大叫起来，“我还从没听到过这么恶心的话呢。竟说出这样的话来，我们该怎样惩罚他？”

“你要是存心惩罚他，这太容易了。”伊丽莎白说，“别人要是折磨我，惩罚我，我也可以这样待他。你可以戏弄他，取笑他，既然你与他那么熟，你一定知道该怎么做的。”

“可是，我确实不知道啊。我们虽然熟识，但我还真没学会怎么去对付他呢。去戏弄这么一个头脑冷静、沉着、镇定的人？不！不！我想我们根本斗不过他。至于说取笑他，我们无凭无据，总不能信口胡说吧。他说不定还会洋洋自得呢。”

“达西竟取笑不得！”伊丽莎白说，“那真是一种罕见的优势。但愿这种优势永远罕见，要是这样的人认识多了，我的损失可就不小了。我太喜欢取笑人了。”

“宾利小姐太过奖了。”达西说道，“如果一个人把开玩笑当作生活中的第一要义，那么即使是世间最睿智最杰出的男人，不，应该说即使是世间最睿智最杰出的行为，都可能被他讥讽。”

“这话不假。”伊丽莎白应道，“确实有这样的人，不过我还不算是其中一个。我想我永远都不会嘲弄明智和优秀的行为。我声明，那些愚蠢、荒唐的行为，那些凭一时冲动而又前后矛盾的行为，才真正会让我讥讽。在我看来，这些缺点恰恰又是你身上所没有的。”

“或许任何人身上都不可能有那么多缺点，我一生都在思考着如何避免那些极易招致讥讽的人性弱点。”

“比如说虚荣与傲慢。”

“不错，虚荣的确是一种弱点。至于傲慢，由于只是一种精神的优越感，人们一直都对它的分寸把握得很好。”

伊丽莎白扭过头去，免得达西看到自己在笑。

“我想，你对达西的测试结束了吧。”宾利小姐问道，“请问测试结果如何？”

“经测试发现，达西先生完美无瑕，并且他本人也毫无掩饰地承认了这一点。”

“不！不！”达西连忙说道，“我可从来没有这样自我标榜。我有不少的缺点，我想，这些缺点都难以得到原谅，在脾气方面我就不能自夸。我想我自己太一意孤行，太不会见风使舵。对别人的愚蠢和恶毒总是耿耿于怀，对别人的冒犯中伤难以原谅，我在情感方面比较固执，就算十头牛也改变不了我的感情轨迹。我这脾气可以说得上是可憎透顶了——对一个人的好感一旦失去就永远失去了。”

“这的确是个缺点。”伊丽莎白说道，“对人心存芥蒂长期耿耿于怀是你性格中的一个阴影，不过你选中这一缺点也算是巧妙至极，让我无法嘲笑。我是不会对你讥讽戏弄的。”

“我想，任何一种性格都存在一种恶习，这是一种天生缺陷，受再好的教育也难以克服。”

“你的缺陷在于你的性格倾向——敌视所有的人。”

达西笑着回敬了一句：“而你的缺点就是故意误解所有的人。”

宾利小姐被冷落在一边，忍无可忍，大声喊道：“我们来听听音乐吧！露易莎，你不介意我把赫斯特先生吵醒了吧？”

她的姐姐没有表示丝毫异议。钢琴盖打开了。达西沉吟了片刻，并没有为自己与伊丽莎白的谈话被中止而感到遗憾，他开始隐隐地感到自己对她关注得过多了，这是一种危险的信号。

第十二章

伊丽莎白经过与简商量，第二天一大早就给妈妈写了一封信，请她当天就派马车来接她们。哪知贝内特太太自有打算，希望简在泥泽地别墅一直住到下星期二，让她在那儿呆上整整一个星期再说，这下让她把女儿提前接回家，她心里自然老大不乐意。所以她的答复并不痛快，至少未能满足归家心切的伊丽莎白的心愿。贝内特太太在信中说恐怕要等到下星期二才能腾出马车，并且特意在信后补上了一句，说如果宾利兄妹盛情挽留她们多住些时日，她完全可以让她们多呆几天。然而，伊丽莎白已经下定决心，决不再在这里呆下去了，她也没有想过让人家挽留，相反，她担心人家会嫌她们住的时间太长碍眼，于是她催促姐姐马上向宾利先生借辆马车。姐妹俩商量妥当之后，终于向泥泽地别墅的主人提出借一辆马车，说她们想当天上午就告辞。

这话激起了主人们深深的关切，他们再三挽留，希望这姐妹俩至少住到第二天再走。终于，简被说服了，她们的归期就这样被推迟到第二天。挽留住了她们后，宾利小姐又后悔不已：她虽然喜爱这姐妹中的一个，而对另外一个的忌妒和厌恶却远远超过了这份喜爱。

听说简姐妹很快就要走了，宾利先生十分感伤。他不厌其烦苦口婆心地劝说简不要急于回家，说她还未完全康复，还经受不了这一路上的折腾。不过简的去意已决，她觉得自己的决定正确。

对于达西而言，这无疑是一条好消息，因为伊丽莎白在这里住的时间已经够长了，她的吸引力已经让他不由自主地超出了喜爱的限度。而宾利小姐则对伊丽莎白十分无礼，对达西也更添几分讥讽。他当机立断，决心倍加谨慎，千万不能流露出对伊丽莎白的爱慕之情，千万不能让她存有非分之想，免得影响他自己将来的幸福。他清楚，如果当真激起伊丽莎白的这种念头，他有朝一日总得拿出实际行动，要么去成就它，要么去粉碎它。达西在明确了自己的目的之后，在星期六整整一天几乎没有与她说上十句话。他们俩也曾经有半小时单独相处，可达西极力将自己埋进书本里，看都没去看她一眼。

星期天晨祷过后，大家高高兴兴地分手了。宾利小姐对伊丽莎白一下子热情起来，对简也更亲切了。分手的时候，她郑重其事地告诉简，自己时刻盼望着能有机会在龙博恩或者泥泽地别墅与她重聚，说完，还亲热地与简拥抱，甚至还和伊丽莎白握了握手。伊丽莎白兴高采烈地踏上了归途。

回到家里，妈妈并没有给她们一股暖意融融的感觉。贝内特太太自己还在纳闷，这两个小姑娘怎么就回来了？她一个劲儿地数落她们不对，惹了那么多麻烦，并且还说这样一折腾，简没准还会感冒。只是她们的父亲在见到女儿时，嘴上虽然没说什么高兴喜悦之类的话，心里的确高兴不已，他感觉到了这两位女儿在家庭生活中的重要性。他觉得要是简和伊丽莎白不在，全家人晚上的聚谈几乎没有一点意义。

回到家里，她们发现玛丽还是和往常一样，一门心思地钻研和音作品和人性问题。玛丽拿出一些最近才写的札记给姐姐品评，并且把一些刚写的针砭陈规陋习的见解念给她们听。凯瑟琳和丽迪亚给她们带来的消息可就不大一样了。她们说从上星期三以来，民兵团那边的事情和消息可就多了呢：她们的姨父最近又请了几个军官吃饭，有一个下士受了鞭刑，还有消息传出，说福斯特上校要娶媳妇了。

第十三章

第二天早晨吃早餐的时候，贝内特先生对他夫人说："亲爱的，我希望你今天吩咐下去操办的饭菜丰盛一些，我想今天咱们家一准有客要来。"

"亲爱的，你说的是谁呀？就我所知，我们家除了夏洛特·卢卡斯可能会碰巧来一趟，应该不会有谁要来了。就算是夏洛特来，我们家的饭菜也不错呀，我想她在家里未必吃得到这么好的东西呢。"

"我说的这个人哪，是个陌生的先生。"一听这话，贝内特太太的眼睛里放着光，说道："陌生的先生！我肯定那一定是宾利先生。哎，简，对这事你怎么一点口风都不透？真是个狡猾的家伙！好了，见到宾利先生我一定会非常高兴的。可是，天哪！真不巧！今天家里连鱼都没有呢！丽迪亚，亲爱的，快摇铃！我有话对希尔说。快点儿！"

"那人不是宾利先生。"她的丈夫说道，"那个人我这一辈子都还没见过呢。"

这倒是让大家都颇感意外，他的夫人立即追问那人是谁，五个女儿也穷追不舍。这让他非常得意。

看着这娘儿几个那股好奇劲儿，贝内特先生着实开心了一会。

C.E.Brock

末了，他解释道：“大约一个月前，我收到了这封信，在两个星期前，我回了这封信，因为我认为这事较棘手，需要尽早考虑。这信是我远房表侄柯林斯先生写来的。这个人哪，在我过世之后，只要他高兴，随时都可以让你们从这里搬出去。”

“唉，亲爱的，”他的夫人叫着，“我无法忍受再提到这件事。求求你别再提那个可恶的家伙。你的家业竟然不能留给你自己的孩子，这真是世上最残酷的事情，我要是你，一定老早就想出办法来改变这种局面。”

简和伊丽莎白极力向她解释继承权的实质问题。她们以前也费过口舌，可在这件事上，贝内特太太总是不可理喻，仍然继续尖刻地抒发着愤懑之情，说这样把家产不交给自家五个女儿手中，反倒要拱手送给一个毫不相干的人，简直是太残酷了。

贝内特先生也说道：“这事的确不公道，而且要是柯林斯先生继承了龙博恩的产业，他的罪孽可就难以洗清了。不过，你听听这封信上写了些什么，看看他在这件事上是怎样表白的，或许你会稍稍感到一点宽慰。”

“不，我可以肯定地说，我不会有丝毫宽慰。我认为他给你写信本身就是傲慢之举，虚伪得很。我讨厌这种虚情假意的朋友。他为什么不跟他父亲一样继续和你争吵呢？”

“哎，看样子，那小子似乎还讲一点人情孝道呢。你听听就知道了。”

尊敬的先生：

先父与您之间曾有一段过节，小侄对此深感不安。自严父不幸仙逝之后，本人常常思忖当尽力弥补这一裂痕，可又顾虑重重，犹豫再三，唯恐与生父曾经执意仇视之人重修于好有辱先父在天之灵。

“注意往下听，贝内特太太。”

然而，目前已下定决心与您修好，因为我已于复活节接受圣职。承蒙刘易斯·德·波尔爵士遗孀凯瑟琳·德·波尔夫人垂青，提拔我为该教区的教长之职，我自当竭力尽忠，回报夫人的雨露之恩和仁厚之德，自当勉力奉行英国国教的各项范典礼仪。而且，作为一名教士，我感到尽一己之力求得家家安泰，促进户户和睦，也是我职责所在。鉴于此，特致书欲与您握手言好，我自信这一善举理应得到理解和褒扬，而至于小侄继承龙博恩财产一事，请您不必在意，谨望您不会因此而拒绝我伸出的橄榄枝。至于说因为我继承财产而伤及您几位千金的利益，我深感不安，抱歉至极，在此向您保证，日后定当尽一切可能予以补偿。我将就此与您详谈。如果您不介意我到府上做客，我将于十一月十八日，礼拜四，下午四点之前登门拜谒您及您的家人，并可能会叨扰您至下礼拜六晚。这于我没有丝毫不便之处，我偶尔不能主持礼拜的仪式，只要安排一名教士临时司职，也能得到凯瑟琳夫人的谅解。尊敬的先生，我谨在此向您的夫人及诸位千金致以敬意。

您的祝福者和朋友

威廉·柯林斯上

10月15日于肯特郡韦斯特汉姆之郊的汉斯福德

“所以说，下午四点钟，我们这位和平使者就要光临了。”贝内特先生把信叠好，说道：“照我说，他倒像是一位有仁有义彬彬有礼的年轻人。要是凯瑟琳夫人能够多多开恩让他常来，我相信他一定会成为我们的一位可贵的朋友。”

“他对我们女儿们倒还有点人情味。如果说他真的打算对她们有所补偿，我也决不会给他没趣。”

“虽然不清楚他会以什么方式补偿，但他光有这份心就已经难得了。”简说道。

伊丽莎白最感兴趣的是，这位先生竟然对凯瑟琳夫人那样唯命是从，对他的教民又是那样心怀仁善，随时能为他们主持洗礼、婚礼和葬礼。

“我想，这一定是个怪人。”伊丽莎白说出了自己的想法，“我对这人琢磨不透。他的语气极其自负。你看，他说对继承财产一事抱歉，到底是什么意思？就算他能够对这事怎么变通一下，他也不会去做，你说他是个明理的人吗，爸爸？”

“亲爱的，我想他不会是个明事理的人，说不定会正相反呢。他的信中既奴颜婢膝，又狂妄自大，很能说明问题。我倒是想早点看看他。”

“就写作而言，他的信倒是显得无可挑剔。”玛丽说，“虽然橄榄枝的说法不见新意，但我认为他的笔下不失妥帖。”

对凯瑟琳和丽迪亚来说，无论是这封信本身还是写信的人都不能激起她们丝毫兴趣，反正，这位表兄不可能是一身红装。她们迷恋上了红制服，已经有几个星期不愿意和穿其它颜色衣服的人交往了。至于她们的母亲，柯林斯先生的信已经驱走了心头的恶感，她正准备平心静气地接待这位远房亲戚，这着实让丈夫和女儿们大感意外。

柯林斯先生准时到来，受到了贝内特一家的热情接待。贝内特先生说话不多，几位女士却踊跃攀谈，柯林斯先生倒也无需有人帮他引入话题，他本来就不是一个沉默寡言的人。他今年二十五岁，身材高大敦实，神情庄重严肃，举止拘谨刻板。他刚一落座就恭维起贝内特太太养育出这些如花似玉的女儿，说自己对她们的美貌早有耳闻，今日一见，顿感她们比传说的还美；末了，他还说，他坚信贝内特太太会看到自己的女儿都会有幸福美满的婚姻。这些殷殷奉承在场的没有几个愿意听，可是一向喜欢恭维的贝内特太太却十分受用，连忙欢喜地说道：

“我说,您可真是个好心人。我也真心希望日后能应了您的吉言，要不然她们可就会一贫如洗了。这世间的事说不清啊！”

“您大概说的是财产继承一事吧？”

“是的，先生。您得承认，对我可怜的女儿们来说，这是件不幸的事。我倒不是说您有什么错，怪只怪阴差阳错该有这种事。一份家业，谁也无法知道将由谁来继承啊。”

“夫人，这件事对我漂亮的表妹们是太残酷了，对此我非常理解。我本来有许多话要说，可又担心太冒昧唐突了一点，其实我想对表妹们说，我这次就是来向她们表示爱慕之心的。当然，眼下我不便多说，等我们相互了解了……”

这时，有人来通报说饭菜已经备好，他的话被打断了，姑娘们相视一笑。事实上，柯林斯先生所爱慕的并不仅仅是她们几位姐妹，这大厅、这餐室，还有这些家具，无一不被柯林斯先生仔细打量了一番，无一没有得到他的赞赏。若是平时，他的这番赞赏一定会让贝内特太太喜不自禁，可眼下一想到他是将这些都看作自己未来的财产，心中不是滋味。落座就餐时，柯林斯先生也免不了对这桌酒菜赞叹一番，并请求主人告诉他这精妙厨艺到底是出于哪一位漂亮表妹之手。贝内特太太十分不满地纠正了这一说法，厉声说她们家还没有落到一个像样的厨师都雇不起的地步，她的几个女儿是不必下厨的。见自己的言语冲撞了贝内特太太，柯林斯连忙请求原谅，她这才声音柔和了一些，说没有关系。可是柯林斯先生只是一个劲儿道歉了差不多有一刻钟。

第十四章

席间，贝内特先生没怎么说话。仆人们退下去之后，他立刻就觉得是跟自己的客人交谈的时候了，于是他就把柯林斯先生的女恩主作为了开篇话题，料想到一定会对此滔滔不绝。他说柯林斯先生能遇上这么好的女恩主，真是洪福齐天，凯瑟琳夫人事事替他关心，处处为他着想，真是难得。事实证明贝内特先生选择的这个话题实在高妙不过了。柯林斯先生立刻口若悬河，对恩主赞叹不已。此刻，他的神情显得更加庄严肃穆，语气中透出一股居高临下的气势，说，他这一生中还从来没有见过哪位有身份的人能够比得上凯瑟琳夫人，他从自己的亲身经历中感受到夫人是那样和蔼可亲，宽厚仁慈。他曾经两次有幸在凯瑟琳夫人在场时布过道，夫人对他的讲道甚为赞赏，还请他到罗辛斯吃过两次饭，而且上个星期六晚上都还请他去玩过牌呢。

他还说自己认识的很多人都说凯瑟琳夫人十分高傲，可是他却只觉得她和蔼可亲，夫人对他说话的口气与对其他有身份的绅士说话的口气没有什么两样，她丝毫都不反对他参与当地的社交往来，也颇能理解他偶尔离开教区一、两个礼拜去走亲访友；她还亲自过问他的婚姻问题，劝他早觅佳人，早结良缘；她甚至还屈尊造访他的寒舍，对他的房间布局非常满意，并不吝赐教，建议他在楼上多添几个书架。

贝内特太太忍不住说道："这样做既不出格，又合情理。我想，她一定是一位相当不错的女人。只可惜贵妇人一般都做不到她那样。她住得离你近吗，先生？"

"寒舍的庭院与夫人的居所罗辛斯庄园只有一条小路之隔。"

"好像听你说过她丈夫去世了，她还有其他家人吗？"

"只有一个女儿，她将是罗辛斯庄园和一大笔财产的继承人。"

"哦，这么说来，她比许多姑娘都要富有了。她是一位什么样的小姐？长得漂亮吗？"

"她的确非常迷人。凯瑟琳夫人本人也说，论容貌，德·波尔小姐比最漂亮的女子还漂亮，因为她除了美丽，还有着高贵血统独有的气质。不幸的是，她体弱多病，妨碍了她在才艺方面的发展，要不然，她一定会才貌双全。这些都是负责她学业的那位女士告诉我的，那位女士至今还与凯瑟琳夫人母女住在一起呢。不过德·波尔小姐为人十分随和，常常乘坐她那辆小马车打从寒舍路过呢。"

"她有没有去觐见过国王？我实在记不清进宫的女士中有没有她的名字了。"

"可惜的是她的身体欠佳，一直还没去过京城。这样一来，正如我曾经对凯瑟琳夫人说过，英国皇室也失去了一颗最璀璨的明珠。夫人对我的这一说法似乎十分赞赏。您也知道，一有机会我都会说上几句别致的恭维话，女士们都喜欢。我就不止一次地对凯瑟琳夫人说，她那个漂亮女儿天生就是伯爵夫人的命。不过，无论将来她夫家地位多么显赫高贵，都不可能是小姐去沾光，而是去添光。要讨夫人欢心，这些不过是雕虫小技而已，但是我想，我献的殷勤一定是会有回报的。"

"你判断得非常准确。"贝内特先生说道，"你能拥有这种巧言奉承的本领的确可喜可贺！我想冒昧地问一句，那些奉承话一般是即兴发挥的，还是事先就想好了？"

"大多数还是见机行事，临场发挥。虽说我有时候很喜欢事先

琢磨一些适合于一般场合的恭维话，但在说的时候还希望尽量自然，没有雕琢痕迹。”

贝内特先生所预料的被完全应验了，他这个表侄果然荒唐可笑，但仍然聚精会神地听着柯林斯先生讲话，脸上却不动声色。他除了偶尔瞟上伊丽莎白一眼，全然不需要有第二个人来分享他内心的喜悦。

一阵神侃之后，到了喝茶的时间，贝内特先生得意地带着客人再次走进客厅。茶后，他更是殷殷邀请柯林斯先生为那些女士们读书助兴。柯林斯先生欣然应允，立刻有人递上一本书，他一看是一部小说（而且很明显是从流通图书馆借来的），身子不由得往后一缩，连声请各位原谅，声称自己从来不读小说。听到这话，凯蒂的眼睛直愣愣地盯着他，丽迪亚也发出一阵尖叫。又有几本书被送上来，这次他掂量再三，选了一本福迪思的《布道集》。丽迪亚见他打开书，用单调严肃的声音朗读起来，不由得目瞪口呆，还没等他读完三页，她就打断了他：

“你听说过了吗，妈妈？菲力普姨父说要解雇理查德，不过要真是这样，福斯特上校就会把他雇去。这可是姨妈在星期六亲口告诉我的。明天我要走到麦里屯，去打听一下这事有什么新消息，并且问一下丹尼先生什么时候从城里回来。”

两个大姐姐连忙叫丽迪亚闭嘴，而柯林斯先生早被惹恼了，把书往旁边一放，说：

“我常常发现年轻的小姐们对正经书一点也不感兴趣，哪怕这些书是专为她们写的。说实在的，这让我惊诧不已。事实上，这些书中的金玉良言，必将让她们大受裨益。不过，我不想再勉强我的小表妹。”

说完，他转过身去，请贝内特先生和他玩十五子棋，一决高下。贝内特先生接受了他的挑战，说柯林斯先生让那些姑娘们自得其乐，这一做法十分明智。贝内特太太和几个女儿非常客气地向柯林斯先生赔不是，请他原谅丽迪亚打断了他的朗读，并且保证，要是他接着往下读，一定不会有类似的事情发生。柯林斯先生则安慰她们，说自己不会记恨小表妹，不会对她当众冒犯自己而耿耿于怀。末了，他在另一张桌旁坐下来，准备和贝内特先生一决雌雄。

第十五章

柯林斯先生算不上一个明事理的人，尽管他受过教育，又在社会上闯荡，但是他天生的缺陷并没有得到多大的弥补。他大部分时间都是在他那目不识丁又嗜财如命的父亲的教导下度过的；后来虽说上了大学，只是勉强混完了几个学期，并没有交上什么有用的朋友。在他的成长过程中，父亲的严厉管教使他养成了一副谦卑恭顺的性格，于是现在生活养尊处优，又年纪轻轻就意外获得一笔财产，这种感觉叫他那谦卑的心不由得飘飘然自负起来。一个偶然的机会使他结识了凯瑟琳·德·波尔夫人，有幸填补了亨斯福教区牧师一职的空缺。一方面，他对德·波尔夫人的显赫身份不胜敬仰，把这位夫人当作自己的恩主毕恭毕敬地供奉；另一方面，他又得意于自己，得意于自己作为牧师的权力，得意于自己作为教区长的权力，多种因素交织在一起，塑造了他既高傲自大又趋炎附势、既自命不凡又谦卑低微的双重性格。

眼下，他住上了不错的房子，又有可观的收入，便想到了结婚成家。他之所以寻求与龙博恩村这一家人重修于好，就是想着要从贝内特姐妹中找个妻子，他从一开始就想着要是表妹们果真像传闻中那样美丽可人，他就从中挑上一个。这就是他对继承她们父亲家产的补偿计划，也是一种赎罪的办法。他自认为这是个绝佳方案，既合情合理，又十分可行，还能显出自己的慷慨大度、重情轻利的形象。

见到几位表妹之后，他的计划没有丝毫更改。简的那副娇好的容颜更坚定了他的初衷，形成了他的极其认真的想法——先考虑大小姐。所以他在贝内特家的第一个晚上，简一直是他坚定不移的选择。然而，第二天一早，情况又有了变化。吃早饭之前，柯林斯先生与贝内特太太闲谈了大约十五分钟，先是谈论他那教区住宅，接着便很自然地将话题引向他的心愿，声言自己想在龙博恩找个太太。贝内特太太听了喜笑颜开，先说了一通鼓励的话，然后又奉劝他不要把心思放在简的身上。她说："说到几个女儿，我不敢肯定……我不能给予明确的回答，不过据我所知，她们似乎都还没有明确的对象。至于大女儿嘛，我必须说明，我感觉这也是我的责任……可能很快就要订婚了。"

这样一来，柯林斯只好放弃简而选择伊丽莎白。这一转变真是太迅速了，就在贝内特太太给壁炉拨火的那一瞬间完成！论美貌、论年纪，伊丽莎白都仅次于姐姐简，柯林斯先生的这一转变自然是顺理成章了。见他这样提议，贝内特太太如获至宝，心想自己很快就要嫁出两个女儿了。而眼前这个男人，她昨天连提都不愿提到，此刻却甚得她的欢心。

丽迪亚倒是没有忘记去麦里屯的打算，她的几个姐姐除了玛丽外，都同意随她一起去。贝内特先生急于想摆脱柯林斯先生，好让自己在书房里清静一阵，连忙请他陪同几位姑娘一起出去。原来，吃过早餐，柯林斯先生就跟着他到了书房，表面上是在翻阅一本最厚的对开本书，实际上却是在和贝内特先生说话，喋喋不休地谈起自己在亨斯福的房子和花园，毫无离开之意，搅得贝内特先生心烦意乱。平日里，贝内特先生在书房里就是图个清静清悠，对于那些自负的愚蠢之徒，正如他曾经跟伊丽莎白所说的，可以在房子里的任何一个地方接待，但决不会是在书房。于是一听说女儿们要出去走走，他便灵机一动，极为礼貌地请柯林斯先生随她们一起出去。

事实上，柯林斯先生本来就不适合读书，陪人散步倒是更适合，这会儿一听到贝内特先生的建议，忙不迭地合起那本大书，出门去了。

一路上，柯林斯先生神气十足夸夸其谈，而他的表妹们只是客客气气地敷衍附和。好不容易才到了麦里屯，几个小表妹的注意力早不在他的身上了。她们眼眸子滴溜溜地转动起来，满大街寻找着军官们的影子。除了偶尔哪家商店的橱窗里摆着顶漂亮帽子或是一块新潮的平纹布能吸引她们的眼球外，再没有什么能够让她们心动了。

不一会儿，几位小姐的注意力都集中到了一位年轻人的身上。她们以前还从来没有见过这位年轻人，只见他一副十足的绅士风度，与一位军官在街道对面走着。那位军官不是别人，正是丹尼先生，丽迪亚这次来麦里屯也正是要打听他什么时候回来，看到她们在街对面走过，丹尼先生向她们鞠了一躬。不过这时让她们迷恋的却是那位年轻先生的风度气质，大家都在想着，那到底是谁呢？凯蒂和丽迪亚则下定决心尽可能去探个明白，于是领头横穿过街道，假装到对面一家商店买点什么。说来也巧，她们刚刚走到人行道，那两位先生也正好调过头往回走，和她们不期而遇。丹尼先生径直向她们打了招呼，并把自己的朋友威克汉先生介绍给她们，说这位朋友是前一天随他一起从城里回来的，并且十分高兴威克汉先生已经在民兵团被委以职务。这事情再好不过了，因为这位年轻人已经够迷人了，只要身着戎装，那简直就是完美了。他的外表说得上是占尽风头，凡是至善至美的特征无不具备：俊朗的面庞，标致的身材，还有迷人的谈吐。一经介绍，他自己就热情主动地接上话来，滔滔不绝，既得体有度，又不是显张狂，这群人站在那儿言来语去，十分惬意。这时一阵马蹄声引起了他们的注意。他们循声望去，原来是宾利和达西策马而来。他们一见人群中的贝内特姐妹，立即放马过来，径直来到她们跟前，和她们一阵寒暄。宾利唱主角，主要是说给贝内特家的大小姐听。他说，这会儿他正准备上龙博恩去问候她呢。达西连连点头，证实宾利的话不假。他先前眼睛一直盯着伊丽莎白，此刻他痛下决心准备将目光移开，一下子瞥见了那位年轻的先生，与他的目光相遇。伊丽莎白碰巧看见这两位先生相对而视的表情，不禁大感惊奇。只见他们俩都脸色大变，一个煞白，一个通红。这样持续了一会儿，威克汉先生用手触了触礼帽，向达西先生致礼，达西极为勉强地回应了一下。这到底是怎么一回事呢？真是不可思议，但又让人忍不住想去弄个明白。

宾利先生似乎根本就没有注意到这段插曲。又过了一分钟，他告别贝内特姐妹，和朋友一起策马而去。

丹尼先生和威克汉先生陪同贝内特家的几位姐妹一直走到菲力普先生的家门口。丽迪亚小姐执意请他们进屋坐坐，菲力普太太也推开客厅的窗户，大声地再三邀请，他们还是鞠躬告辞了。

菲力普太太见到外甥女总是十分高兴。这段时间没有见到两个大外甥女，这次一见格外热情，忍不住把很多话一古脑儿地说了出来。她说，上次家里没派马车去接，她们俩竟然自己回家了，这让她着实感到惊讶，她还说，要不是在大街上碰到琼斯先生药店里的伙计，要是他没有告诉她说贝内特小姐们已经回家了，他们用不着再往泥泽地别墅送药了，她对这事的进展还真的一无所知呢。这时，简向她介绍柯林斯先生，她才回过神来，向柯林斯先生行礼问好，客客气气地欢迎他们的到来。柯林斯先生急忙回礼，倍加客气，说自己与菲力普太太素昧平生，这次前来打扰，实在抱歉之至；不过他能聊以自慰的是，这次是他与这几位小姐的亲戚关系，蒙表妹引荐得以认识太太，这次打扰似乎还不算过分冒昧。柯林斯先生的谈吐之间透出良好的教养和修为。让菲力普太太不由得肃然起敬。她正在审视着眼前这个年轻人的时候，外甥女们叽叽喳喳地谈论起另外一个年轻人，不断地向她打听这样那样的事情，不过她所能说的也都是外甥女们已经知道了的信息，还是像丹尼先生从伦敦带他来的，将要被委任为本郡民团中尉之类的事儿。她还说，刚才威克汉先生在街上散步的时候，她观察他差不多有一个小时了。要是他再次从这里走过的话，凯蒂和丽迪亚一定也会这样做的。可惜这会儿从窗前经过的只有别的一些军官，而且他们与威克汉先生相反，简直就是一些“愚蠢、讨厌的家伙”。这些军官中有几位第二天会与菲力普一家共进晚餐，姨妈说，如果龙博恩的几个姐妹明天晚上能来，她保证会让丈夫去拜访一下威克汉先生，邀请他也来参加。众位小姐欣然同意，于是菲力普姨妈当众表态，说明天一定会有一场热闹开开心心的彩牌游戏，再吃一顿热腾腾的晚宴。这些欢乐的情景想起来就让人兴奋不已，到了分手的时候，大家兴致仍然高昂。临出门时，柯林斯先生再次表示歉意，主人则不停地礼貌地说大可不必抱歉。

回家的路上，伊丽莎白把刚才看到的达西与威克汉之间的事情讲给简听。如果他们之间有什么过节，简一定会为其中一位或者两位辩解；而事实上，姐姐与伊丽莎白一样，对此事百思不得其解。

柯林斯先生一回到龙博恩，就向贝内特太太极力赞赏菲力普太太的礼貌接待，说自己不胜感激，并声言，除了凯瑟琳夫人和她的女儿之外，他还没见过这世上还有如此优雅的女士。他说自己与菲力普太太虽然素昧平生，但她对自己的接待却极为热情，并且还特意邀请自己去参加明天的晚宴；当然，他也知道，这一切全都归于自己与贝内特一家的特殊关系，但是不管怎么说，他平生还没有受到这样隆重的接待呢。

第十六章

没有任何人反对年轻人与姨妈之间约定的事。柯林斯先生倒是担心把贝内特老两口留在家里不太好，没想到这夫妇俩执意要他和表妹们一同前去，他只好与五个表妹一起坐上了马车。他们准点到达了麦里屯，一进姨妈家的客厅，就高兴地听说，威克汉先生已经接受了邀请，并且已经先到了一步。

大家闻言后，各自就座。柯林斯先生却悠然自得地环顾着四周，欣羡不已，这宽敞的房间和精美的家具让他心动。他说他简直就像是坐在罗辛斯庄园较小的一间消夏的早餐厅。对于这一比较，大家一开始并不感到高兴，可是在听了柯林斯先生解释完罗辛斯是个什么去处、是怎样富有之后，特别是当听到他描述凯瑟琳夫人的客厅，了解到单单一个壁炉架就花去了八百镑的时候，菲力普太太真正体会到了这是一句多么有力的奉承话。这时，即便是自己的房子被拿出来与罗辛斯庄园管家的房子相比，她也不会有什么不愉快。

柯林斯先生一边描述着凯瑟琳夫人的雍容华贵和罗辛斯庄园的富丽堂皇，一边时不时地撇开话题，瞅机会赞扬自己的陋室几句，夸耀一下自己对“寒舍”所做的装修。他一直这样夸夸其谈，一直到几位先生进来后才停息下来。他从菲力普太太言行举止可以看出，她是一位忠实的听众。她越听越觉得柯林斯先生是个人物，越听越坚定了信念，要把自己的感受尽快地传达给周围的人。不过，小姐们就不同了，她们一点也不想听他夸夸其谈，她们坐在那儿无聊至极，想弹弹琴又不成，只好漫不经心地描摹起壁炉架上的瓷器来，描绘出来之后还翻来覆去地打量一通，只觉得时间过得太慢。她们是在等待。漫长的等待终于过去了，那几位先生走了过来。威克汉先生步入客厅，伊丽莎白立刻感觉到，无论是在见到他的那一刻，还是在那之后，每每想到他，内心始终充满着近乎疯狂的倾慕。本郡的军官统统都是体体面面、颇有绅士风度的人物，今天到场的则是他们当中的精英，而威克汉先生则无论是在人品、相貌，还是在气质、步态方面都远胜于这些人，正如这些人胜于尾随于他们进屋的宽面肥头、神色呆滞、满口酒气的菲力普姨父一样。

威克汉先生是今晚最快乐的男人了，所有女人的目光都在他的身上游弋。伊丽莎白算得上是今晚最幸福的女士了，因为威克汉先生最后坐在她的身旁。他立刻和伊丽莎白攀谈起来。虽然他们谈的都是些今晚又下雨，又可能是个多雨的季节啦之类的话题，但威克汉先生悦耳的声音和迷人的谈吐使伊丽莎白不由得感到，只要说话艺术高超，世界上再平凡、再乏味、再陈腐的话题都能变得妙趣横生。

柯林斯先生可是遇上了劲敌，与威克汉先生和那些军官们在一起，要想获得女士们的青睐，怕是难上加难。在这里，他似乎已经显得无足轻重了。在那群姑娘眼中，他本来就微不足道，不过好心的菲力普太太倒还是偶尔当一当他的听众，并且时时留心，给他加咖啡，添松饼。

牌桌摆好了，柯林斯先生总算是找到了一个报答菲力普太太的机会，坐下来陪她玩起惠斯特纸牌来。

“我的牌技可是十分低劣，不过我很乐意提高。”他说，“因为，处于我这样的生活地位……”有他陪着玩牌，菲力普太太已经感激不尽了，她哪还有心思等他细说理由？

威克汉先生没有玩惠斯特牌，而是被丽迪亚和伊丽莎白邀到另一张桌旁，愉快地在她们中间坐下来。一开始，丽迪亚一个人高谈阔论，大有将威克汉先生据为一己之有的气势。不过她也同样迷恋彩牌，很快就沉浸到彩牌游戏中。她忙不迭地下注，开彩之后肆意惊呼，异常投入，哪还顾得上和谁去说话？这样，威克汉先生就可以从容地与伊丽莎白谈话了，只是偶尔应一下牌。伊丽莎白十分乐意听他讲话，不过，尽管她知道从他口中不可能听到她所想知道的事情——也就是他和达西先生过去的交往。没想到，她的这种好奇心竟然得到了满足，威克汉先生主动提起了这个话题。他先是问泥泽地别墅离这儿有多远，听到伊丽莎白的回答后，又急切地打听达西先生在这儿呆多久了。

“大约一个月了吧。”伊丽莎白回答之后，又担心话题中断连忙补上一句，“我听说他在德比郡有很大一份家业。”

“不错，”威克汉回答道，“他的家业的确可观，每年进项足有一万镑呢。除了我以外，你恐怕还没有遇到过谁能告诉你更多关于他的事情了。我从小就与他们家有渊源。”

伊丽莎白不由得满脸诧异。

“贝内特小姐，您或许昨天看到了我们见面时都表情冷漠，现在又听我这样一说，难免会感到惊讶。您与达西先生很熟吗？”

“我和他同在泥泽地别墅住了四天，”伊丽莎白激动地叫道，“我才不想和他多交往呢。我觉得他让人讨厌。”

“至于他是不是让人讨厌，我无权评说。”威克汉先生说，“我也没有资格发表意见，因为我认识他时间太长，了解他也太多，不能作出公正的判断，我作任何评价都会有失偏颇。不过我感觉你对他的评价会让人们大吃一惊的——或许在别的地方你的言辞不会那么激烈——毕竟你今天是和自家人在一起。”

“说实在的，我在这儿怎么说，在别人家里就怎么说，除了泥泽地别墅以外。在整个哈特福德郡，根本就没有谁喜欢他，人们讨厌他那副高傲的样子。你绝对听不到会有谁替他说好话。”

“我不由得会感到遗憾，”威克汉停顿了一会，接着又说道，“无论是他或者任何其他人，如果是没有什么过错竟然得不到尊敬的话。

C E Brock
1895

不过我想，对他来说事情往往就不是这样了。世人被他巨大的财产和显赫的家势蒙住了，被他那高高在上的威严架势唬住了，都只好按照他的意愿去评价他。”

“尽管我与他接触不多，但我看得出，他这人脾气极差。”威克汉不语，只是摇了摇头。

又轮到他讲话了，他只是问道：“不知道他在这个地方是否还要呆很久？”

“我对这事一无所知，不过，我在泥泽地别墅的时候从来没有听说过他要走。我倒是不希望他在这附近会影响你在本郡民兵团上任的计划。”

“噢，怎么会呢？我怎么会让达西先生给吓跑呢？如果他不愿见到我，他走人得了。我们相互并不友好，每次与他见面总是让我十分痛苦，但我也没有理由躲着他。我只想告诉世人，我对他肆意为虐深感不安，对他一直以来的所作所为痛心疾首，十分遗憾。贝内特小姐，他的父亲，也就是已故的达西先生，在世时是一位大好人，也是我最真挚的朋友。而每每与这位达西先生相处，我的内心深处就会情不自禁地涌起万千温馨的回忆，我的灵魂也倍感酸楚。他对我的言行举止可谓丑陋至极，可我还是觉得，我可以原谅他的一切，但不能原谅他辜负他父亲的厚望，辱没他父亲的一世英名。”

伊丽莎白对这个话题兴趣更大，她不知不觉地听得入神了，不过，由于这个话题十分敏感，她没有往下追根问底。

威克汉先生随后转到了一些一般性话题上，什么麦里屯啦，社区啦，社交啦，言语之间流露出对这里所见所闻十分满意，特别是谈到社交时，语气文雅温和，又明显带有献殷勤的味道。

末了，他又说道：“我之所以来到本郡，就是向往这里稳定的社会关系，良好的社交氛围。我也知道本郡的民团是一支可亲可敬的部队。我的朋友丹尼常常说他们现在的营房多么不错，麦里屯的人民对他们多么关照，他们结识了多少朋友，他总是用这些来吸引我。我承认，社交生活对我来说是十分必要的，我是个失意潦倒的人，我的灵魂不再能承受孤寂。我必须要有我的工作，有我的社交生活。军旅生活不是我的初衷，是环境所迫，我才选择了这条道路。我本来应该侍奉神职的。我从小就是教堂把我抚养长大的，要是我们刚才谈及的那位先生乐于举荐，我现在应该是在教堂供职，过着一种极有意义的生活。”

“真的？”

“是的，已故的达西先生曾经留下遗言，说已经把那个最好的牧师职位推荐给了我。他是我的教父，对我格外疼爱，我无法用言语形容他的恩情，他本来是让我过上丰足殷实的日子，并满以为自己已经完成了心愿，没想到等这职位空出来，却被送给了别人。”

“天哪！”伊丽莎白忍不住叫出声来，“那怎么可能呢？怎么能漠视他的遗愿呢？你怎么不向法庭起诉要求变更呢？”

“那是因为这份遗嘱缺乏正式手续，要是打起官司，必定败诉。一个体面的人是不会怀疑老人的遗愿的，可达西先生偏偏要怀疑。至少他把那份举荐当作是有条件的，他指责我挥霍无度、生性鲁莽，反正是一些莫须有的罪名，并断言我无权接受这职位。事实上，两年前这一职位就空下来了，当时我也到了能够接受这一圣职的年龄，到头来却眼睁睁地看着它被别人接替。我实在说不出自己到底做错了什么，竟然遭到这样不公的对待。我这个人生性热心快肠，口无遮拦，或许什么时候在别人面前，或者当着他本人的面，直言不讳地谈论过他，仅此而已，我再也想不起还有什么不利的事情了。可事实上，我们是完全不同类型的两种人，所以他才记恨于我。”

“这太让人震惊了。他真该被当众羞辱一顿才好。”

“迟早会的，不过不可能是由我来羞辱他。只要我不忘记他父亲对我的恩情，我就不会去戳他的面子，揭他的底子。”

这种情感的表露让伊丽莎白对他更是敬佩不已，觉得他在此时更加英俊。

沉默了一会儿之后，她问道：“可他这样做的动机是什么呢？他到底因为什么才这样暴戾？”

“因为他对我深恶痛绝。他对我深恶痛绝，在一定程度上只能归结于他对我的妒忌。要是已故的达西先生不那样疼我，他的儿子可能会对我好些。可是他的父亲对我百般爱怜，这就惹怒了他。我很小就感觉到了这一点，他没有气量和我一起竞争，因为他的父亲常常对我更偏爱。”

“我还真没想到过达西先生竟这样卑劣——尽管我从来就不喜欢他，我还从来没想到他坏到如此地步。我以前只是觉得他瞧不起人，却从来没有料到，他竟然毫不顾及身份和地位，恶意报复，不惜做出这样一些不讲公理、没有人性的事情来。”

沉吟了半晌，她又继续说道：“我记得有一次在泥泽地别墅的时候，他吹嘘说，他只要结怨，决不宽恕，他天生就是不饶人的性子。这种性格简直太可怕了。”

“在这方面，我的看法可能对他有失偏颇，连我自己都不觉得可靠。”威克汉应道。

伊丽莎白再次陷入了沉思。过了一会儿，大声说道：“他竟然这样对待自己父亲的教子！朋友！宠儿！”她本来想加上一句“像你这样光看面相就知道是和蔼可亲的年轻人”，可是实际说出口的却是：“竟然这样对待一个正如你所说的，从小就在一起的伙伴，一个形影不离的亲密无间的朋友！”

“我们俩出生在同一个教区，同一座庄园，少年时代大部分时光都是在一起度过的；同住在一幢房子，一同玩一些游戏，一同享受慈父的关爱。我的父亲本来是一位律师，也就是你的姨父菲力普先生为之增光添彩的行当，可是他后来放弃了一切，去为已故的达西先生效力，毕生都在打理彭伯里的产业。达西老先生对他极为敬重，视为心腹密友，常常赞扬我的父亲做事兢兢业业，恪尽管家之责。就在家父临终之前，达西老先生主动提出承担起对我的养育之责。我坚信，他这样做一方面是出于对先父的感激之情，另一方面则是出于对我的怜爱之心。”

“真不可思议！真可恶！”伊丽莎白大声喊着，“我寻思着，这位达西先生那么心高气傲，怎么会屈尊去虐待你？如果不是有别的动机，他是不会仅仅因为高傲而如此卑劣的。我就是认为他的行为卑劣。”

“的确是让人不可思议。”威克汉说，“他所有的行为差不多都可以追溯到高傲。常常高傲是他最亲密的朋友，因为高傲，他更注重功用而不是情感。但是人难免会有反复无常的时候，他对我不仅仅是高傲，更多的是意气用事。”

“像他这样可恶的高傲能给他带来什么好处吗？”

“确有好处。他的高傲常常使得他变得慷慨大方，乐善好施：有时候仗义疏财，热情好客，有时候帮助佃户，救济穷人。这些善举都是因为他来自家庭的高傲，是一种作为人子的高傲，因为他一直对父亲的为人倍感自豪。他有着一个强大的动力，就是不能败坏家族的门风，不能辱没先人的英名，要保持彭伯里的影响力。他还心存一种为兄的高傲，加上几分兄长的怜爱之情，他成为了他妹妹亲切而且尽心的保护神，你会常常听人称道他是一个最尽心尽责的好兄长。”

“达西小姐是个什么样的姑娘？”

他摇了摇头。“我真希望能说她是位可亲可爱的姑娘，可是只要评价起达西家的哪一位，我又不由得痛心不已。她太像她的哥哥了——非常非常的骄傲。她小的时候很讲感情，惹人喜爱，特别喜欢我，我也总是把大块大块的时间用来陪她玩，不过她现在对我已经毫不重要了。到了十五六岁的时候，她出落得非常俊秀，而且我认为才艺兼备，自从她父亲去世后，她就一直住在伦敦，一位女士和她生活在一起，负责她的教育。”

两个人讲讲停停，谈及了许多话题。末了，伊丽莎白还是忍不住回到了最初的话题上，说道：

“我更诧异了，他怎么可能与宾利先生那么亲密？宾利先生一看就是性情温和，而且我也知道他确实和蔼可亲，怎么可能与达西这样的人交朋友？他们两人又怎么合得来呢？——您认识宾利先生吗？”

“哦，不认识。”

“他是一位性情温和、迷人可爱的人。他可能不知道达西这个人的底细。”

“可能是不知道。不过，达西先生只要想让谁高兴，他就能做到。他有的是办法。如果他认为值得和谁攀谈，他就会成为一个健谈的伙伴。对待和他同等重要的人物，他是一副面孔；对待命运不如他的人，他又是一副面孔。高傲与他总是如影随形。但是与有钱人在一起，他就显得胸襟坦荡、公正真诚、通情达理、高尚可敬，或许还和蔼可亲。这都是因为财富和地位使然。”

不多久，惠斯特牌局散了，大家又聚坐到了另一张桌旁，柯林斯先生坐在表妹伊丽莎白和菲力普太太之间，菲力普太太又和以往一样向他问起了牌局的输赢。柯林斯先生说结果不太妙，他场场皆输，菲力普太太立刻表现出一种关切之情。见此情景，他连忙变得一脸认真，请她放心，说这倒无关紧要，自己从来都把金钱看得很淡，请她不必自扰。

“夫人，我十分清楚，”他说道，“只要大家坐到牌桌上，其实都是在碰运气。好在我的境况还没有糟糕到把五个先令都当一回事的分上。毫无疑问，不能说出这话的大有人在，所以我真该谢谢凯瑟琳·德·波尔夫人。多亏了她，我才不至于为一些小事计较。”

这话立刻引起了威克汉先生的注意。他把柯林斯先生上下打量了一阵子，低声问伊丽莎白，她的亲戚是不是与德·波尔家庭非常熟识。

伊丽莎白答道：“凯瑟琳·德·波尔夫人最近刚刚赐给他一份神职。他如何受到凯瑟琳夫人的青睐，我也一无所知，但他肯定认识她时间不长。”“你一定知道凯瑟琳·德·波尔夫人和安娜·达西夫人是亲姐妹了。也就是说凯瑟琳夫人是这个达西先生的姨妈。”

“我确实不知道这事。我对凯瑟琳夫人有些什么亲友全不知晓。我是在前天才知道有这么一个人的。”

“她的女儿德·波尔小姐将会继承一大笔财产。据说她准备和她的表哥一起把两份家产合二为一呢。”

听到这个消息，伊丽莎白不由得笑了。她想到了可怜的宾利小姐。如果达西先生真的已经和另一位女子订了终身，那宾利小姐对他的一切仰慕都是徒劳，她对他妹妹的关切，对达西本人的赞美，都是徒劳无益。

她说：“柯林斯先生对凯瑟琳夫人母女二人评价很高。不过，从他所讲的关于凯瑟琳夫人的几件事中，我怀疑他是因为自己对夫人充满了感激之情蒙住了眼。她尽管有恩于他，但仍是一位高傲自负的女人。”

“我深有同感。”威克汉说道，“我已经多年没有见过她了，但我非常清楚，我从来没有喜欢过她。她为人专横、目空一切。人们都说她开通明理、聪颖过人，但我倒是觉得她的那些才智不过是一部分来自她显赫的家势，一部分来自她飞扬跋扈的作风，一部分来自她的外甥。她那个外甥，总是认为与自己沾亲带故的人都应该智慧超群。”

伊丽莎白听着他的话，觉得句句入理。就这样，他们在一起你一言，我一语，甚为投缘。直到收拾牌局吃晚饭为止。这时，威克汉先生才把注意力转移到其他女士身上。菲力普太太主持的晚宴一直是吵吵嚷嚷，大家无法交谈，但威克汉先生的风度仍然博得了众人的赞赏。他的一言一语无一不好，他的一举一动无一不妙。回家的时候，伊丽莎白已满脑子都是威克汉。这一路上，她回想到的全是威克汉，全是他说过的话。不过，她根本就没有机会提一提他的名字，因为丽迪亚和柯林斯先生一路上就从没让嘴巴休息过一会儿，丽迪亚一刻不停地谈论着彩牌，讲着自己赢了多少输了多少；柯林斯先生则又是赞叹菲力普夫妇的热情好客，又是声言自己玩惠斯特牌输掉的那点钱不值一提，又是津津有味地盘点晚宴的菜肴，还不停地说自己唯恐挤着了几位表妹。他要说的实在太多了，可惜马车已经停在了龙博恩贝内特家门口。

第十七章

第二天，伊丽莎白把自己与威克汉先生之间的谈话告诉了简，简听得目瞪口呆，不由得担心起来。她真不敢相信，达西先生竟然那样不值得宾利先生敬重。当然，就她的性格，她是决不会怀疑像威克汉这样一个和善的青年会说话不诚实。她只是想到可能他真的受到了某些残酷的对待，这种想法反而触动了她的恻隐之心。她对此感到无能为力，只是把他们俩都往好处想，为各自的行为找些借口，将这些都归于巧合或者误会，仅此而已。

“我敢说，他们俩一定都受骗了。”她说，“至于是怎样受骗，我们也说不上来，或许是有人存心在中间搬弄是非。总之，我们不能去武断地猜测其中的原委，否则就可能中伤其中一人了。”

“的确有理。现在，亲爱的简，对于那些与这事有牵连的存心挑拨的人，你有何高见呢？得替他们洗脱罪责呀，要不然我们可就会得罪谁了。”

“你爱怎么笑就怎么笑吧，反正我不会因为你取笑就改变想法。亲爱的丽兹，你只要想想，要说达西先生以这样的方式对待他父亲十分器重的、并且答应供养的人，那就是对达西先生羞辱，往他脸上抹黑。这不可能！一个具有起码的人性的人，一个懂得尊重自己人格的人，是决不会做出这等事来的。难道说他最亲密的朋友也被蒙骗得如此之深？不，不可能。”

“我宁愿相信宾利先生上当受骗，也不愿相信威克汉先生昨天晚上会编造出那一段个人历史。那些人名、事实，还有一切他说得是那么自然。如果事实不是这样，那就让达西先生来辩解。还有，他说话时，脸上没有半点说谎的神色。”

“这事太复杂了，太棘手了。——真不知该怎样去想才好。”

“请原谅，我认为这事好想通。”

可是，在简的心里，只有一点是肯定的，那就是如果宾利先生果真受了蒙骗，那么当骗局拆穿时，他一定会极度痛苦。

两位姑娘在矮树林里正谈得起劲，有人来叫她们，说有客人到了。原来正是她们刚刚谈论的人。宾利先生和他的姐妹这次是特意来邀请她们去参加即将在泥泽地别墅举行的舞会的，这场盼望已久的舞会终于在下星期二就要举行了。宾利两姐妹与好朋友简再次相见，喜不自禁，说几天没见如隔三秋，还反复询问分手之后简都在做些什么。她们只顾着与简说话，对贝内特一家极少理睬；她们尽量能够不和贝内特太太说话就尽量不说，与伊丽莎白也不多说，对其他人更是根本不睬。不一会儿，她们就起身告辞。她们起身太急，连自己兄弟也大吃一惊。她们拔腿就走，似乎急着要避开贝内特太太的客套礼节。

一想到要到泥泽地别墅跳舞，贝内特太太和女儿们乐不可支。贝内特太太心里琢磨着，这舞会想必是为取悦于自己的大女儿而举办的，更让她受宠若惊的是，宾利先生亲自来府上邀请，而不是派人送张礼节性的请柬。简的脑海里浮现的却是另一幅快乐图景；可以与两位朋友共度良宵，还可以尽享宾利先生的殷殷眷顾。伊丽莎白也充满了愉快的想象，想到自己可以和威克汉先生一曲接一曲地跳舞，想着从达西先生表情和眼神中印证心中的一切疑点，在凯瑟琳和丽迪亚的心目中，她们的幸福和快乐却并不寄于某一件事或某一个人身上。尽管她们也像伊丽莎白一样，想象过要和威克汉先生跳上半晚上的舞，可是要让她们玩得尽兴，光有一个威克汉先生是不够的，因为不管怎么说，舞会毕竟是舞会。甚至连玛丽也向家人保证了，这场舞会她决不会拒绝。她这样对家人说：

“我只要把每个早晨的时光把握好就够了。我想，偶尔参加一些晚会也不会浪费时间。社交生活对人人都有吸引力。我也和很多人一样，认为每隔一段时间娱乐一下，放松一下也是可取的。”

伊丽莎白此刻的兴致极高。尽管她平常除非万不得已，绝不与柯林斯先生多说一句话，可是这时，她也忍不住询问他是否打算接受宾利先生的邀请，并且还追问，如果接受邀请，他是否认为这样做合适。出乎她意料之外的是，他竟然毫无顾忌，哪怕是被大主教或者凯瑟琳·德·波尔夫人指责也要去跳舞，决不害怕。他说：

“我认为，一个有身份的年轻人为高尚人群举办的这样一场舞会，决不会有什么邪恶倾向。我不但不反对去跳舞，而且还希望我的几位漂亮表妹到时候多多赏脸呢。借此机会，我特别邀请您：伊丽莎白小姐，到时能和我跳上前两曲。我想我优先邀请你，大表妹简会认为这是一件正当事情，而不是对她不敬的。”

伊丽莎白觉得自己给完全误解了。她本来一心想着要和威克汉先生跳前两曲舞的，不想却杀出了一个柯林斯先生。看来，她抒发激情选错了时候。然而，事已至此，威克汉先生和自己的欢乐时光只好往后推一推了。无奈，她还是尽量大度地接受了柯林斯先生的邀请。但是，她对他的殷勤献媚感到不快，她隐隐感觉到，这种殷勤里包含着某种更深的含义。她首先意识到的是，柯林斯从姐妹几个中选中了自己，想让自己去做亨斯福教士楼的女主人，要让自己在罗辛斯庄园缺少合适的人手时去陪着打打牌。她很快更加坚定了这种判断。她眼里注意到，柯林斯对自己越来越殷勤，耳朵里听到他不断地赞美着自己的机智和活泼。她对自己的魅力产生的影响感到惊愕不已，不过没有丝毫的惊喜。很快，从妈妈的言语中，伊丽莎白感觉到，她如果能与柯林斯结婚，对妈妈来说是一大幸事。不过，伊丽莎白装作不懂她的言外之意。因为她清楚地知道，任何回答都可能导致一场严重的纷争。或许柯林斯先生永远也不会主动求婚，既然没有，现在为他争吵也无益。

要不是有一切泥泽地别墅的舞会可以准备准备，谈论谈论，贝内特家的几个小姑娘这个时候还不知道有多可怜呢，因为从接到邀请的那天到舞会那天，雨就一阵接一阵地下个没停，害得她们一次也没去成麦里屯，没见着姨妈，没看到军官，什么消息都不知道。就连舞鞋上的玫瑰花结也还是请人代买的呢。伊丽莎白也发现自己的耐性受到了挑战，因为这天气妨碍了她与威克汉先生深交。对丽迪亚和凯蒂来说，能够挨过这难耐的星期五、星期六、星期天、星期一，全是因为星期二的舞会。

第十八章

伊丽莎白走到泥泽地别墅的客厅，放眼望去，那些红制服聚在一起，唯独不见威克汉先生，她这才开始怀疑他没有参加晚会。回想起他先前说过的一些事情，她不免有些担心，但这并没有动摇她的信心，她相信一定会在这里见到他的。本来，她这次精心妆扮了一番，兴致勃勃地准备来征服那颗心，自信用一晚上的时间足以赢得这场角逐。可是一瞬间，她心头陡然升腾起一阵怀疑，会不会是宾利在邀请军官时为了让达西高兴，有意漏掉了威克汉呢？其实，事情并非如此。在丽迪亚急切的追问之下，他的朋友丹尼先生宣布了他没有到场的真相，说他前一天进城办事，现在还没有回来。末了，丹尼先生还微笑着补充了一句：

“我想，要不是想着要回避一下这里某位先生，他是不会在这个时候出去办事的。”

他的这句话，虽说丽迪亚没有在意，伊丽莎白可是留心了。这使她坚信了自己最初的猜测是正确的，威克汉先生未能来晚会完全应该由达西负责，这种突如其来的失望更加深了她对达西的憎恨之情。因此，当达西正在那一刹那走上前去彬彬有礼地向她问好的时候，她显得十分无礼。——对达西的好感与和气就是对威克汉的伤害。她下定决心不去搭理达西，带着几分怨气地扭头走开了，甚至跟宾利先生说话时也都没几分好气。谁让他的盲目偏袒惹怒了她呢？

可是，伊丽莎白天生脾气就好。尽管她对这个晚上的每一个憧憬都被破坏殆尽，她心中的阴霾也会很快烟消云散。她一见到阔别了一星期的夏洛特·卢卡斯小姐，就把自己的惆怅一古脑儿地倾吐出来。末了，她的话题又转到了表哥身上，把表哥的古怪表现也告诉了她，并特地把柯林斯指给她看。舞会开始了，开头的两曲舞又让她的情绪沮丧起来。这是招人羞辱的两曲舞，柯林斯先生笨拙而又呆板，只会嘴上道歉，不会脚下留神，经常走错步子都意识不到，真让人讨厌，这两曲舞让她大感丢脸，十分难堪。伊丽莎白终于从他手中解脱出来，不由得感到欣喜若狂。接下来，她与一名军官跳起舞来，跟他谈到了威克汉，听说他受到人们的普遍爱戴，心情为之一爽。舞曲终了，她又回到了夏洛特小姐的身边，两个人又聊了起来。这时她猛然听到有人向她打招呼，原来是达西先生。达西先生礼貌地请她跳个舞，这着实让她深感意外，不知所措，竟然答应了他的请求。跳完舞，达西立即走开了，伊丽莎白却又自责起来，怨自己糊里糊涂，不讲原则，夏洛特在一旁安慰她。

“我敢肯定，你会发现他非常可爱的。”

“绝不会的。要是决心去恨一个人，到头来却发现他很可爱，那一定是天底下最大的不幸。请别这样咒我。”

又一曲舞开始了，达西先生再次走上前来请伊丽莎白跳舞。夏洛特不禁低声提醒她不要那么傻，把自己的开心全系于威克汉一人身上，到头来会给一个身价超出他十倍的男人留下不愉快的印象。伊丽莎白没有吭声，径直走到舞池站好位置，不由得惊奇地发现自己竟然如此傲然地站到了达西先生的面前，她细细打量着他的眼神，发现对方见此情景，也露出同样惊诧的表情。他们面对面地站着，谁也没开口。伊丽莎白不禁想到，两个人说不定两曲舞跳完都不会说话呢，她暗下决心就这么沉默下去，可转念一想，要是让自己的舞伴开口，说不定能更好地惩罚他呢。于是她轻描淡写地对舞会发表了几句议论，达西应和了一声，又陷入了沉默。几分钟之后，伊丽莎白再次开口了，说：

“现在该您说点什么了，达西先生。刚才我谈到了这舞会，现在您应该说说这舞厅的规模、舞伴的多少了。”

他微微一笑，说保证她让说什么就说什么。

“不错，这样的回答还差不多。或许等会儿我会说，私人舞会比公共舞会开心得多。不过我们现在或许该沉默一会儿了。”

“你跳舞的时候，总是要聊聊什么的吗？”

“有时候聊，一个人总得说点什么，是吧？要是两个人一声不吭地跳上半小时，总会觉得怪怪的。遇到有些人可就难办了，他们就是不愿开口，要想和他们说话，就得没话找话。”

“那么这时候，你是在顾及自己的心情，还是在迎合我的感觉呢？”

“两者兼而有之。”伊丽莎白狡黠地说，“我总觉得，我们俩的思想十分相似。我们都生性寡言少语，不爱交际，要不然就是想一言既出，语惊四座，成为流传后世的至理名言。”

“不过，在我看来，这不像是你的性格，与我的倒是十分吻合。你一定认为你对我的分析入木三分。”

“我不能自己给自己评分。”

达西没有答话，两个人又陷入沉默。等到脚上动起来，他才开口，问她和她的姐妹们是不是常去麦里屯。她回答说是的，可是又按捺不住内心的好奇，忍不住加上一句：“几天前，你在麦里屯见到我们的时候，我们刚刚结识了一位新朋友。”

这句话立刻奏效。他的脸上刹那间泛起阴郁而鄙夷的神色，但是口里没有说一个字。伊丽莎白没有继续往下说，只是在心里一个劲地责骂自己软弱。终于达西开口了，语气十分克制：

“威克汉先生言行举止处处讨人喜欢，难怪他交得上很多朋友。不过，他是不是也能与他们长久相处，那就难说了。”

“他失去了你这样的朋友，真是不幸之至。”伊丽莎白一字一顿地说，“这说不定是他一辈子难以愈合的创伤呢。”

达西没有吱声，似乎想把话题岔开。正在那时，威廉·卢卡斯爵士走到了他们跟前，打算从跳舞的人群中穿过，到舞厅的另一端去。他抬头发现了达西先生，连忙停下脚步，深深地鞠了一躬，恭维起他和他的舞伴的舞姿来。

“哎呀，达西先生，我今天可是大饱眼福啊！这样高雅的舞姿实在不可多见呀。您的水平堪称一流。不过，您这位漂亮的舞伴也没给您丢脸。但愿我能有幸多饱眼福，特别是有什么喜庆事要办的时候。您说呢，伊丽莎白小姐？”说着，朝简和宾利先生扫了一眼，那可是道不尽的喜啊！“我请求达西先生——算了，我还是不打搅你们为妙——您与这位年轻姑娘正谈得投缘，我自然是不受欢迎的了。再说，您舞伴的那对明眸亮眼也在责备我呢。”

对这后面几句话，达西似乎没听进去，不过威廉爵士先前针对宾利先生的暗示着实让他吃了一惊。他神色凝重地望了一眼正在翩翩起舞的宾利和简，很快又回过神来，对舞伴说道：

“经威廉爵士这么一打断，我都忘了我们谈到哪儿了。”

“我想我们也没谈什么呀。是我们俩无话可说，怎么怪威廉爵士打断呢？我们都已经尝试过两三个话题了，总是谈不到一块儿，真不知道再该谈什么了。”

“你认为谈谈书怎样？”达西笑着问道。

“书？噢，算了。我敢说，我们读的书不一样，读书的心情也不一样。”

“你有这样的想法，我实在感到遗憾。不过如果真是这样，我们何患没有话题。我们可以各抒己见呀。”

“不行，在舞场上我可谈不了书，我的脑袋里这时根本就想不到书。”

“在这种场合，你满脑子想的都是眼前，是吗？”达西狐疑地问道。

“是的，总是这样。”她自己都不知道在说什么，心思早已不在这个话题上了。突然，她尖声叫道："达西先生，记得你曾经说过，你从不宽恕别人，一朝结怨，终生难消。所以我想你一定十分谨慎，决不轻易与人结怨。"

"你说的不错。"达西的语气十分坚定。

"也从不让偏见蒙住自己的眼睛？"

"但愿不会。"

"对于那些绝不改变观点的人来说，尤其要确保自己一开始就作出正确的判断。"

"请问一下，你说这些话的目的何在？"

"只不过是想勾勒一下你的性格。"她回答道，语气尽量随意，"我只是想弄清你是个什么样的人。"

"有何收获？"

她摇了摇头，说："毫无进展。我听到人们对你的评价各不相同，让我大惑不解。"

"我绝对相信人们对我有着完全不同的看法。"达西一本正经地说道，"不过，贝内特小姐，我希望此刻你也不要急于勾画我的性格，我有理由认为这样做恐怕于我于你都无益。"

"可是我要是现在都不把你勾画出来，恐怕以后再没有机会了。"

"当然，我决不会扼制你的兴趣。"达西冷冷地说道，伊丽莎白也没再吭声。他们又跳了一曲，就默默地分手了，双方都显得沮丧，只是程度不同而已。达西毕竟对她满腔情意，宽宏大量，很快就原谅了她，只是把一腔愤怒转移到了另一个人身上。

伊丽莎白和达西刚一分手，宾利小姐就走了过来，以一种礼貌而又轻蔑的口吻对她说道：

"哎，伊丽莎白小姐，我听说你迷恋上了乔治·威克汉？你的姐姐一直在和我谈论着他，问了千百个问题。我发觉那个年轻人在交谈中忘了告诉你，他的父亲老威克汉，曾经是已故的达西先生的管家。不过，作为朋友，我还是规劝你，不要轻信他的花言巧语。至于说达西待他不好，那是无稽之谈。恰好相反，尽管乔治·威克汉以无耻的手段对待达西先生，可是达西先生一向待他不薄。虽然我不知道具体的过节，但我相信，达西先生丝毫不该受到指责。不过他现在绝不愿再听到乔治·威克汉的名字。本来，我哥哥在邀请军官们来参加舞会的事情上左右为难，邀请威克汉也不好，不邀请他也不好，后来发现那家伙竟自动退出，真是皆大欢喜。他跑到乡下来，本身就是丢人现眼的事，亏他想得出还做得到。伊丽莎白小姐，实在对不起，我揭了你最喜欢的人的短处，不过，只要看看他那种出身，就别指望他会做什么好事。”

“照你的说法。他的短处就等同于他的出身喽？”伊丽莎白不满地说道，“你刚才无非是指责他是达西先生管家的儿子，而这一点他早就对我讲了。”

“请原谅”，宾利小姐一声冷笑，转过身去，“请恕我多嘴，不过我可是一片好心！”

“蛮不讲礼！”伊丽莎白暗自思忖，“如果你是想用人身攻击的手段来让我改变看法，那就大错特错了。这倒是叫我看透了你的愚顽和达西的歹毒。”接着，她去找姐姐，因为她答应过了要向宾利先生打听这事的。简看到妹妹，吟吟一笑，满面春风，今晚的愉悦和得意溢于言表，伊丽莎白立刻领悟到了姐姐的感觉。这个时候，她对威克汉的牵挂，对他仇敌的怨恨，一切的一切全都烟消云散，心中只有一个祝福，愿姐姐事事如意，找到自己的幸福。

“我想知道你打听到了有关威克汉先生的什么消息。”伊丽莎白跟姐姐一样满脸笑容，说道，“恐怕你玩得太高兴了，根本就想不到还有第三个人的存在。就算果真这样，我也会原谅你的。”

“你说错了。”简答道，“我并没有忘记关于他的事情，不过我可没有什么好消息先告诉你。宾利先生对他的历史一无所知，对于他到底怎样得罪了达西先生也毫不知情。但是他愿意为自己的朋友担保，说他品行端正、正直诚实、光明磊落，并坚信威克汉先生根本不值得达西先生先前那样关照。根据他和他的妹妹的说法，我也很遗憾地认为，威克汉先生绝不是一个值得尊敬的年轻人。恐怕他一向粗暴莽撞，才失去了达西先生的敬重。”

“宾利先生不认识威克汉先生本人？”

“不认识。那天在麦里屯是第一次见到他。”

“那他就是听了达西先生的一面之词。我相信是这样的。不过，他对那份神职是怎样说的？”

“宾利不止一次听达西谈起过这事，可他现在记不清了。不过，他认为那份神职留给他是有条件的。”

“我毫不怀疑宾利先生的真诚，”伊丽莎白柔声地说，“不过，请你原谅，我不会因为几句担保就去相信什么。宾利先生为朋友所作的辩解非常有说服力，可是他自己对这件事的好几处都不清楚，而其它的又都是从他的朋友那里听说的，所以，我仍然会保留我以前对这两位先生的看法。”

之后，她又换了个愉快的话题，两个人谈得十分投机。简讲着宾利先生对自己关爱体贴，吐露着自己对幸福的热切而不过分的憧憬；伊丽莎白倾听着姐姐的话，内心充满喜悦，并勉励姐姐增加信心。这时，宾利先生加入了她们的谈话，伊丽莎白识趣地抽身出来，去找卢卡斯小姐。卢卡斯小姐问她对最好的一个舞伴印象如何，她还没来得及开口作答，柯林斯先生就走了过来，喜不自禁地告诉她，说他非常幸运在舞会上竟然有了一项重大发现。他说：

“真是太巧了，我发现在这个舞厅里竟然有我那位女恩人的近亲。我无意中听到一位先生正向这幢房子的女主人，一位年轻小姐，提到他表妹德·波尔小姐和姨妈凯瑟琳夫人的名字，竟有这等事情，真是太妙了。谁想到过在这里居然遇上了凯瑟琳·德·波尔夫人的外甥！谢天谢地，这一发现太及时了，好在我还有时间去向他致敬。我这就去，相信他会原谅我先前的失礼。我压根儿不知道他们之间的这层关系，所以我的失礼情有可原。”

“你真的要去向达西先生自我介绍？”

“不错。我去请他原谅我没有及早向他致敬。我相信他是凯瑟琳夫人的外甥，我有责任告诉他，我上星期还见过凯瑟琳夫人，她的身体非常健康，请他务必放心。”

伊丽莎白极力劝阻他不要去，说没人引荐就主动上前打招呼会被达西先生认为唐突冒昧，而不是对他姨妈的尊重；而且这个场合双方都没有必要多礼，即使有必要，也应该是达西先生主动过来结识才对，人家身份地位都要高些。柯林斯听着她的分析，脸上一副毅然决然的神情，其实他心里已经打定主意要按自己的意愿行事。所以，伊丽莎白话音刚落，他就回答说：

“亲爱的伊丽莎白小姐，对你在自己的知识范围内对这一切发表的高见，我十分钦佩，不过请恕我直言，世俗的礼仪与神职人员的礼仪迥然不同。在我看来，就尊严而言，教士之职可比得上一国之君，——只要他行为得体有度。所以在这个时候，请允许我听从良知的引领，去履行自己的职责。请原谅我在这件事上不能接受你的指教。在眼前这件事上，我觉得自己凭着自己的教养和平时的研究，比你这样一位年轻姑娘更有对错妥否的判断力。当然，在其它任何方面，我都会把你的指教奉为永恒的行为准则。”说完，他深深地鞠了一躬，就迎着达西先生跑了过去。伊丽莎白急切地注意着达西先生是如何应对柯林斯先生的冒失行为。很显然，他对柯林斯先生这样贸然打招呼大感惊诧。只见她的表哥上前就是恭恭敬敬地鞠了一躬，接着就说起话来。伊丽莎白什么也听不到，却似乎什么都听清了似的，从他的口型变化上可以看到他说的无非是“抱歉”、“亨斯福”、“凯瑟琳·德·波尔夫人”之类的话，看着表哥在这样一个人面前丢人现眼，伊丽莎白觉得十分恼火。达西先生看着他，眼里露出掩饰不住的惊奇，等到柯林斯先生终于说完了，他只是以一个种极为生疏的语气说了几句客套话。然而，柯林斯先生毫不气馁，又说了起来。看着他这样滔滔不绝地说个没完，达西先生对他的鄙夷之情似乎大增，等他说完，只是微微打了个躬，就扭头走开了。于是，柯林斯先生回到了伊丽莎白的身边。

他说：“我认为，要是连这样的接待都不满意，那就毫无道理可言了。达西先生看到我去问候，似乎格外满意，他和我答话非常

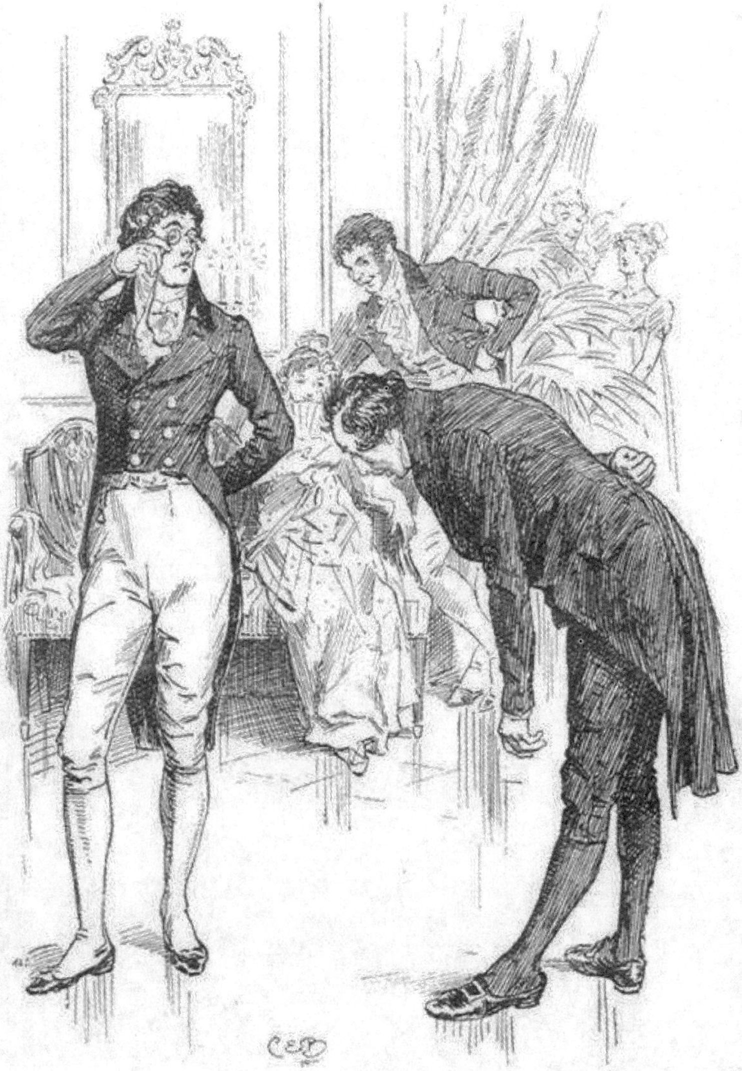

客气，甚至还恭维我呢，说他钦佩凯瑟琳夫人的眼力，决不会随意看中一个人。这种看法的确让人心悦诚服。总之，我非常欣赏他。”

伊丽莎白没有兴趣往下问，她的心思几乎全部转移到了姐姐和宾利先生的身上。她所看到的一幕幕情景无不激起她惬意的遐想，她和姐姐一样幸福。她仿佛看到姐姐已经住进了那幢福光高照的房子，充满了真情真爱的婚姻给了她无限幸福；她同时感到，在这样的情况下，自己是可以做一些努力的，甚至是喜欢宾利两姐妹。她清楚地看得出母亲心里有着同样的想法，但决定不要靠她太近，免得她又是问这又是问那的。可事情就是那么不巧。大家坐下来用饭时，这母女俩的座位偏偏相隔很近，这让伊丽莎白感到极为倒霉。更让她气恼的是，母亲一个劲儿地与卢卡斯夫人大谈特谈，而且谈的尽是她希望简能与宾利先生早日成亲之类的话。一接触到这个话题，贝内特太太就浑身热血沸腾，孜孜不倦、没完没了地盘点着这桩婚姻的好处。这值得庆贺的第一点就是，宾利先生这位年轻人，长相迷人，家境富有，住的地方离龙博恩也不过三英里；其次，让人感到舒畅的是宾利家两个姐妹那么喜欢简，她们肯定也会像贝内特太太一样热切希望成全这桩美事；再者，简能够高攀上这桩亲事，对她几个妹妹来说也带来了光明前景，她们可以通过简结识许多富家子弟；最后一点就是她可以在她这个年纪的时候，把几个未出嫁的女儿交给她们的姐姐，自己就不必陪着她们过多地应酬和交际了。平时在家里，她总不能像别的女人那样自得其乐，可是在今天这样的场合，就应该把气氛搞活跃，让大家开开心心，这也是常理。末了，她衷心祝愿卢卡斯夫人也和她一样有福气，不过从她那得意洋洋的神情一看便知，她心里根本就不相信卢卡斯夫人会有这等运气。

伊丽莎白又是极力阻止她母亲滔滔不绝地夸夸其谈，又是劝她母亲不要那么大声流露自己的喜悦，免得让人都听见，结果全是枉然。更让她感到难以言状的痛苦是：她觉得母亲的这些话大半都被坐在对面的达西先生听到了。她的母亲全然不顾，只是责骂她瞎搀和。

“说说，达西先生算什么？我犯得着怕他？我想我们并不欠他什么人情，用不着看他的脸色说话。”

“看在老天的分上，夫人，别那么大声。得罪达西先生对您有什么好处？要是这样，他的朋友永远也不会瞧得起您。”

然而，她的母亲丝毫不为所动，照样夸夸其谈，声音丝毫也没有放低。伊丽莎白又是气恼，又是羞愧，脸上红一阵、白一阵，眼睛不自觉地向达西先生那里张望，每次张望都证实了自己的恐慌。虽然他眼睛并没有总是盯着她妈妈，但是她坚定地认为，他始终专注地注意着她母亲的谈话：他的脸上先是一副鄙夷和愤怒的表情，慢慢地换上了一副镇定、凝重的神色。

终于，贝内特太太没再往下说了。卢卡斯太太听着她翻来覆去地念叨着与自己毫无干系的喜悦，不停地打着哈欠，这下总算可以享用几口冷火腿和鸡肉了。伊丽莎白又开始恢复往常的活力。然而，这种恬静的心境很快被打破。大家吃完晚餐，有人提出唱歌，不等人请，玛丽宁静的心境就已按捺不住，想在大家面前表现表现。伊丽莎白看在眼里，急在心里，频频给她使眼色，做暗示，可全是白费劲，玛丽根本不去领会，只是认为这是一个展露才华的大好时机。她唱了起来。伊丽莎白眼睛盯着妹妹，心里痛苦不堪。她焦躁不安地看着妹妹唱了几段，心情久久不能平静。玛丽一曲唱完，回谢桌上人们的掌声。这时也有人吆喝着，请她赏脸再唱一曲。于是过了大约半分钟，她又唱起了第二支歌。玛丽的才能并不适合于这种场合的表演，嗓音不够大，动作也做作。伊丽莎白顿时感到极度痛苦。她看看简，想看看她的反应，却发现她神态自若地与宾利先生交谈着；她再看看两个妹妹，却见她们在相互取笑打闹；再望望达西，他仍旧是满脸严肃，显得高深莫测。她朝父亲望了望，暗示他出面阻止，免得玛丽整晚上唱个没完。父亲对她的暗示心领神会，等玛丽一唱完第二首歌，就大声喊道：“这就够好的啦，孩子。你已经让我们大家开心了好一阵子了，把时间留给别的姑娘去展示风采吧！”

玛丽装作没听见，心里多少还是感到难堪。伊丽莎白一方面为妹妹难过，为父亲的话羞愧，一方面又担心自己的急躁反而坏事。这时，大家已经请其他人上台演唱了。

“要是我有幸会唱歌，我一定会非常愉快地为大家献歌一曲。”柯林斯先生说道，“我认为音乐是一种纯真无邪的娱乐，与牧师之职毫无抵触。当然，我并不是想在此宣扬，我们不应该在音乐上花费过多的时间，因为我们毕竟有许多其他的事情要做。一名教区长要做的事情太多。首先，他得制订教会税收协定，既要于己有利，又不能得罪恩主；他得自己写布道词，在所剩无几的时间里，他还得处理教区事务，还得照管和修缮自己的宿舍——他没有理由不把自己的住处收拾得舒舒服服。而且他还得待人体贴和善，尤其是对于那些有恩于他的人，我认为这也至关重要。我觉得这是他义不容辞的责任，我也觉得，他应该不失时机地向恩人和亲友表示敬意，否则就有悖常伦了。”他向达西先生深深鞠了一躬结束了自己的演讲。他的声音非常响亮，差不多半个屋子的人都能听得见，有的人对他侧目而视，有的人则微微一笑，但没有一个人比得上贝内特先生开心了。贝内特太太则在一旁正儿八经地夸着柯林斯先生说得在理，还低声地对卢卡斯夫人说，他真是一位绝顶聪明、和善可亲的年轻人。

在伊丽莎白的眼里，即使她的家人事先约好了一起来尽情丢人现眼，也不可能比今晚的表现更出彩、更成功。不过值得庆幸的是，宾利和简并没有看到一些出丑的场面，并且宾利生性宽厚豁达，即使他可能亲眼看到了什么愚蠢丑态，也不会为之气恼。不过，宾利的两个姐妹和达西先生这下可有机会耻笑她的亲人了。这实在是再糟糕不过的了。面对达西先生无声的蔑视、宾利姐妹傲慢的笑脸，她已经说不出哪一种更让人难以忍受。

在这之后，伊丽莎白没有感到一丝乐趣。柯林斯先生继续在她的身边死缠硬磨，无休无止，尽管他并没能说服伊丽莎白与他再跳一曲，但也搅得她与别人跳不成。无奈之下，她央求他去与别人跳舞，并主动提出愿意为他引荐这大厅里的任何一位年轻小姐，也不成。他对她说，他对跳舞其实毫无兴趣，他的主要目的就是尽心尽力去照拂她，争取得到她的好感，因此，他决心已定，整个晚上决不离开她半步，无论怎么说他都不会改变初衷。伊丽莎白倒真要感谢好友卢卡斯小姐替她解了围，帮了大忙。卢卡斯小姐时不时地过来和他们在一起，并且好心地把陪柯林斯先生说话的活儿自己揽了下来。

这时，伊丽莎白至少没有柯林斯先生再来打扰了。虽然他常常站得离她很近，也没与谁聊天，但再也没有凑过来说话了。她觉得这可能是因为自己向他提及威克汉先生的缘故，不由得暗自庆幸起来。

龙博恩一家人是所有宾客中最晚离开舞场的，这全都是因为贝内特太太要了个花招，马车要再过一刻钟才到。宾客散尽，他们一家人在那里等着马车，终于有机会体会到了舞会的主办人家中还是有些人真心希望他们的早点离开。赫斯特太太和她的妹妹除了喊累就一言不发，显然是迫不及待地等着这家人走了，自个儿清静下来。贝内特太太几次试图搭腔她们全不理睬，这样一来，整个气氛显得沉闷难耐。虽然柯林斯先生在一边滔滔不绝对宾利先生和他的姐妹赞不绝口，又是恭维他们的晚会高雅别致，又是夸奖他们待客热情有礼，但对于活跃气氛仍然无济于事。达西一言未发。贝内特先生也一样默不做声，在一旁看热闹。宾利和简站得离人家稍远一点，私下里谈论着什么。伊丽莎白和宾利的姐妹俩一样，一直都没说话，就连丽迪亚也累得说不出话来了，只是偶尔叫一声“天哪，困死了！”接着就是一个大哈欠。

贝内特一家终于站起身来告辞了。贝内特太太一再客客气气地邀请宾利全家，希望他们能早日到龙博恩做客，并特别叮嘱宾利先生，请他务必给她们全家赏光，找个日子到家里吃顿饭，她们也不走形式发正式邀请了。宾利既感激又高兴，愉快地应允下来，说他明天就动身去伦敦小住几日，等他一回来，就尽早地挑个日子前去拜访。贝内特太太心满意足地走出了泥泽地别墅，满脑子欢天喜地

C.E. Brock

翻滚着的就是一个想法：再过三四个月女儿就要入主泥泽地别墅了，现在必须做的就是准备好嫁妆、新马车、婚礼服。对于二女儿与柯林斯的婚事，她也同样深信不疑，虽然不是同样高兴，但也相当满意了。在她的五个宝贝女儿中，伊丽莎白是最不讨她喜欢的。虽说这柯林斯先生就人品和条件都不及宾利先生和泥泽地别墅，但对于伊丽莎白来说已经足够了。

第十九章

第二天，龙博恩上演了新鲜的一幕。柯林斯先生正式提出求婚了。他的假期到星期六就要结束了，为了不浪费时间，他决定立刻行动，此时此刻，他也顾不得要是求婚失败有什么难为情的了。他在这件事情上还是按部就班的，把自己认为必要的程序做得面面俱到。早饭过后不久，他看到贝内特太太、伊丽莎白还有一个小妹妹在一起，马上就对贝内特太太说道：

“夫人，鄙人斗胆邀请您的漂亮女儿伊丽莎白小姐今天上午单独会晤，不知您是否恩准。”

伊丽莎白刷地脸红了。不等她作出任何反应，贝内特太太立刻答道：

“呵，太好了！——行，当然可以。我想丽兹一定会欣然接受的。她不会反对的。——好啦，凯蒂，上楼去。”说着，把手中的活儿一拢，就要匆匆离去。伊丽莎白叫了起来：

“亲爱的妈妈，不要走嘛，我请求你留下。柯林斯先生必须原谅我。他不可能有什么话是别人不便听的。要不，我走。”

“别，别，别瞎说，丽兹。我叫你呆在那儿别动。”可是一看到伊丽莎白满脸气恼和尴尬，当真要走，又加上了一句：“丽兹，我非要你坐下来听柯林斯先生说话不可。”

伊丽莎白一看，母命难违，再转念想想，要是能把这事尽快不声不响地给了结了，岂不是最明智的做法？她心里豁然开朗，于是坐了下来，时不时地提醒自己，千万不要把内心那种啼笑皆非的心情流露出来。贝内特太太和凯瑟琳一走开，柯林斯先生就开口说道：

“请允许我说一句实话，亲爱的伊丽莎白小姐，你的含蓄不但没有减少你的魅力，反而更使你显得尽善尽美。要是你刚才没有那样推诿一下，在我心目中你倒少了几分可爱。不过请允许我声明一点，我今天与你面谈事先得到了你敬爱的母亲的批准。你虽然天性羞怯，可能会掩饰自己的真情实感，但不会不明白我说话的意图。我对你情有独钟，大家有目共睹，你也不会视而不见。差不多在踏进你家门的那一刻，我就看中了你可以做我的终身伴侣。此刻我感情的洪水汹涌澎湃，在它冲开我理智的大门之前，我或许应该先向你陈述一下我想婚娶的理由，而且也该向你说明一下我为什么要抱着择偶的目的来到赫特福郡。”

柯林斯先生神情庄重，竟然声言自己感情的洪水汹涌澎湃，这着实令伊丽莎白差点忍不住笑出声来，结果在柯林斯先生话音落地的那一刹那，她没有抓住机会终止他的讲话。他继续说道：

“我之所以想到了婚娶，首先是因为我认为，一位条件优越的教士，比如说我，在婚姻方面理应为教区做出表率。其次，我坚信婚姻将极大地促进我的幸福。第三，或许有一点我应该放在前面说，就是我有幸称之为女恩主的那位贵妇人提醒了我，还给了我很多劝告。在这一点上，她曾两次屈尊亲自过问并出谋划策，而且都是主动的！就在我离开亨斯福德的上星期六晚上，在我们玩牌的空隙当中，简金森太太在为德·波尔小姐调整脚蹬的时候，德·波尔夫人还对我说：‘柯林斯先生，你该成个家了。像你这样的教士应该有个家庭。好好挑选一个吧。为我，你要选个贤淑女子；为你自己，你要选个泼辣能干的女人，不求出身高贵，但求能够精打细算过日子。这是我的建议。尽快去找一个这样的女人，把她带回到亨斯福庄园来，到时候我去看看她。’我得说一句，我漂亮的表妹，德·波尔夫人对我的体恤关爱可是我一大优势啊！你会发现我任何描述都不及她真实的气质风度。我想凭你的风趣和活泼，一定会被她接受的，尤其是当你对她的身份表现出应有的敬畏和尊重，她会更喜欢你。这些是我想要结婚的主要考虑。可是有一点还没有告诉你：我为什么要直奔龙博恩而不就近找一位女子？我那周围也有许多年轻可爱的姑娘啊！可问题是，在你尊敬的父亲去世之后——当然，他还能活很多年——我将继承这一份产业，事实也一定是这样的。我实在于心不安，于是决定从他的几个女儿中选一个为妻，这样也好在那悲哀的事果真发生的时候（如我刚才所说的,这还得等若干年之后），把他的女儿们的损失减少到最低限度。这就是我的动机，我漂亮的表妹。让我聊以自慰的是，凭着这一点你不可能把我看得太低。该说的我已经说了，现在唯有热情的语言来表达我汹涌的激情。至于财产，我全不在乎，在这一点上我也绝不会向你父亲提出任何要求，因为我非常清楚，即使提出了什么要求也决不可能满足。而至于你可能有权享有的不过就是一千英镑，利息也不过四厘，而且还得等到你母亲辞世之后才能得到。因此，对于这件事，我绝对不提一字。你也尽管放心，在我们结婚之后，我也绝对不会斤斤计较。”

现在非打断他不可了。伊丽莎白大声喊道：

“你也太性急了，先生。别忘了，我还压根儿没答应呢。我现在就给您一个明确的答复，免得太浪费时间。对您的恭维我十分感激；您向我求婚，让我不胜荣幸，但对于这一点我别无选择，只有谢绝。”

“我早就知道，”柯林斯先生郑重其事地挥了挥手，说，“年轻姑娘们要是遇到有人初次向她们求婚，尽管心里接受，口头上往往都要拒绝，有时候还要拒绝两三次呢。因此，你刚才所说的丝毫不让我感到灰心，我还希望和你早日携手走进神圣的殿堂呢。”

伊丽莎白忍不住高声叫了起来：“先生，在我表明观点之后你还这样一意孤行，实在太不合常理了。就算果真有您刚才所说的那样的年轻姑娘，敢于拿自己的幸福冒险，等待有人第二次开口求婚，那请您务必明白，我不是这种人。我刚才拒绝您是极其认真的。你不可能让我幸福，而且我也相信，我也绝不可能给您带来幸福。如果您的朋友凯瑟琳夫人了解我，我想她一定会发现我在哪一方面都不配做您的太太。”

“要是凯瑟琳夫人真这样认为……”柯林斯先生神情严肃地说，“不，我想她老人家决不会不接受你的。请放心，等下一次我有幸见到她，我一定用最好的言辞夸奖你的谦逊、节俭和其它可贵的品质。”

“说实在的，柯林斯先生，对我的一切赞誉都没有必要。对我的优缺点，你应该允许我自己作出评价，对我刚才的表态你应该予以理解和相信。我祝愿你生活得非常幸福非常富足，我之所以拒绝你的请求，就是希望竭力维持你的美好生活。你向我求婚，说明你已经从处处为我们家人着想的那份细腻情感中求得了一种心安，将来继承龙博恩家产时无需为此而自责了。因此，可以说这件事已经彻底解决了。”说着，她就站起身来准备离开房间，柯林斯先生叫住了她。

“等我下次与你再谈到这一问题的时候，我希望你的回答比这次更令人满意一些。当然，我现在根本没有指责你粗鲁的意思，因为我知道拒绝男人第一次求婚，这已经是女性的一个约定俗成的惯例。你所说的那些话反倒表现出了女性的含蓄灵秀的品质，更加激励我不懈地追求下去。”

“老实说，柯林斯先生您太让人莫名其妙了。”伊丽莎白高声说着，语气里透出几分激动，“如果说我刚才所说的竟然让您感觉到是一种鼓励，那我真不知道该如何让您相信我是真的拒绝了。”

“我亲爱的表妹，请允许我说句自我恭维的话，你刚才拒绝我求婚仅仅只是口头上这么说。我之所以这样认为，主要是因为，我想我的请求不值得让你拒绝，或者说我的家产不会不让你无动于衷。我的生活条件、我与德·波尔家的交情，我与你们家的关系，无一不是我的优势。你还应该看得更远一些，纵然你有许多迷人之处，也未必会有别人再向你求婚。你名下的财产少得可怜，这一点足以能够抵消你迷人的魅力和可贵的品质。因此，我认为你刚才并不是真正拒绝我，我更愿意相信，你是按照高雅女性的一贯做法在制造悬念，增加我对你的爱恋。”

“先生，我请您务必明白，我决没有仿效风雅，故弄玄虚，何况这样做还会折磨一位可敬的绅士呢。我现在唯愿能得到您的相信。有幸得到您的求婚，我实在感激不尽，但绝对不可能接受你的请求。在各个方面我的感情都不允许我这样做。说得更明白一些，您千万不要认为我是一位有意制造悬念的高雅女性，而是一位向您说实在话讲真心话的理性人物。”

“你始终是那么迷人可爱。”柯林斯先生语气尴尬，又不失殷勤，“我相信要是有你尊贵的父母替你做主，我的求婚就不会落空的。”

面对这样一个一厢情愿自欺欺人的纠缠，伊丽莎白不愿再说什么。于是一声不响地走了出去。这时她已经打定主意，要是他执迷不悟，仍然认为自己多次拒绝只是对他的鼓励，她就去向父亲求助。父亲要是拒绝了他的请求，那一定是终结性的，至少不会让他误认为是高雅女性在故作姿态卖弄风情。

第二十章

柯林斯先生独自留在饭厅里，默默地在心里勾画着求婚成功后的生活。贝内特太太一直在前厅徘徊着想看看谈话结果，忽然间见女儿开门出来，匆匆从自己面前经过，直奔楼梯，于是赶紧走进饭厅，说了一大堆恭喜的话，祝贺他，也祝贺自己，说这样一来亲上加亲，今后一定和和美美。柯林斯先生接受了她的祝愿，也同样欣喜地向她表达了自己的祝愿，然后就把刚才的情景一五一十地讲给贝内特太太听，说自己对这一结果没有理由不满意，因为尽管表妹拒绝了他的求婚，这不过是她羞怯贤淑，含蓄典雅的性格的自然流露。

然而，听到这么一说，贝内特太太蒙了。她也乐于和他一样心满意足地认为，女儿拒婚其实是在鼓励他，可是她不敢相信这一点。她不由得把这些顾虑告诉了柯林斯先生，末了，还补充了一句：

“不过，柯林斯先生，我会让她明白过来的。我要亲自找她谈谈。这个丫头脾气犟，头脑笨，不知好歹，不过我会让她知道这一点的。”

“对不起，夫人，我想打断一下。”柯林斯先生大声说道，“要是她真的那么脾气犟，头脑笨，我还不知道她能不能成为一个理想的妻子呢。您知道，像我这样条件的男人，是希望从婚姻中寻找幸福的。要是她真的执意拒绝我的请求，也许还是不要逼迫她为好，因为如果她真的存在这样的性格缺点，就难说会给我的生活带来什么幸福了。”

“先生，你误解了我的意思。”贝内特太太急了，“丽兹只不过是在这些事情上倔强一点，在其它任何方面都性情温顺。我这就去找贝内特先生，很快就会解决她的问题，我保证。”

贝内特太太不等柯林斯先生回答，就急急忙忙去找丈夫。她一进书房就叫嚷开了：

“哎呀，贝内特先生，快来，这下咱们家可不得了啦。你得来说服丽兹嫁给柯林斯先生，她说自己死也不嫁给他。你要是不抓紧时间，人家就要改变主意不娶她了。”

她闯进书房的那一刻，贝内特先生眼睛从书本上抬起来，一直盯着她的脸，表情平静漠然，丝毫没有为她的话有所改变。见她说完，贝内特先生问了一句：

“我不知道你在说什么。你到底在说什么？”

“我是说柯林斯先生和丽兹。丽兹说她不想嫁给柯林斯先生，而柯林斯先生现在也开始说不想娶丽兹了。”

“在这个时候我能做什么？看来这事没希望了。”

“你得亲自和她谈谈，告诉她你非得让她嫁给柯林斯先生。”

贝内特太太摇了摇铃铛，把伊丽莎白召进了书房。贝内特先生一见女儿就说：

“进来吧，孩子，我叫你来，是为了一件重要的事情。我听说柯林斯先生已经向你求婚了，是真的吧？”伊丽莎白说是。他继续说道：“很好嘛，可你已经拒绝了他的求婚？”

“拒绝了。”

“很好。我们现在就言归正传。你妈妈执意要你接受这桩婚事。是这样的吧，贝内特太太？”

“是的。要是她不答应，我再也不想见到她。”

“伊丽莎白，现在摆在你面前的是一个不愉快的选择。从今天起，你就得与你父母之中的一个人变成陌路人了。如果你不答应嫁给柯林斯先生，你妈妈再也不想见你。但如果你答应了，我又不想再见

到你。”

伊丽莎白看到事情这样开场，又这样结束了，不禁笑了。贝内特太太本以为丈夫会按照她的意愿来处理这件事情，这时不禁大失所望。

“你这样说话是什么意思，贝内特先生。你可是答应过我非要她嫁给柯林斯先生的呀！”

“亲爱的，我有两个小小的请求。”她的丈夫回答道，“第一，请允许我对当前的情形形成自己的理解；第二，请允许我自由地使用我的书房。要是能让我尽快清静下来，我将十分感激。”

尽管贝内特太太对丈夫深感失望，但是还不肯善罢甘休。她不停地和伊丽莎白说，又是哄骗，又是威胁，并极力拉简来替自己说情，可是简用尽量委婉的语气回绝了母亲的要求，不想介入这事。面对母亲的纠缠，伊丽莎白时而言辞真切，时而油腔滑调。她不断调整策略，但决心始终未变。

与此同时，柯林斯先生独自在一边回味着刚才发生的一切。他一向把自己看得很高，根本无法理解表妹是出于什么动机拒绝他的求婚。他的自尊受到了伤害，但仅此而已，他在其它方面毫无损失，因为他对伊丽莎白的爱慕本来就是子虚乌有的。此时，他一想到伊丽莎白要挨母亲一顿责骂，自己仅有的那点懊丧情绪早就无影无踪了。

正当这一家乱成一气的时候，夏洛特·卢卡斯来串门，打算在这里玩一天。丽迪亚一见，飞快地跑上去，在前厅把她迎住，低声向她喊道：“你来得真是时候，今天这里热闹极了。你猜今天早上怎么啦？柯林斯先生向丽兹求婚了，可是丽兹不答应嫁给他。”

夏洛特还没来得及开口说话，凯蒂就跑了过来，她也是来告诉同样的消息的。几个姑娘走进餐厅，只见贝内特太太还独自一个人在那里呢。见到卢卡斯小姐，贝内特太太马上旧话重提，想唤起夏洛特的同情，还请她去劝说一下好友丽兹做事要顺从家里的意愿。末了，她用伤心的语气加上一句，说：“请一定帮忙，亲爱的夏洛特·卢卡斯小姐。你看他们都不赞成我，都不帮我，他们都冷酷地对待我，谁都不体谅体谅我患有神经衰弱症。”

夏洛特没有来得及开口，简和伊丽莎白走了进来，算是给她解了围。

“喏，她来了。”贝内特太太说，“瞧那一副若无其事的样子，只知道由着自己的性子来，就像我们不存在一样，哪里还在乎我们。——我告诉你，丽兹小姐，你如果一意孤行，每次都这样拒绝别人求婚，你永远也别想嫁出去。真不知道你爸爸死后谁来养活你，我是不会养你的。我警告你，从今天开始，咱们一刀两断。别忘了，在书房里，我就对你讲过，我这一辈子也不会和你说上一句话。你会知道我是说得出做得到的。休想我和哪一个不讲孝道的孩子说话——谁也别想和我说话。像我这样神经紧张的人，不会有兴趣和谁说话。谁也不知道我受的罪有多大！历来如此。谁会怜悯那些从来不抱屈不叫苦的人呢？”

她的女儿们听到这一通发泄，谁也没有做声，个个心里都清楚，要是去和她理论，或是去劝慰她，只会火上浇油。就这样，她一个人不停地说啊、讲啊，谁也没有去打断她。这时，柯林斯先生走了进来，神情比以往更加庄重严肃了！贝内特太太一见，立刻冲着女儿们说道：

“好了，我请求你们，你们所有人，闭上你们的嘴，让我和柯林斯先生说几句话。”

伊丽莎白悄悄地走出了房间，简和凯蒂紧随其后，唯独丽迪亚站在那里不动，决定听听他们到底谈些什么。夏洛特小姐也留在里面，先是柯林斯先生向她致礼，并问起她自己和家人的情况，问得十分详细，使她一下子没有走成；之后，她本人也不由得感到一阵好奇，就只是走到窗户跟前，装出一副毫不在意的样子，听起他们的谈话来。只听得贝内特太太用充满悲哀的语气开始了计划之中的这场谈话：“唉！柯林斯先生！”

“亲爱的夫人”，柯林斯先生答道，“我们永远也不要再谈这件事啦。”接着他又用明显不悦的声音说，“对您女儿的行为我不会有丝毫愤恨之心。对于注定要降临的不幸和厄运，我们每个人都有责任敞开胸襟，听从天命，尤其是像我这样春风得意、年纪轻轻就受到器重的青年更应该如此。我想我做到了心胸开阔，听从天命。即使我漂亮的表妹接受了我的请求，或许我也会怀疑自己是否会获得真正的幸福。我常认为，一旦幸福被拒绝，它就会在我们的价值天平中贬值，这时候听从天命、胸襟开阔是最好的处事良方。亲爱的夫人，我没有请求您及贝内特先生出面替我做主就收回了对您女儿的求婚，请您千万不要因此而认为我对您全家有些许不敬。我仅凭您女儿的一面之词而不是您亲口所说就武断地认为自己被拒绝，这样做或许有所不妥，但我们谁不犯一点错呢？在这件事情上我始终是一片好心，我的目的是给自己找到一位合适的伴侣，而且适当考虑了您全家的利益。如果说我这样做有什么欠妥帖的地方，我在此深表歉意！”

第二十一章

关于柯林斯先生求婚一事的议论现在已经接近尾声，伊丽莎白对这件只是感到有些不舒服，偶尔也听到母亲指桑骂槐的几句抢白。而那位先生本人，全然没有尴尬或者沮丧表情，也没有刻意去避开她，只是满脸严肃、一声不吭，几乎再也没有与伊丽莎白讲话。到了下午，他原先那些颇为自豪的殷勤体贴已经转移到了卢卡斯小姐身上。卢卡斯小姐总是客客气气地听着柯林斯先生讲话，这倒是让大家适时地宽慰下来，尤其是她的好朋友。

到了第二天，贝内特太太仍然情绪不佳，气色也不好。柯林斯先生也仍然是一副既气愤又高傲的神态。伊丽莎白本想到他会因为心情愤懑而提前离去的，哪知他的计划似乎根本就没有受到影响。他原计划星期六离开的，所以他还得在这里呆一天。

早饭之后，姑娘们一路走到麦里屯，去打听一下威克汉先生是否已经回来了，打算见到他之后为那天他没有去参加泥泽地别墅晚会表示遗憾之情，没想到，她们一进城就碰到了威克汉先生，他还一直陪她们走到姨妈家，在那里他大谈自己的遗憾和苦恼，还表示了对各位小姐的牵挂之情。特别是对伊丽莎白，他还主动承认，没去参加晚会完全是自己认为有必要这么做。他说：

“随着舞会时间的临近，我觉得还是不与达西见面为好。两个人一同参加一个晚会，在同一个屋子里呆上那几个小时，实在叫我受不了。万一发生不愉快，会扫了大家的兴致。”

伊丽莎白极为赞赏他的这种克制态度，他们从从容容谈起了舞会的情况。后来威克汉先生与另一名军官一同陪她们回龙博恩去。一路上，他专门陪着伊丽莎白说话，两人还客客气气地称道对方。其实，他陪同姑娘们回家可以一举两得：一是让她感受到了他是在主动献殷勤，二是找到了一个合理的机会结识她的父母。

他们到家后不久，简就收到了一封来信。信是泥泽地别墅派人送来的，她立刻把信拆开。信封里装着一张精致小巧、叠得平平展展的信笺，上面满是娟秀圆润的字迹，显然出自女人之手。伊丽莎白看到姐姐读信时表情大变，并来回反复揣摸着其中几段话。不过，简还是很快让自己的情绪稳定下来，极力像以前一样开心地和大家谈话。可是伊丽莎白急于想知道这封信到底写了些什么，连和威克汉谈话都没有心思了。等他和同伴一走，简就向伊丽莎白使了个眼色，示意伊丽莎白随她上楼。一到房间，简便掏出信对她说：

“这封信是卡罗琳·宾利写来的，上面的内容让我大吃一惊。他们那一行人现在已经离开泥泽地别墅进城去了，并且不再打算回来。你听听她是怎么说的。”

于是她大声地读起信来。信的第一句话说，她们姐妹俩决定随宾利先生进城，将在格罗维诺街吃晚饭，因为赫斯特先生在那里有一座房子。信的下文是这样的：

> 亲爱的朋友，在离开赫特福郡之后，除了难与你见面之外，我别无遗憾。但愿今后我们能够有机会像以前一样愉快地交谈，也希望我们能书信往来不断，互诉衷肠，也好减轻两地分隔之苦。谨盼你能成全。

听着这些华丽话语，伊丽莎白感到莫名其妙，满腹狐疑，虽然宾利一行人走得突然，着实让她吃了一惊，但她也没觉得有什么真正值得惋惜的。她想，那两姐妹不会重回泥泽地别墅并不意味着宾利先生不会回来，而且简不同她们姐妹俩交往也无所谓，反正有宾利先生陪伴身边就行了。过了一会儿，她对姐姐说道：

“可惜的是，你的朋友们离开之前，你们竟然未能见上一面。可是既然宾利小姐也期盼着将来有缘重逢，难道我们就不能希望这一天早日到来吗？到时候，你们就可以心满意足地以姑嫂相称，再续欢乐交往，岂不比现在做朋友强？宾利先生不会听凭她们的安排，留在伦敦不回来的。”

“卡罗琳说得十分肯定，他们中没有一个人今年冬天会回赫特福郡。听我往下读。”

> 昨天哥哥与我们分手时，本来想到去伦敦办事不过三四天的时间，可是现在，我们可以肯定事情不会这么快就办妥。同时我们也深知，查尔斯一旦进城就不会急着回来，所以我们决定尾随他去，以免他在酒店形单影孤，百无聊赖。我们许多熟人都已经进城过冬了，我真希望听到你也有意进城去，我亲爱的朋友，不过我对此不存希望了。我真诚地祝愿你在赫特福郡的圣诞节期间，尽享节日的欢乐，但愿你身边有无数少男环绕，省得你因为我们三人离开而感到缺憾。

“这里说得很明显，他今年冬天不会再回来了。”简特地强调了一句，“这只是说明宾利小姐不想让他回来。”“你为什么会这样想？这一定是他自己的主意，他是自己的主人！你不知道事情的真相！下面这一部分最让我伤心，我来读给你听听。我用不着对你保留点什么。”

> 达西先生急于想去见他的妹妹，不过，说实在的，我们也迫不及待地希望与她重逢。我确实认为乔吉娜·达西美丽、高雅、才艺高超，无与伦比，深得我和姐姐露易莎钟爱，我们对

她的钟爱与日俱增，希望她有朝一日成为我的嫂子。我不记得以前是否和你谈论过我在这件事上的感情，不过我想在离开赫特福郡的时刻一吐为快，但愿你不会认为我的这种情感不合情理。我哥哥本来已然十分仰慕达西小姐，现在又可以更加频繁地相互接触，关系将变得极为亲密。双方亲友也都希望他们能成就一段姻缘。我认为，查尔斯颇能赢得女人的心，我这种说法倒并不是因为我出于做妹妹的偏心。目前一切都有利于成就这桩姻缘，没有任何不利因素，我也衷心希望他们能够满足大家的愿望，喜结百年之好。亲爱的简，你说对吗？

"你对这一段话怎么看，亲爱的丽兹？"简读完信，问道，"难道这不是明摆着吗？难道这不是明明白白地表示，卡罗琳既没有想到也不希望我成为她的嫂嫂吗？这不也正说明她的哥哥对我并不是真情相待吗？如果她怀疑我对她哥哥动了真情，这不正是在提醒我——非常好心地提醒我——要多加小心吗？难道这也可能有别的解释吗？"

"有的。我的看法与你的观点完全不同。想听听吗？"

"非常愿意！"

"只需三言两语你就明白了。宾利小姐看出她的哥哥爱上了你，而又希望他娶达西小姐。她进城去追赶上他，其用意就是把他留在那里，力图让你认为是他的哥哥不在乎你。"

简摇了摇头。

"说真的，简，你得相信我。凡是见过你和宾利呆在一起的人都不会怀疑他对你的爱意。我相信宾利小姐也心知肚明，她不是一个头脑不开窍的人。要是达西对她有那么一半的爱心，她一定都去订婚纱了。可是问题在于，我们家无钱无势，与他们门不当户不对。而她之所以急于让哥哥娶达西小姐，不过是想到两家只要有了第一次联姻，何愁第二次联姻？她的这一想法还是颇费了番心机的，而且我相信，要不是德·波尔小姐半路杀出，这个计谋说不定会得逞呢！亲爱的简，千万不要因为宾利小姐告诉你说她哥哥深爱着达西小姐，就当真以为他在星期二离开你之后对你就已经没有了丝毫的牵挂；也千万不要认为她有本事说服宾利先生抛弃对你的爱而去钟情于她的朋友。”

“如果我和你对宾利小姐看法相同，你的这些分析或许会让我感到宽慰。”简答道，“可是我知道，你进行分析的基础就不公正。卡罗琳不可能有意欺骗人。在这件事上，我现在唯一希望的就是她自己有了什么误会。”

“这就对了。既然我的分析难以让你安心，你就尽可以把事情朝好的方面想。就当是她有了某种误解。现在你已经为她开脱了干系，就不必再烦心了。”

“可是，亲爱的妹妹，就算朝最好处想，我嫁给了宾利先生，但他的姐妹和朋友们都希望他能娶另一位女人，那我又怎么能幸福呢？”

“你就得自己拿主意了。”伊丽莎白说道，“如果经过深思熟虑，你感觉得罪他的姐妹所招致的痛苦超过了成为他妻子的幸福，我劝你断然拒绝他算了。”

“你怎么能这样说呢？”简淡然一笑，说道，“你要知道，即使她们横加干预会让我极为伤心，我也义无反顾。”

“我想你也不会改变主意的。那既然如此，我也不用为你的处境担心啦。”

“不过，如果他今年冬天不再回来，我的选择也是徒劳。六个月的时间里，什么事情都可能发生呀。”

对于宾利先生不再回来的说法，伊丽莎白显得不屑一顾。在她看来，这不过是宾利小姐的一厢情愿，无论宾利小姐怎样委婉或者直接地表达这一愿望，对于一个完全不受他人摆布的年轻人来说，根本不会产生任何影响。

她把自己对于这一点的看法告诉了姐姐，她说得头头是道，立刻就收到了令人喜悦的效果。简不再沮丧了，在伊丽莎白的劝导下，她慢慢萌生出了新的希望。虽然对自己情感缺乏信心，有时候这种疑虑还会占上风，但总体来说，她还是相信宾利会回到泥泽地别墅，会一一了却自己的心愿。

姐妹俩最后决定，只把宾利先生一家离开赫特福郡的消息告诉母亲，绝口不提他这样做的真相如何，以免使她惊慌失措。尽管姐妹俩只是有选择地告诉她一点消息，已经让她忧心忡忡，她连声哀叹时运不佳，他们刚刚与自己一家来往亲密一些就走了。不过，伤心了一阵子之后，她又不由得想到，宾利先生说不定很快就会又来龙博恩家吃饭了。想到这里，顿时感到宽慰。最后她愉快地向女儿们宣布，说虽然只是请他来吃点家常便饭，她一定会下点功夫做两道大菜。

第二十二章

贝内特一家应邀来到卢卡斯爵士家，与他们一同吃饭。卢卡斯小姐十分心善，差不多大半天的时间都在倾听着柯林斯先生说话。伊丽莎白找了个机会向她表示谢意，说道：“这样可以让他心情好些，我真不知道怎么感谢你才好呢。”夏洛特请朋友放心，说自己乐意为朋友效劳，并说虽然自己牺牲了少许时间，却也得到了极大的回报。这真是太善解人意了。不过夏洛特的好意已经远远超出了伊丽莎白所能想象的程度。她尽量多和柯林斯先生说话，其目的就是为了让伊丽莎白免受他再次求婚的困扰。这是卢卡斯小姐的计谋，而且似乎一切都是按计划在进行。到了晚上，当大家分手的时候，她都认为自己是胜算在握了，可惜他很快就要离开赫特福郡了。不过，夏洛特低估了他性格中风风火火办事果断的一面。他第二天早上在龙博恩虚晃了一枪就悄悄溜了出来，直奔卢卡斯府邸而来，准备向卢卡斯小姐求婚。他提心吊胆，生怕被表妹们发现自己的行踪，他知道，要是她们看到他出门，就会猜中他的真实意图。他才不愿意在没有胜算在握的时候就过早暴露自己的意图。虽然他感觉夏洛特小姐对自己一直宽容相待，情意感人，这次求婚成功胜算很大，也是情理之中，但一想到星期三碰过钉子，又觉得心里没底。不过，他一到卢卡斯家，受到极为热情的接待，卢卡斯小姐从楼上窗口瞅见他朝

这边走来，马上迎了上去，装作一副在巷子里无意间碰到他的样子。可是她万万没有想到，等待着她的是滔滔不绝的爱的倾诉。

就在柯林斯先生夸夸其谈的那段不长的时间里，事情就这么定下来了，双方对此都感到满意。两人进屋之后，柯林斯先生就郑重其事地请卢卡斯小姐择个日子，好让他成为世上最幸福的男人。按理说，这种仓促的求婚不应该立刻答复，可是小姐实在不忍拿他的幸福开玩笑。柯林斯先生天生愚钝，求婚时全然没有那种让女人恋恋不舍的魅力，卢卡斯小姐之所以答应了他的求婚，纯粹只是为了将来有个归宿，别无所图，所以对于什么时候成婚倒也无所谓了。

两人立刻去征求威廉爵士和卢卡斯夫人的同意，夫妇俩喜上眉梢，欣然应允。在他们看来，冲着柯林斯先生目前的境况，他也是女儿夫婿的最佳人选，更何况夫妇俩能给女儿的财产微乎其微，而柯林斯先生将来的财富异常可观。卢卡斯夫人顿时兴致高涨，立刻盘算起贝内特先生还可能活多少年。威廉爵士则十分肯定地说，一旦柯林斯先生获得了龙博恩的财产，他们老两口就更有条件进出王宫了。总之，全家人各自都打着如意算盘，各自都因此而大喜过望。几个小女儿想着这样一来，她们就可以提前一两年“出道”了，男孩子们也就不再担心姐姐会到老都是个处女了。夏洛特倒是显得比较镇定，事情已经有了眉目，她得静下来想一想了。思来想去，她觉得总体上还是满意的。虽说柯林斯先生肯定不讨人喜欢，也不通情达理，接人待物毫无情趣，对自己的爱也虚无缥缈，但毕竟他将来是自己的丈夫。她从来对男人和婚姻没有过高的要求，她的目标就是嫁出去。对于受过良好教育但财产微薄的年轻女子而言，嫁出去是唯一体面的出路，无论是否一定会有幸福，嫁出去就算有了生活的保障，也就足以让人心满意足了。现在她总算是找到了一份保障，对于年龄二十有七、模样也不俊秀的夏洛特来说，这简直就是洪福齐天。不过，在这件事上她觉得最不开心的就是，伊丽莎白一定会大吃一惊。她最珍惜她和伊丽莎白之间的友谊了。伊丽莎白听到这消息后一定会感到诧异，说不定还会责怪她呢。虽然伊丽莎白的责怪不会动摇她的决心，却会让她伤心。因此，她决定亲自把这一消息告诉伊丽莎白，并叮嘱柯林斯先生回到龙博恩吃饭时，千万不要在贝内特一家人面前走漏半点消息。柯林斯先生自然是俯首听命，满口应承了下来，不过要信守承诺守住这个秘密却是太难了。那么长时间不见他的人影，贝内特一家自然觉得奇怪，所以他一回来，大家就七嘴八舌直截了当地向他发问，要绕开这些问题的确要煞费心机，再说他本人也真想展示一下自己求婚的成绩，但还是极力克制住了。

因为，第二天一大早就要启程，恐怕来不及与贝内特家一一告别，于是他就在女士们晚上准备就寝的时候开始了他的辞行仪式。贝内特太太礼貌而又热情地请他今后在方便的时候，再来龙博恩做客。

“亲爱的夫人，您的邀请叫我不胜感激。”柯林斯先生答道，“其实，我一直希望您能发出这样的邀请，请放心，我一定会尽快抽空前来拜访。”

全家人都大吃一惊，贝内特先生完全不希望他那么快就再来，连忙说道：

“可是那样不就可能招致凯瑟琳夫人的责备了吗，我的先生？你最好还是把亲戚关系看淡一些，免得得罪了你的女恩主。”

“亲爱的先生，非常感谢您善意的提醒，”柯林斯先生答道，“请您放心，这样重大的事情，如果不经夫人的同意，我是决不会贸然行事的。”

“还是当心为妙，千万不要惹得夫人不高兴。如果你来我们这里会惹得夫人不悦，我想这很有可能，你就安安心心地呆在家里。请你放心，我们都不会怪罪你的。”

“请您相信，我对您百般垂怜感激之至，我回家之后很快就会修书一封，感谢您对我的关爱，也感谢您在我逗留在赫特福郡期间对我无微不至的照顾。至于各位漂亮的表妹，虽说我过不了多久还会再来的，用不着太客气，但我在此还是表示对她们的祝愿，愿她们健康、快乐，这当然也包括我的伊丽莎白表妹。”

女士们客气了一阵子，就各自离开，但人人心里都在惊讶，他竟然考虑很快又再来。贝内特太太一厢情愿地认为他是想再回来向另一位女儿求婚，这次得把玛丽的工作做通，让她接受这桩婚事。玛丽比其他人对他的才能评价都高。她常常认为柯林斯先生的思想稳健，虽说他不及自己聪明，但她认为只要鼓励他去以自己为榜样，广泛阅读，加强修养，他会成为一个非常出色的伴侣。然而，等到了第二天早晨，这一希望完全破灭了。早饭刚过，卢卡斯小姐就登门来访，私下里把前一天发生的事一五一十地告诉了伊丽莎白。

其实，早在一两天前，伊丽莎白就想到了柯林斯先生可能是一厢情愿地爱上了她的好友，可是她一直认为夏洛特会像自己一样，不会让他们的感情发展下去，所以，这时听到夏洛特叙述，仍然大感震惊，竟然不顾礼节，失声喊道：

“与柯林斯先生订了婚？我亲爱的夏洛特，不可能的事！”

卢卡斯小姐讲述事情的经过时，始终显得平静稳定，此刻一听到伊丽莎白这样直接的责备，不由得神色慌乱，不过这也是意料之中的事，所以很快又镇定下来，用平静的声音答道：

“亲爱的伊丽莎白，何必这样大惊小怪呢？是不是因为柯林斯先生没有得到你的允诺，你就认为他不可能获得女人的芳心？”

这时，伊丽莎白的情绪也稳定了下来。她努力克制住自己，用比较坚定的语气对夏洛特说，这桩婚事的确可喜可贺，并祝她一切如意、快乐幸福。

“我看得出你是怎么想的。”夏洛特答道，“你一定非常吃惊，非常非常吃惊，因为不久前柯林斯先生想要娶的还是你。不过，你要是静下来想想，我相信你会理解我所作出的决定。你知道，我并不是个浪漫主义者，从来就不是。我不过只是想要一个舒适的家。考虑到柯林斯先生的个性、社会关系和生活条件。我相信我要是嫁给他，就跟大多数跨入婚姻殿堂的人一样，十之八九会得到幸福。”

伊丽莎白平静地说了一声“毫无疑问”，接着就是一阵尴尬的沉默。随后,两人又回到了其他人那里。过了不多久,夏洛特告辞了,伊丽莎白对她听到的事情冥思苦想起来。面对这一桩不般配的婚姻,她的思想久久不能平静。柯林斯先生三天之内两次求婚，这咄咄怪事再怪也没有夏洛特答应他的求婚怪。她一直认为夏洛特在婚姻方面与自己想法不同，但从来没想到，一旦要付诸行动，她竟然为了世俗安逸而完全抛弃了情感因素。夏洛特，柯林斯先生的妻子——这简直是丢人现眼！她为朋友这种不光彩的行为而痛心，也因此而对她心怀鄙夷，同时，心底还滋生出一阵感伤，认为她的朋友所抓的阄不会给她带来多大的幸福。

第二十三章

伊丽莎白与母亲和姐妹们围坐在一起，心里却暗自思忖着刚才听到的事，一时间拿不定主意，不知道该不该告诉家人。正在踌躇之间，威廉·卢卡斯爵士大驾光临，他正是受女儿的委托前来贝内特家公布女儿订婚的消息的。他先是把贝内特家母女几人大加恭维了一番，然后就把女儿订婚一事慢慢道出，一面还在念叨着这两家联姻的大好前景呢。听者却一片愕然，简直不敢相信这是真的。贝内特太太这个时候全然顾不上什么礼节了，一个劲地说是卢卡斯爵士把事情弄错了。丽迪亚一贯口无遮拦，出言不逊，此时更是大嚷大叫起来：

“老天呀！威廉爵士，你怎么能编出这样的故事呢？难道你不知道柯林斯先生想娶的是丽兹吗？”

遭遇到这样的对待，就算是一个历来忍气吞声阿谀奉承的人也会勃然大怒，可是亏得威廉爵士有涵养，没有发作。他一面恳请大家相信他所说的话都是实情，一面以最大的克制和忍让听着这些无礼之言。

伊丽莎白觉得自己倒是有责任帮他解围，于是挺身而出，来替他作证，说自己先前就已经从夏洛特本人那里得到了消息，并诚心诚意地向威廉爵士道喜，以此来阻止母亲和妹妹们的继续纠缠下去。

简也在一旁说了一些恭贺的话，伊丽莎白还一五一十地评说了这桩婚事的幸福前景，夸奖了柯林斯先生人品出众，并且说从亨斯福郡到伦敦距离不远不近，来去方便。

贝内特太太实在是气蒙了，在威廉爵士面前硬是没怎么多开口，可等他一走，满腔激愤一下子喷涌而出。一开始，她坚决不相信这事，然后，她坚信柯林斯先生误入了圈套，接下来，她认为他与夏洛特决不会幸福的，再后来，她就开始相信他们这桩婚事绝对会告吹。她从这整个事件中得出了两个明显的结论：第一，伊丽莎白是这整个闹剧的罪魁祸首；第二，她本人也被这些人给粗暴地耍弄了。整整一天，她的心思都沉浸在这两点上不能自拔，没有什么能让她感到慰藉，也没有什么能平息心中的怒火。整整一天过去了，她的忿恨之情丝毫不减。足足一个星期，她见到伊丽莎白就劈头责骂；足足一个月，她同威廉爵士或者卢卡斯夫人说话都是气鼓鼓的；足足过了几个月，她才开始原谅他们的女儿夏洛特。

在这个时候，贝内特先生则显得气定神闲，声称这事让他感到快慰至极。他说自己原以为夏洛特·卢卡斯是个通晓事理的人，到现在却发现她竟然和自己的老婆一样糊涂，当然也就比自己的女儿差远了，这着实让人得意。

简毫不掩饰自己对于这桩姻缘感到有些意外，不过她说惊讶归惊讶，她还是真诚希望那两人美满幸福。她也并没有因为伊丽莎白的看法而改变自己的观点，去和她一样认为这桩婚姻不般配。凯蒂和丽迪亚就更谈不上妒忌卢卡斯小姐了，在她们眼里，柯林斯先生不过是个牧师而已。这桩婚事对她们的唯一影响就是她们又多了一条消息，可以在麦里屯抖弄抖弄。

眼看着女儿要嫁个好人家，卢卡斯夫人顿时感到扬眉吐气：终于可以挫一挫贝内特太太先前的那副得意劲儿了！于是她往龙博恩跑得更勤，一到那里就大肆渲染自己的喜悦之情，任凭贝内特太太脸色发青、话语尖刻。要是换了别人，那种喜悦之情可能早就荡然无存了。

伊丽莎白与夏洛特之间蒙上了一层隔膜，两人在这桩婚事方面都讳莫如深。伊丽莎白认为她俩之间已经不可能再有信任可言了，她对夏洛特非常失望，这样一来，反倒使她更加关心起姐姐来。在她的心目中，姐姐为人正派，性情温和，她的这种看法永远也不会动摇。可如今宾利先生一走就已经一个星期了，没有任何有关他要回来的消息，伊丽莎白不由得为姐姐的幸福前程着急起来，这种焦急之情日胜一日。上次卡罗琳的来信，简早就回复了，现在正掰着指头盘算日子，希望再次收到她的来信。柯林斯先生答应过的感谢信倒是在星期二如期而至。信是写给她们父亲的，语气严肃认真，充满感激之情，像在贝内特家叨扰了一年似的。在为自己的叨扰表达了一通愧疚之后，话锋一转，又以喜不自禁的笔调向贝内特一家通报了自己的婚事，说自己承蒙他们可爱的邻居卢卡斯小姐垂爱，深感荣耀，并且解释说，当时他愉快地接受他们的好意，答应重访龙博恩，就是考虑到与卢卡斯小姐重逢，所以他已经决定于两周之后的星期一再次前往龙博恩。他还补充说，凯瑟琳夫人由衷赞同他的这桩婚事，并希望他们尽早完婚，他相信这对于可爱的夏洛特来说不成问题，她一定会早择佳期，让他成为世界上最幸福的人。

柯林斯先生重访赫特福郡，对于贝内特太太来说，已经不再是什么让人高兴的事。相反，她倒是和丈夫一样，对这事满腹牢骚：那家伙竟然要来龙博恩却不去卢卡斯府，这岂非怪事；他要是一来，岂不是会凭空增添太多的不便和麻烦？她身体欠安的时候最讨厌有人来做客，尤其是那些恋爱中的人。贝内特太太整天就这么嘀咕，只有在想到已经很久没有音信的宾利先生，她才停止唠叨，不过每当这个时候，她内心里涌动着更大的惆怅。

在这件事上，简和伊丽莎白也深感不安。日子一天天地过去，没有他的任何消息。很快，麦里屯就沸沸扬扬地传出宾利先生这整个冬天都不会回泥泽地别墅的消息。这着实让贝内特太太忿忿不平，她始终都在反驳这种说法，认为这是谣传，是恶意中伤。

就连伊丽莎白也开始紧张了。她倒并不是害怕宾利先生会冷漠无情，而是害怕他的姐妹阴谋得逞，拦住他不让走。纵然她千般不愿意产生这样的念头，因为她觉得这种想法实在有损于简的幸福，有辱于她所爱恋之人的忠贞，但还是不时地往这方面想。她所担心的是，纵使宾利先生对简有万般爱恋，恐怕也难敌挡他那薄情寡义的姐姐和妹妹与他那位咄咄逼人的朋友联手阻拦，更何况还有千娇万媚的达西小姐相伴，而且还身处伦敦这花花世界呢？

对于简来说，这件事至今还不明朗，她不免焦躁不安，心中的苦痛自然比伊丽莎白多得多。不过她始终掩饰着自己的满腹心事，即使与伊丽莎白谈话，也从不提及这事，伊丽莎白也绝不谈起。她们的母亲可就没那么心思细腻了，总是隔不到一个小时就要谈谈宾利，表达一番盼望他到来的急切心情，甚至还要简承认，假如宾利不再回来，她应该觉得自己蒙受了奇耻大辱。所幸简历来性格温和，宽容大度，才不声不响地忍受着这么多的刺激。

两个星期后的星期一，柯林斯先生如期而至。不过这次他在龙博恩受到的接待没有他初次来时那么热情，不过他已经喜不自禁，根本不需要别人怎样关照。对于贝内特一家人来说，也算幸运得很，他整天忙于谈情说爱，也省得让人多花时间陪他。他大部分时间都在卢卡斯家度过，有时候夜已经很深了，龙博恩这一家人都准备上床休息了，他才匆匆赶回来，为自己整天在外说上几句抱歉的话。

贝内特太太这会儿的情形的确可怜。无论谁谈到与这桩婚事相关的什么事，都会让她脾气暴躁，动辄大发雷霆，可是她所到之处，又总能听到人们在议论这事。她对卢卡斯小姐一见就心生厌恶，一想到她会接替自己成为这幢房子的女主人，她更是又妒忌又憎恶。每当夏洛特来看望他们，贝内特太太都一口咬定她是在盼望早日接管自己的财产；每当她和柯林斯先生说点悄悄话，她也认为他们是在谈论着龙博恩的家产，认为他们已经打定主意，等贝内特先生一去世，就把她们娘儿几个扫地出门。冲着这些，她向丈夫大吐苦水。

“说实在的，贝内特先生，”她说道，“想到夏洛特·卢卡斯竟然会成为这幢房子的女主人，想到我竟然还得为她让路，眼睁睁地看着她接替我的位置，真让人受不了。”

“亲爱的，千万别想这些让人伤神的事儿。我们要看开一点，我们还是放宽心吧，说不定我会活得更长呢。”

这话并没有对贝内特太太起到什么安慰作用。她没有正面答复丈夫，只是像以前一样自顾自地继续说：

“我实在忍受不了，他们竟然会把这所有财产都据为己有。要不是那个遗产继承法，我才不去管它呢！”

“你不管什么？"

“我什么都不会管。”

“真是谢天谢地，你还没有到麻木不仁的地步。”

“对那个遗产继承法，我永远不会心存感激的，贝内特先生。我实在不理解，竟然有人如此狠心把这些财产从人家女儿手中夺走。这也全怪那个柯林斯先生。继承这财产的为什么偏偏是他而不是别人呢？”

“我还是让你自己去想吧。”贝内特先生说。

第二十四章

宾利小姐的来信给一切猜测划上了一个句号。信的开头一句就写得明明白白，说她们都会在伦敦过冬，并且肯定地说她们的兄弟感到十分遗憾，当初离开乡下之前没有来得及去拜访一下赫特福郡的朋友们。

希望落空了，完全落空了！简努力往下读，仍然发现信中没有什么给她慰藉的东西，只有写信人的虚情假意。信的大部分内容都是对达西小姐的溢美之辞，卡罗琳在这封信中再次不厌其烦地对达西小姐的迷人之处大肆渲染，并十分得意地声称她们之间的关系日渐亲密，甚至还大胆地作出预言，她在这封信中所流露出的愿望很快就会实现。她还高兴地写道，她的哥哥现在正住在达西先生家，并且还欣喜地说到，达西先生正计划购置一些新家具。

简很快就把信的内容简约地告诉了伊丽莎白。伊丽莎白默默听着，不由得怒火中烧，心已被撕扯成了两半，一半是为姐姐担心，一半是对那帮人憎恨。她对卡罗琳在信中说哥哥对达西小姐情牵意动不以为然，此时此刻她仍然认为宾利先生是真心爱慕简，她对此没有丝毫怀疑。不过尽管她一向喜欢宾利，但是她又认为他性情过于随和，遇事缺少决断力，致使他现在听由那帮阴险狡诈的亲朋好友的摆布，让他们牵着鼻子走，不惜牺牲自己的幸福来迎合他们的意愿，每每想到这些，又不由得既感到愤怒，又为之不齿。要是他所牺牲的仅仅是自己一个人的幸福，他爱怎么折腾怎么折腾好了；可是偏偏姐姐也牵扯在里面。伊丽莎白认为宾利本人也明白这点。总之，这是一个会长期缠绕心头挥之不去的问题，也是一个难以作答的问题。她的脑海里纠缠着的全是这样一些问题：到底是宾利真的变了心还是被亲友们逼得无奈？到底他是否真的曾经意识到简对他的爱慕，还是根本不曾注意到这些？无论是哪种情况，姐姐的处境都不会因此而改变，她本人对宾利的看法都会因为这其中的是非曲直而备受影响，她的原来宁静的心境和姐姐一样被打得破碎不堪。

又过了一两天，简才鼓起勇气向伊丽莎白倾吐衷曲。当时，贝内特太太又对泥泽地别墅和它的主人大谈特谈了一番，而且牢骚比以前更多时间也更长，好不容易等到她离开了，房间里只剩下简和伊丽莎白两人时，简才开口说：

“唉，但愿妈妈能克制一下。她那么不停地说到他，根本就没有想到过这会给我带来多大的痛苦。不过我也没什么好抱怨的，反正这也不会持续多久。我们迟早会把他忘掉，生活又会回到以前那样。”

伊丽莎白看着姐姐，既惊愕又关切，但是什么也没说。

“你不相信，”简脸上微微一红，说道，“你就不必想那么多了。他会作为我所认识的最亲密的男人留在我的记忆里，但仅此而已。我不抱什么希望，也没有什么担忧，更用不着去责备他什么。谢天谢地！我真的没有那么痛苦。所以说，过不了多久，我的心情一定会好起来的。”

过了一会儿，她又用更加坚定的语气补充了一句：“我现在只能安慰自己说，怪只怪我自己不该想入非非，好在只是伤害了我自己，没有伤害到别人。”

“我亲爱的简，”伊丽莎白叫了起来，“你太善良了。你这样温柔，这样无私，真像天使一样。我真不知道该说些什么才好。我只是觉得我以前待你还不够好，爱你还不够深。”

简立刻否认自己有什么过人之处，并且说了一大堆赞扬的话，称道妹妹热情亲切。

“不，这不公平。”伊丽莎白说，“你心里希望全世界都是好人，所以我一说到谁的不是，你就会受到伤害。我只是想把你看作一个完美的人，你却极力予以否认。千万别担心，我不会做出什么出格的事，也不会阻挡你用善良之心去度量世人。你大可不必担心。我真心喜欢的人不多，我仰慕的人就更少。这个世界，我看得越多，不满就越多，每过一天，我的看法就会加深一分：人生多变，世事无常，道德也好，理性也罢，没有什么靠得住。最近我碰到两个事例，一个我不想提起，另一个就是夏洛特的婚事，真是莫名其妙，无论哪一方面都让人莫名其妙！”

“好丽兹，别再让这样的情绪困扰了，免得破坏你的快乐。你对人的境况差异和性格差异还考虑不充分，不能予以体谅。你应该多看柯林斯先生的体面身份和夏洛特的稳重谨慎的性格，要想到她家也是家大口阔。论财产，这倒是一桩再合适不过的婚姻。为了大家，你就全当她对我们那位表兄心存几分爱慕和敬重吧。”

“为了你，我倒是什么都可以相信，可是这样对别人不会有任何好处。就算我真的认为夏洛特对他心存仰慕，那我就不仅会认为她缺乏感情，而且还没有眼力。亲爱的简，柯林斯先生可是一个心高气傲、目空一切、心胸狭隘的愚蠢之徒。对于这一点，你和我一样都心知肚明，那么你也会和我一样认为，哪个女人嫁给他，就一定是个糊涂虫，就算是夏洛特·卢卡斯，你也不能为她开脱。你不能为了顾及某一个人而曲解原则和公正的含义，也不能试图让自己和我认为自私就是谨慎，无视风险就是争取幸福。”

“我觉得，你在谈论这双方的时候，语气未免太强烈了一点。”简应答道，“我想，当你看到他们和和美美的时候就会相信我刚才的话。不过，这件事说到这里为止。你刚才还提到了别的什么事情，你刚才不是说到了两个事例吗？我不会误解你的意思，不过，丽兹，我恳求你不要责怪那个人，免得让我难过。你一说到那人，我就失魂落魄。我们不应该动不动就想到别人存心在伤害我们。我们也不要指望一个朝气蓬勃的年轻人会对人时时设防，处处小心。其实，欺骗我们的常常正是我们自己的虚荣心。女人对爱情的幻想往往超出了实际。”

“男人们就精心策划，让她们沉溺于幻想之中。”

“如果这些男人真的这样别有用心，那就没有什么好辩解的了。不过就我看来，这世界上也并不像有些人想像的那样到处充满了阴谋。”

“我丝毫没有认为宾利先生的所作所为都是出于阴谋。”伊丽莎白说道，“但是，即使不是存心做坏事，不是故意让人伤心，也可能铸成大错，造成悲剧。粗心大意，无视他人的情感、做事缺乏决断，都会产生这样的后果。”

“你是把那件事归咎于这类原因了？”

“是的，归咎于最后一种。要是让我继续说下去，势必会说到你所仰慕的人，那样会惹你不高兴的。还是趁早别让我说下去吧。”

“这么说，你是坚持认为，是他的姐妹们在阻拦他？”

“不错，还有他的朋友。”

“我不信。他们为什么要极力阻拦他？他们只是希望他能幸福。如果他爱的是我，别的女人就不会让他幸福了。”

“你的第一个想法就错了。她们除了希望他幸福之外，还可能有很多别的希望。她们可以希望他的财富更多，家势更旺，她们也可以希望他娶一个有钱有势、门庭高贵的千金小姐。”

“毫无疑问，她们的确是希望他选择达西小姐。”简答道，“可是这也是出于善意，而不是像你想像的那样。她们认识达西小姐比认识我的时间长得多，对她更多一份情意也是情理之中的事。不过，不管她们自己意愿如何，也不会违背自己兄弟的愿望。除非是有什么特别不如意的事情，否则，做姐姐或者妹妹的有什么理由与自己兄弟的意愿背道而驰呢？如果她们认为他爱我，就不会试图拆散我们。如果他真的爱我，她们也拆散不了。你认为宾利先生对我有意，不就是在指责大家做事荒唐、损人吗？那岂不是让我极为痛苦？别再用这样的说法来打击我了。如果说我在感情方面有些误会，我毫不感到羞愧，即使有一点，也是微乎其微。而如果要我把他和他们的姐妹们往坏处想，我可是心中有愧了。这件事呀，我们还是往好处想，要从合乎情理的角度去看。”

伊丽莎白怎能忍心冲撞这样一个良好的愿望呢？在这之后，她们之间就很少再提到宾利的名字。

贝内特太太仍然不停地发问，抱怨：这宾利先生怎么就一去不复返了呢？伊丽莎白差不多每天都要给她作一番解释，可是这似乎根本不可能消除她母亲心中的困惑，她说的全都是一些连自己都不相信的话，说什么宾利先生对简的喜爱不过是一般性的好感，长久不了，一旦不再相见也就烟消云散，虽然贝内特太太当时也承认这种说法可能是真的，可还是不由自主地每天重复唠叨着这事，不过她最大的安慰是，宾利先生明年夏天说不定会再来。

贝内特先生对于这件事的看法可就大不一样了。有一天，他说：“丽兹，我发现你姐姐失恋了，值得庆贺！孩子最喜欢结婚了，不过也会喜欢偶尔尝尝失恋的滋味。失恋是一种值得回味的东西，也可以使她在同伴中显得不同凡响。什么时候轮到你呢？你总不会甘心看着简一直在你前头吧？现在是时候了。瞧，眼下麦里屯有那么多军官，让这远近所有的姑娘都尝尝失恋的滋味。你就可以选威克汉嘛。这家伙挺逗人喜爱的，即使他将来抛弃你，你也不丢人呀。”

“谢谢提醒，爸爸。不过，如果是一个不那么出色的人可能更适合我。我们不能指望谁都会摊上简那样的好运。”

“不错，”贝内特先生说，“不过，反正你有个关怀备至的妈妈，无论你运气怎样，她都会替你安排周详的。想到这一点，也就让人放心了。”

近来一连串不顺心的事情让贝内特一家的好几个人都愁眉不展，威克汉先生的来访明显地驱散了大家心头的阴霾。他常常来贝内特家坐坐，对于贝内特一家人来说，他除了先前的一些优点以外，又多了一处值得称道的优点：他对人坦诚，毫不保留什么。伊丽莎白以前听说过的事情，他自己说过的关于达西先生亏待他，让他吃了不少苦头之类的事情，如今他都一一和盘托出，还公开亮出来让大家评说一番。每个人都在心里得意，自己在了解这些事情之前就已经厌恶透了达西先生。

这中间只有简一个人认为其中可能另有隐情，只不过是赫特福郡的人们不知道罢了。简一向温和稳重，遇事总是留有余地，认为什么事都有可能阴差阳错。可是在其他人的口中，达西先生已经成为了一个十恶不赦的坏蛋。

第二十五章

柯林斯先生一心一意地谈着恋爱，筹划喜事，一星期的时间转眼间过去了，一晃就到了星期六，他不得不和心爱的夏洛特告别。不过就他而言，这种离别的痛苦似乎被迎娶新娘的忙碌给冲淡了。他有理由相信，等下一次再到赫特福郡，立马就会择定佳期，使他成为最幸福的男人。他向龙博恩的亲戚们辞行时，仍然是神情庄重，和上次一样。他向美丽的表妹们祝福了一番，愿她们健康快乐，还向她们的父亲保证到时候再写一封感谢信来。

第二天，贝内特太太的弟弟和弟媳来到了龙博恩，贝内特太太好不高兴，这两口子通常都到这里过圣诞节。加油纳先生通情达理，一派绅士风度，论性格论学识都远胜于他的姐姐。泥泽地别墅的那几位姐妹一定很难相信这么一个靠做买卖营生、整天盯着自己货栈的男人，竟会如此有教养，如此迷人。加迪纳太太也十分亲切、聪慧、气度优雅，极受几位外甥女喜欢。两个大外甥女对她格外尊敬，她对她们也特别亲切，她们常常一起结伴去城里。

加迪纳太太一到龙博恩，第一件事就是分发礼物，谈论了一通最新的时装款式。在这之后，她就沉静了下来，在一旁听别人讲话。贝内特太太又是吐苦水，又是发牢骚，说自从上一次与弟媳分手之后就饱受欺辱，两个女儿眼看着就要嫁人了，到头来却是一场空。

“我倒不责怪简。”她一个劲儿地往下说，“因为要是有可能的话，她早就嫁给了宾利先生。可是，丽兹就不同了，弟妹！要不是她任性，说不定早就成为柯林斯太太。当初他就是在这间屋子向她求婚，结果被她拒绝了。到头来，让卢卡斯夫人抢先了一步，把她的一个女儿先嫁出去，这龙博恩的财产也会归人家。弟妹，你要知道，这卢卡斯一家人可是滑头得很，尽拣便宜占好处。我真不想说他们坏话，可事实就是这样呵！光是自家人已经够让我受罪的了，又偏偏遇上这样只顾自己不管他人的邻居，搅得我神经兮兮，身体也不对劲。你来得正是时候，让我感到极大的安慰。你只要谈到那长袖服装我就爱听。”

对于这些事情，加迪纳太太早在简和伊丽莎白给她的书信中就已大体上有所了解，心里十分理解这两个外甥女的境况，此时此刻，她不得不敷衍她们的妈妈几句，就把话题岔开了。

后来，她和伊丽莎白单独在一起的时候，她又详细地谈起了这个问题。她说：“简当初好像真的可能成就一桩美满姻缘，可惜没有。不过，这种事也常见。一个年轻人，就像你所说的那位宾利先生，很容易就会爱恋上一位漂亮姑娘，可是不出几个星期，要是碰巧有什么事情把他们分开，他也很容易把姑娘忘得干干净净。这类事情呀，再普遍不过了。”

“您是在变着法子安慰人，不过，对我们就不起作用了。”伊丽莎白说道，“我们吃亏并不是因为什么碰巧的事情。一个年轻人，命运本来就该自己把握，却听任亲友的摆布，把一个几天前还热恋着的姑娘忘得干干净净。您能说这是常有的事吗？”

“你所说的‘热恋’太老套了一些，也太笼统含混了一些，我没怎么弄明白。人们往往对相识不到半小时产生的感情跟一段真正的挚爱一样，都用这点描述。请告诉我，宾利先生到底爱简爱到什么样的程度？”

“我还从来没见过谁比他更一往情深了，当时，他对别人越来越疏远，而独独对简着迷。他们每相遇一次，事情就明朗一分、显露一分。他举办过一次舞会，却得罪了两三个年轻姑娘，因为他根本就不邀请她们跳舞。为这事我还提醒过他两次，可他却不听。您说，还有什么迹象比这更说明问题呢？这种为了一个人而怠慢众人，不正是爱的基本表现吗？”

“噢，是的。我想他的确是心怀那种挚爱。可怜的简！我真替她难过。凭着她那性格，恐怕很难短期内振作起来。要是这事落在你身上就好多了，丽兹，要是你，可能就会一笑了之。如果她跟我们回去住上一阵子，你觉得她会好些吗？换换环境可能会有所帮助。走出家门，放松一下，也是不错的。”

伊丽莎白听到这个提议，喜不自禁，心想姐姐一定会欣然接受的。

加迪纳太太又补充道：“我希望她能去，不要因为担心碰上那位年轻人而受影响。你知道，我们和他住的城区不同，交往的人群也不同，并且出门不多，根本不可能碰上他们，除非是他专程上门看她。”

“那是不可能的事。他的朋友达西先生正时刻监控着他呢。怎么可能让他到这一个区域探望简呢？我的好姨妈，您想到哪儿去了？达西先生可能听说过慈恩教堂街这样的地方，可要是真去一趟，他会觉得身上沾染的污垢一个月都难清除干净，况且在这类事情上，宾利先生决不会避开他而单独行动。”

“这样说来，那就更好了。我希望他们千万别见面。可是，简不是和宾利的妹妹通信吗？她难免会来串个门吧？”

“她巴不得与简断绝往来呢。”

伊丽莎白在说明自己观点时语气尽量肯定，而且更有意思的是，她还一口咬定宾利先生不想见姐姐，虽说这样她还是忐忑不安，因为她经过反复思忖，最终还是认为这件事并不是已经完全无望。她觉得，宾利先生对简也可能旧情重燃，他的亲友们的阻挠也可能被美貌迷人的简在他心中已然产生的持久影响所战胜。有时候她甚至认为这极有可能。

简高兴地接受了舅妈的邀请。此时此刻，她的脑海里全然没有考虑到宾利兄妹的事儿，只是希望卡罗琳没有与哥哥住在一处，这样她就可以偶尔在早上和她呆上一会儿，又不会遇见她哥哥。

加迪纳夫妇在龙博恩呆了一个星期，少不了和菲力普一家、卢卡斯一家，还有那些军官们应酬一番，没有一天空闲。贝内特太太悉心款待弟弟和弟媳，没有一顿是只有家里人在一起吃饭的。只要是在家中吃饭，总有几名军官一同用餐，当然每次都少不了威克汉先生。每逢这种时候，伊丽莎白都要对他热情称道一番，这不免让加迪纳太太心中起疑，在一旁暗自观察起这两人来。就她看来，他们倒不像是已经彼此暗恋了，只是相互存有好感而已，不过单单这种好感就已经让伊丽莎白有点坐立不安了。于是加迪纳太太决定在自己离开赫特福郡之前，要好好地和伊丽莎白谈谈这个问题，要告诫她就这样放纵这种关系的发展未免草率。

而对于加迪纳太太，威克汉自有一套取悦的办法。这全然不同于他一贯的做法。大约十多年以前，当时加迪纳太太还没出嫁，她曾在德比郡威克汉生活的那一带住过很长一段时间，所以那儿有很多他们共同认识的人。自从达西的父亲五年前去世之后，威克汉虽然在那里住的时间不多，却仍然能够为她提供一些有关老朋友的较新鲜的消息，有很多是加迪纳太太本人无法了解到的。

加迪纳太太曾经见过彭伯里豪宅，也久仰已故的达西先生的大名，因而这就成了他们一个谈不完的话题。威克汉对彭伯里的描述细致周详，加迪纳太太则在心里与记忆中的彭伯里进行比较，对彭伯里已故的主人的人品大为赞叹，她自己怡然自乐，威克汉也欣慰不已。而当威克汉向她历数小达西先生对他的羞辱虐待行径时，她极力从记忆中搜寻着人们传说的有关这位先生小时候的性情之类的信息，说不定还会印证自己刚刚听到的情况呢。终于她十分肯定地说，她记得以前就曾经听人说过，这位菲茨威廉·达西先生小时候就高傲自大、性情暴戾。

第二十六章

加迪纳太太在一个四下无人的机会，不失时机地给了伊丽莎白一些善意的提醒。她语重心长地说出了自己的想法，之后又继续说道：

“丽兹，你是一个明事理的姑娘，不会仅仅因为别人劝你不去爱而非拗着去爱不可。所以，我不妨开诚布公。说正经的，我是希望你小心为妙，不要自己陷入情网，也不要引诱他陷入其中。一段没有财产的爱情是一种轻率的行为。我对他并没有什么成见，他是个非常风趣的年轻人，如果说他获得了他应有的那部分财产，我倒是认为你做得再好不过了。可是事实上，你可不能想入非非呀。你有头脑，我们也都希望你多用点心思。我清楚，你爸爸对你寄予厚望，指望的就是你果断的性格和良好的品行。千万别让他老人家失望。”

“我的好舅妈，您说的有点严重了。”

“是的，我也希望你能把这事看严重点。”

“那好吧，您也不必为我紧张了，我会管好我自己，也会提防着威克汉先生一些的，只要我小心提防，他是不会爱上我的。”

“伊丽莎白，你现在就不太严肃了。”

“请原谅，我再解释一遍。眼下，我并没有爱上威克汉先生，绝对没有。不过，他是我见过的最可爱的男人，可以说是无与伦比。

如果他真的对我钟情……我想他最好还是别爱上我为好。我觉得这事有些荒唐。……噢，那个达西先生真可恶……我父亲对我的评价实在让我感到荣幸，我怎么会忍心辜负他？可是，我父亲对威克汉先生有所偏心。总之,亲爱的舅妈,我要是让你们中任何一方不开心，我都会感到十分难过的。我们每天都看得到，年轻人只要相爱，就很少会有因为没有钱财而不去谈婚论嫁的，既然如此，我又怎么能保证我自己为情左右的时候，就一定比这许许多多同行人明智呢？甚至说，我又怎么能知道一味拒绝就一定明智呢？所以说，我能向您保证的就是，我不会仓促行事。我不会匆匆忙忙就认定自己是他的第一人选，与他相处时，我会打消一切杂念，总之，我会尽力做好的。”

“或许你应该冷落他一些，别让他来得太勤。起码你不要提醒你妈妈邀请他来。”

“就像那天我提醒妈妈？”伊丽莎白难为情地笑了笑，说道，“您说的不错，我以后可要学聪明点，不要那样做了。不过您也别以为他常来这里。这个星期我们邀请他多一些，这可全都是因为你们大驾光临。您是知道我妈的原则的，凡是她的朋友到访，必定要时刻有人陪伴。不过说实话，我以自己的名义担保，我一定会用最明智的办法处理问题。这下子您总该满意了吧？”

舅妈说她十分满意，伊丽莎白也非常感谢舅妈善意的提醒，之后她们就各自离去。在这种事情上给人提醒，却又没有招致丝毫怨恨，这实在堪为典范。

加迪纳夫妇带着简离开赫特福郡不久，柯林斯先生又来到了这里，不过，他这次是在卢卡斯家安营扎寨，所以对贝内特太太并没有带来多大的不便。眼看着他们的婚期已近，贝内特太太知道事已至此，无可挽回，也就死了心，竟然还不断酸溜溜地说着“祝愿他们幸福”之类的话。婚礼定在星期四举行，到了星期三，卢卡斯小姐前来辞行。贝内特太太好不容易说了一些祝福的话，却又是阴阳怪气。当夏洛特起身告辞时，伊丽莎白一方面出于对母亲的行为感到羞愧，一方面又由于确实被当时的气氛所感染，陪伴着她走出了屋子。走到台阶时，夏洛特开口说道：

“我相信你会经常给我写信的，伊丽莎白。”

“你放心好了。”

“我还有一件事请求你，你能去看我吗？”

“希望我们能常在赫特福郡见面。”

“我一时还不太可能离开肯特郡。请答应我一定去亨斯福看我。”

伊丽莎白料想着去亨斯福也不会有什么乐趣，可是实在不便推辞。

“我的父亲和玛丽亚在三月份会去看我，”夏洛特叮嘱道，“希望你能答应与他们一道去。说实在的，伊丽莎白，我会跟盼望我的家人一样盼望你的到来。”

婚礼如期举行，过后，新郎新娘直接从教堂登上了回肯特郡的路，和以往一样，大伙儿少不了就这个话题你一言我一语地议论一阵子。伊丽莎白很快就收到了朋友的来信。从这时起，她们书信往来不断，又恢复了往日的频繁联络，只是不再可能和以往一样相互之间畅所欲言地袒露心迹了。伊丽莎白每次写信，无不感觉到她们之间先前那种亲密无间、自由自在的感觉已经不复存在。虽说她仍然决定坚持写信给夏洛特，那也完全是念及旧情，而不是看在现在的什么情分上。她在收到夏洛特的头几封信时，心中还真充满热切的期盼，不过，那只是好奇心使然，她想知道夏洛特会对自己的新家怎么说，对凯瑟琳夫人如何评价，想知道她感到自己有多幸福。然而，读罢信后，伊丽莎白觉得夏洛特在信中所说的每条每点都与自己所预料的完全一样。夏洛特满纸都洋溢着喜悦，宛如自己生活在蜜罐之中，信中提及的一切无不值得称道赞叹。房舍、家具、邻居、道路，无不让她称心如意；凯瑟琳夫人举手投足，一言一语无不让人倍感友好和亲切。这与柯林斯先生所描绘的亨斯福郡和罗辛斯庄园的图景如出一辙，只不过稍显委婉一些而已。伊丽莎白觉得，她必须等亲自去看过之后才知道究竟。

简也给妹妹伊丽莎白写来一封短信，告知她们平安到达伦敦。伊丽莎白倒希望她再写信来时，能够谈谈宾利兄妹的事情。

她急切地盼望着姐姐的第二封信。正如所有急切的盼望一样，其结果往往都让人失望。简在城里呆了一个星期了，却都没有见到卡罗琳，也没有收到她的来信。不过，她解释说，可能是自己从龙博恩给朋友的信由于什么意外给弄丢了。

简在信中接着写道："舅妈明天要到那个城区去，我也会借机会逛一逛格罗斯维诺街。"

逛完格罗斯维诺街之后，简又来了一封信，说她见到了宾利小姐，她这样写道："我感觉她的兴致不高，但见到我还是很高兴，还责备说，我到伦敦来都不通知她一声。当然我也问到了她哥哥，她说他一切都好，整天与达西先生在一起，连她们都难得见到他的人影。我发现她们要请达西小姐来用餐，我真希望能见她一面。不过我不便久留，因为卡罗琳和赫斯特太太还要出门去。我能肯定，我很快会在这里见到她们的。"

伊丽莎白看罢信，摇了摇头。她从信中所说的可以看出，要想让宾利先生知道简就在伦敦城里，除非出现奇迹。

四个星期过去了，简连宾利先生的影子都没有见到。她极力说服自己不要为此难过，但却再也无法对宾利小姐的这种漠然态度视而不见了。整整两个星期，她每天早上都在家里等待着宾利小姐的到来，每到晚上又要为她未能到来找出各种不同的借口。就这样等啊等，终于把宾利小姐给盼来了，可是，宾利小姐没呆多久就走了，而且她的态度也与以前截然不同，这着实令简再也无法自欺欺人了。她把当时的情况写信告诉了妹妹伊丽莎白，从中可以看出她是怎样的心情。

我最亲爱的丽兹，当我承认自己完全被宾利小姐的情意所迷惑时，我相信，在审人度物方面你十分出色，事情最终会以你的胜利和我的失败而结束。不过，我亲爱的妹妹，尽管事实证明你是正确的，我仍然认为，从宾利小姐以前的做法来看，我对她的信任与你对她的怀疑同样合情合理，并且希望你不要因此而认为我顽固不化。我至今仍不清楚她当初为什么有意和我亲近，但如果这种情况再次发生，我相信会再被迷惑一次。卡罗琳是在昨天才来回访我的，在此之前，我没有收到她只言片语的消息。她来的时候，让人一眼就看得出她没有丝毫的愉悦之情，只是为自己没能早日来访敷衍地说了抱歉，语气生疏得很，只字未提希望再次见面的话，从每一方面来看，她都与以前判若两人。在她离开的那一刻，我就痛下决心，不再与她来往。我虽然忍不住要责备她，却又不由得顿生怜悯之心。当初她对我特别要好，这事本身就是一个大错。我可以肯定，我们之间迈向亲密友好的每一步都源于她自身。而我之所以可怜她，一方面是因为她一定感觉到了自己行之不义，另一方面是因为我相信她这样做全是出于替哥哥操心。我不必在此多作解释了。尽管我们都明白，这种操心是不必要的，但是既然她关心哥哥，也就能够轻轻松松解释她对我的所作所为了；既然他值得让妹妹去关心，那么她为他所表现出的一切关爱和担忧都是合情合理的,也是出于善意的。然而,我还是忍不住感到惊诧,到了现在这种情况，她还有什么值得担忧的，因为如果她的哥哥真正有情于我，我们一定早就见面了。实际上，从她自己的言语中我听得出，她的哥哥知道我就在城里，而我们却未曾见面。可是她说话的态度又让人觉得，她自己都还拿不准她的哥哥是否真的已经倾心于达西小姐。真让人莫名其妙。要不是我害怕草率地作出结论，我忍不住想说，这里面大有玄机。可是我还是会努力消除那些令人痛苦的想法，只想那些让人愉快的事情，比如说你的关爱、舅舅和舅妈一贯的热心快肠。希望能早日收到你的来信。宾利小姐又提到了宾利先生不再回泥泽地别墅的事情，还说准备放弃那幢房子，不过似乎都不肯定。我们还是别提它。我很高兴你在来信中向我讲述了我们在亨斯福的朋友的事情，实在令人快慰。请你与威廉爵士和玛丽亚一起去看看她们。我相信你的旅行一定会舒心愉快的。

你的姐姐

这封信给伊丽莎白带来了一些痛苦，不过一想到姐姐不再会受骗，至少不上宾利小姐的当了，心情又不由得开朗起来。所有对她哥哥的期待现在已经荡然无存，她甚至已经不再指望他会来重续前缘。每每分析一次他的人品，他的形象就会黯淡一分。伊丽莎白倒开始希望他会真的早日迎娶达西小姐，这可能既对简有好处，又是对他的惩罚。或许正如威克汉所说，达西小姐会让他为自己抛弃了真爱而后悔不迭的。

大概也是在这个时候，加迪纳太太也来信提醒伊丽莎白，要求她履行承诺，汇报有关那位先生的情况。伊丽莎白在回信中所提及的事情自己颇感失落，却让舅妈非常满意。事情是这样的，威克汉先生对她的热情已经减退，不再对她垂青，又追求起别的姑娘来。伊丽莎白的眼光何等犀利，她把这一切看在眼里，写在信中，内心却并没有多大的痛苦，只不过有过那么一丝丝的触动。毕竟，她的虚荣心得到了满足，因为她一直认为，如果不是因为财产问题，她会成为他唯一的选择。他现在极力取悦邀宠的那位年轻女士，最大的魅力不就是可能让他将一笔横财纳入囊中吗？然而，伊丽莎白虽然在夏洛特的婚事上精明得很，在自己的事情上却迷迷糊糊，丝毫没有指责他的薄情寡义，只为自己着想，反而认为他这样的做法无可非议。在她看来，威克汉一定是经过了反复的思想斗争才放弃她的，她认为这一抉择对他们双方来说都是一种明智、合理之举。这样一来，她就能坦然地为他的幸福祝福了。

伊丽莎白向加迪纳太太坦陈了所有这些。在信中，她称是把有关情形描述了一遍，然后写道：“亲爱的舅妈，我现在坚信自己根本不曾坠入情网。要是我果真有过那种纯洁高贵的情感经历，此时此刻，我一定会提到他的名字就恶心，想到他就会诅咒他事事倒霉处处遭殃。不过我对他是真诚的，对金小姐也毫无成见。我对她没有丝毫的嫉恨之心，也十分愿意把她看做一个好姑娘。这样看来，我根本就谈不上是在爱谁了。我处处谨慎终有所得。虽说如果我疯狂地爱上了他，势必会成为众位亲友相邻关注的焦点，但是我可以说，我并不因为自己的失势而心生遗憾。若要得势往往要付出高昂的代价。凯蒂和丽迪亚可就比我更在乎威克汉的薄情寡义了。毕竟她们还涉世不深，还不明白一个中用不中听的道理——不论美人丑人，都得靠什么穿衣吃饭。”

第二十七章

龙博恩的这户人家虽说有了一些小的波折，倒也没出什么大事。走路去麦里屯，仍然是唯一能让大家散心的事儿。大家有时候是踏着泥泞去，有时候顶着严寒去。就这样一月过去了，二月过去了。到了三月，伊丽莎白该上亨斯福去了。一开始，她并没有把这事当真，可很快就发现，夏洛特可是期盼着她能按计划成行，慢慢地她对此的心情变得愉快起来，去亨斯福的信念也坚定起来。一段时间没见面，她反倒更渴望去看看夏洛特了，对柯林斯先生的厌恶感也减弱了。更何况这次出行也会让人耳目一新。家里有一个这样的母亲，还有那些难以相处的妹妹，少不了一些磕磕绊绊，所以出去走走换换环境也未尝不是一件好事。再说，她还可以顺路看看简呢。总之，随着出发的日子一天天临近，她甚至还开始担心行期推迟呢。好在一切进展顺利，事情终于按夏洛特最早提出的方案决定了下来；她将与威廉爵士和他的二女儿同行，不过计划稍作改进，决定在伦敦住上一晚，这样整个安排就更完善了。

伊丽莎白唯一感到难过的是想到要离开父亲。父亲一定会想念她的。事实上，临别时刻，他真舍不得女儿，叮嘱她一定要写信回来，差不多就要冲口而出向她保证自己一定会回信的。

她向威克汉先生告别时，两个人都显得十分友好，威克汉先生甚至更为客气。他虽然现在另有追求目标，但他怎么也忘不了，伊丽莎白是第一个引起他的注意也值得他去关注的姑娘，是第一个听他倾诉给他怜悯的姑娘，是第一个被他爱慕的姑娘。他们俩分手时分，威克汉祝愿她出门在外事事开心，还再次向她提及了对凯瑟琳·德布尔夫人的看法，并说相信他们俩对凯瑟琳夫人以及所有人会有一致的看法。他的言语中流露出对她的牵挂和关切，这不由得让伊丽莎白感到，自己必须永远真诚待他。分手之后，伊丽莎白在心中坚信，无论威克汉将来结婚与否，在他心目中他始终是一个和蔼可亲讨人喜欢的典范。

第二天，她们起程了。与她同行的人并不能让她感到称心自在。威廉·卢卡斯爵士的女儿玛丽亚虽说性情不错，但跟她父亲一样头脑简单，这父女俩一路上没有一句话是值得听下去的，要是把他们的谈话当作马车轱辘的声音来听倒是饶有趣味。伊丽莎白本来也爱听些荒诞不经的轶闻趣事，不过她对威廉爵士的那一套早就听腻了。他所讲的无非是他觐见国王、受封爵位之类的奇谈，没什么新意。况且他的那些接人待物之道，和他的陈词滥调一样早已过时了。

这段旅程不过二十四英里，他们动身早，所以中午时分他们就已经到了伦敦的慈恩教堂大街。他们的马车快到加迪纳先生家门口时，简正在客厅的窗前翘首盼望呢。见他们一到，立刻出来，在通道里迎住他们。伊丽莎白把姐姐的脸给仔细打量一番，见姐姐仍是以前那副青春朝气美丽可人的模样，不胜喜悦。她们的几个表妹和表弟早已急不可耐，从客厅冲到了楼梯迎接表姐的到来，可是由于差不多一年没见面了。又显羞怯得很，都只是挤在楼梯口不肯下来，一个劲儿地展示着他们的高兴和友好。他们就这样开开心心地度过了一天的时光，上午他们忙忙碌碌，还外出采购，晚上又一起上戏院看戏。

伊丽莎白有意坐到了舅妈身边，他们先谈到了简的情况。伊丽莎白问得十分详细，舅妈告诉她说，虽然简总是极力地强装欢颜，却还是不时流露出沮丧之情。这着实让伊丽莎白大吃了一惊，但更多的还是替姐姐伤心。不过，好在这种情况不会持续很久。加迪纳太太还对她讲述了一些宾利小姐来慈恩教堂街的有关细节，并复述了一遍简与自己谈话的内容。在伊丽莎白看来，这些恰好证明了一点，那就是，简已经决定了与宾利一家断绝往来。

加迪纳太太接下来又挖苦这个外甥女，说她被威克汉给抛弃了，不过，又称赞她承受力强，并未因此而萎靡不振。

“亲爱的伊丽莎白，”她说道，“你说那个金小姐又是个什么样的姑娘呢？说实在的，我可不情愿相信那位朋友竟然是个贪财之徒。”

“舅妈，请您告诉我，在婚姻大事上贪财与谨慎有什么区别呢？审视的目的如何？图财的动机又怎样？去年圣诞节，您害怕他娶我是因为那样做不谨慎；可如今，就因为他又去追求一个手中不过一万英镑钱财的姑娘，您又认为他是贪财。”

“只要你告诉我金小姐是个什么样的人，我就知道该怎样判断了。”

“她是一个非常不错的姑娘，我想，而且这事对她也不会有什么害处。”

“他从前可是从没正眼瞧她的。自从她祖父去世之后，她成为了那笔财产的女主人，他才对她热乎起来。”

“不，他没必要这样做。如果说他是因为我没有钱财就不想和我相爱，那么他又有什么理由去追求一个和我一样贫穷并且他又不喜欢的姑娘呢？”

“可是，金小姐刚继承了一点钱，他就立刻移情于她，未免太庸俗了吧。”

“人们喜欢讲高雅顾面子，可是人在失意时哪里还顾得上那么多呢？既然她都不反对，我们又何必唱反调？”

“她没有介意，并不是说他做的对。这只能说明她在某些事情上少一根弦——不是在理智方面就是在感情方面。”

伊丽莎白忍不住叫了起来：“得了，您爱怎么说就怎么说吧。

他是贪财之徒，金小姐也是笨蛋。”

“你说错了，丽兹。我并不想这样去看。你知道，我实在不忍心去说一个在德比郡生活了那么久的年轻人的坏话。”

“噢，要是这样的话，我倒就真有点瞧不起德比郡的青年们了，而且他们那些住在赫特福郡的亲密朋友们也好不到哪里去。我实在受不了他们了。谢天谢地！好在明天我就要到一个新的地方，去那里拜访一个无可称道的年轻人，无论是言谈举止还是思想观念，他都粗俗浅陋得很。毕竟现在也只有愚笨的人才值得结交了。”

“注意点，丽兹，你的话太悲观了一点。”

看完戏，大家分手的时候，伊丽莎白意外地受到舅舅、舅妈的邀请，让她今年夏天和他们一起外出旅游，这令伊丽莎白喜出望外。

“不过，我们还没有确定去哪里旅游，”加迪纳太太说，“可能会去湖区吧。”

再没有什么比这个计划更让伊丽莎白心动的了。她立刻接受了邀请，心中洋溢着感激之情。她欣喜若狂地大喊起来：“我亲爱的舅妈，我真是太高兴了！太幸福了！你给了我新的生机与活力。让悲观和怨恨见鬼去吧！与高山巨石相比，人又算得了什么？噢，我们的旅行将是多么惬意啊！当我们尽兴而归时，绝不会像许多人那样对自己的所见所闻说不出个所以然来。我们要记住去过的每一个地方，要回忆得出看到过的每一件事。湖泊、山脉、河流，一丝一缕都会清晰分明地呈现在我的脑海里；描述所见的每一处美景时，我们一定连相关的情形都会印象一致，绝不会有不同的说法。我想，我们每次抒发感慨，都会比一般游客的言谈更有根据，更经得住推敲。”

第二十八章

对伊丽莎白来说，第二天旅途上的一切都是那样清新有趣，她的整个身心都浸润着喜悦。一方面，她看到姐姐气色颇佳，原先一直为姐姐身体担忧的心终于落下来了；另一方面，北方之行使她久久地沉浸在快乐之中。

他们终于从大道踏上了通向亨斯福的小路，每个人的眼睛都搜索着柯林斯的教士宅楼，每次转弯都恨不得它一下子出现在视野中。当他们沿着罗辛斯庄园的栅栏往前走时，伊丽莎白的脑海里不由得浮现出有关庄园主人们的传说，不觉暗自发笑。

终于，柯林斯先生的住宅清晰可辨了。从坡上一溜延伸到路边的花园，花园中间的房子，还有绿色的栅栏、月桂树扎成的围篱，这一切都表明：他们到了。柯林斯先生和夏洛特已经站在门口迎候了。马车在一道小门前停了下来，穿过这道小门，走过一小段砾石铺成的小路，就可以到达主屋。宾主之间相互点头，微笑着。转眼间客人们全部下了马车，相互之间打量一番，喜上眉梢。柯林斯太太一见闺中女友，笑逐颜开，亲热地迎了上来。伊丽莎白一见自己受到如此热情的欢迎，更加觉得此行不虚。顷刻之间，她也注意到表兄的行为举止，并没有因为结婚而改变，还是老样子。他还是跟以前一样那么一板一眼、拘于礼节，还把伊丽莎白留在门口逐一询问她们家人的情况，听到她一一作答，柯林斯先生才表示满意。接着，他在众人面前不失时机地炫耀自家干净整洁的过道之后，领着大家进了客厅。大家一进客厅，他就用夸张的口气一本正经地再次欢迎众人光临他的寒舍，并且恰到好处地把太太为客人们送上点心时的客气话又重复了一遍。

伊丽莎白对他的这种自夸自得的表现早有心理准备，不过此刻她仍然不由得感到，柯林斯这样极力炫耀自家房屋的结构，摆设以及家具，都是特地说给她听的，似乎想让她明白，当初拒绝他的求婚是个多大的损失啊！尽管这里的一切看上去都是那样整洁舒适，她却没有一丝一毫的他希望看到的懊悔和叹息，而是诧异地看着自己的闺中好友，真不明白她与这样的人生活在一起，居然还满面春风。柯林斯先生不时地说着一些可能会让妻子脸红的话，每当这时，伊丽莎白的眼光就不由自主地转向夏洛特。有那么一两次，她发现夏洛特脸上微微发红，但一般情况下，夏洛特都是聪明地装作没听见。众人在客厅里坐了很久，先是对这房间里的物什陈设从餐具柜到壁炉架一一赞赏了一通，然后谈起了旅途经历和伦敦的情况。末了，柯林斯先生又邀请大家到他的花园里走走。这个花园面积很大，布局精巧，全是由柯林斯先生亲自修整打理，盘花弄草可是他最高尚的情趣之一。夏洛特也在一旁一本正经地附和说，这种园林工作有益健康，她全力支持丈夫多做点这类的活。伊丽莎白不由得钦佩起夏洛特这种胸襟来。柯林斯先生领着大家走遍了园中的每一条曲径小道，每遇一处景物都不厌其烦地大讲一番，却全然不提美在何处。虽然他渴求听到赞叹之声，可是大家只有洗耳恭听的分儿，连说句赞扬话的机会都轮不上。他对这四周有多少田地，最远一处树林有多少棵树等等烂熟于心，随时可以脱口说出。可是他的花园再美，这乡村景色再佳，甚至整个王国再风光旖旎，也不能与罗辛斯庄园相媲美。那座庄园就在柯林斯家的前方。从这里望去，透过花园之外的树林缝隙，隐约可以看到那座耸立于一片高地之上的楼阁，漂亮精致，富有现代气息。

从花园里出来，柯林斯先生本来还想领着众人到他的两片草坪上溜溜，无奈，女士们脚上的鞋实在敌不过外面的残霜，大家只好折转而回，趁着父亲与柯林斯呆在一起的机会，夏洛特领着妹妹和朋友在屋子的四处看看，或许是没有丈夫在跟前帮腔插话，她显得格外高兴。这房子不大，不过结构精巧，方便实用，而且一切都布置得井然有序，整整齐齐，伊丽莎白对夏洛特大加赞赏。只要能忘记柯林斯，这里所呈现出的就完全是一片舒适和谐的气氛。看到夏洛特在这种情况下从里到外透出的愉悦，伊丽莎猜想柯林斯一定常常这样被遗忘。

伊丽莎白已经知道了凯瑟琳夫人还在乡下。那天吃饭时，柯林斯先生又插话进来提到了这件事。他说：

“是的，伊丽莎白小姐，星期天上教堂，你会荣幸地见到凯瑟琳·德·波尔夫人的。不用说，你会喜欢她的。她待人和善、不摆架子，仪式结束之后，她一定会注意到你，哪怕她只是稍稍注意到你，也是你的福分。我可以肯定地说，在你们住在这里的时间里，只要她老人家请我们去做客，一定也会邀请你和我的姨妹玛丽亚的。她对我的内人夏洛特非常和善可亲。我们每个礼拜总有两次要上那儿去赴宴，她老人家从来不让我们步行回家。她老人家总是派一辆马车送我们回来。我需要说明的是，她有几辆马车，她派的是其中的一辆。”

夏洛特也随声附和道：“凯瑟琳夫人确实是一位值得尊敬、通情达理的人，而且还是一位热情体贴的好邻居。”

“一点不错，亲爱的，这正是我要说的。她是一位无论怎样敬重都不失过分的女士。”

这整个晚上大家主要谈论的还是赫特福郡的新闻，又把原先在信中已经说过的事情又扯了一遍。谈话结束之后，伊丽莎白回到房间，独自一人在那里沉思，脑海里想着夏洛特对眼前的生活到底有多满足，琢磨着她到底是怎样在操纵丈夫，又是怎样在忍受丈夫，最后她不得不承认，这一切都做得无可挑剔。接着，她又考虑起在这里逗留的一段时间该如何度过：这里的生活实在太平淡了，还得忍受柯林斯先生令人讨厌的随时打扰，还得随他们一起与罗辛斯庄园应酬交往。凭着丰富生动的想象力，她有了自己的打算。

第二天中午时分，她在自己的卧室里正准备出去走走，楼下忽然传来一阵喧闹，好像整个屋子里的人都在慌乱。仔细一听，她听到有人正急匆匆地跑上楼来，叫喊着她的名字。她急忙打开门，在楼梯平台迎面遇上了玛丽亚。玛丽亚气喘吁吁，激动不已，一见伊丽莎白就嚷嚷道：

“嗨，亲爱的伊丽莎白，快，快到餐厅看看，那场面真不得了。我暂不说是怎么一回事。快点呀，这会儿就下来。”

伊丽莎白问这问那都是白问，玛丽亚就是不说是怎么回事。两个人匆忙下楼，直奔过道对面的餐厅，准备一睹飞来奇观。当她们冲进餐厅，却发现是两位女士乘着低矮的敞篷马车款款行来，在花园门口停了下来。

“就这些？”伊丽莎白问道，“我原以为是猪猡进了花园呢。却是凯瑟琳夫人和她的千金小姐。”

“唉，我亲爱的，”玛丽亚一听到伊丽莎白弄错了，十分诧异，“那不是凯瑟琳夫人，那是简金森老太太，她是和凯瑟琳夫人住在一起的。另一位是德·波尔小姐。瞧瞧！多么娇小玲珑，谁曾想到过，她竟然是那么瘦小呢。”

“她实在无礼得很，外面风那么大，她怎么就一直让夏洛特站在屋子外面呢？她为什么不进屋呢？”

“噢，夏洛特说了，她几乎从不进屋的。要让德·波尔小姐进屋来，那可是要天大的面子才行。”

“她那模样倒还让人喜欢”。伊丽莎白嘴上这样说，心里却想着别的事情，“她看上去体弱多病，脾气不好。……是啊，和他倒是正般配，做他的妻子，她一定非常贤惠。”

柯林斯先生和夏洛特一直站在庭园门口与那两位女士谈话。让伊丽莎白感到好笑的是威廉爵士也在门道久久驻足，虔诚地注视着眼前两位贵人，德·波尔小姐每次朝这边望上一眼，他都会鞠躬点头。

谈话终于结束了，门外的人也回到了屋子里面。柯林斯先生一见到屋里的两位女士就恭喜开了，说她们碰上好运了，夏洛特在一旁解释说，明天这一行人全被邀请上罗辛斯庄园赴宴。

第二十九章

柯林斯先生接到邀请之后，得意极了。他一直梦寐以求的就是希望能够有机会让客人一睹他的女恩主的高贵气派，让他们亲眼看到她老人家对他们夫妇两人是多么亲切和善。真没想到，这个机会竟然来得如此之快。这不正体现了凯瑟琳夫人屈尊降贵的风范吗？他真不知道该怎么敬佩才合适。

"我承认，"他说，"夫人要是邀请我们星期天上罗辛斯去喝茶、晚上一块娱乐一下，我一点儿也不感到意外，我甚至早就料到她一定会这么做的，因为她待人一贯亲切友好。可是谁能料到她竟然对我们如此礼遇？谁会想到，你们刚刚一到，她老人家就来邀请我们赴宴，而且还是邀请我们所有的人？"

"我对这事可是不那么感到意外的。"威廉爵士接上话茬说道，"我这样的地位使得我有幸接触一些大人物，我深知那些大人物们的为人处世。就说宫廷吧，这类高雅好客的例子不胜枚举。"

从这之后一直到第二天早上，大家满口谈论的就是去罗辛斯赴宴的事情。柯林斯先生不厌其烦地交待他们该怎么做，并告诉大家，到时候看到那些华丽的房屋，如云的仆人，丰盛的宴席，千万不要被吓倒了。

女士们分头梳妆打扮时，他又对伊丽莎白说：

"Meeting accidentally in Town"

“千万不要为你的穿着担心，亲爱的表妹。凯瑟琳夫人是不会要求我们穿着华丽的，因为那样的服饰只有她和她的女儿才配得上。就我看，你只要穿得比别人稍微好一点就得了，不必追求过高。凯瑟琳夫人是不会因为你衣着朴素而瞧不起你的。她喜欢身份有别，卑尊分明。”

女士们各自在化妆打扮时，他三番两次地走到各人的房门口催她们快点，因为凯瑟琳夫人最憎恨用餐时等人。玛丽亚·卢卡斯社交阅历不多，一听到凯瑟琳夫人的生活方式以及关于夫人的那些可怕的说法，这下子可就吓坏了。此刻她既期待去见罗辛斯那位夫人，又诚惶诚恐，就跟她父亲当年去觐见詹姆士国王一样。

天气晴好，大家兴趣盎然地穿过庄园，约摸走了半英里的路程。果然是每座庄园都有其独特的美景。伊丽莎白走着看着，眼前的许多景致让她心旷神怡，不过还远没有达到柯林斯所期望的那种令人魂飘魄荡如痴如醉的程度。这时，柯林斯又开始逐一盘点罗辛斯大楼正面的窗户来，说这些熠熠发光的窗户不知道耗费了刘易斯·德·波尔多少钱财呢。对于这些，伊丽莎白丝毫没有受到什么触动。

跨上通往大厅的台阶，玛丽亚的心一阵紧似一阵，威廉爵士也不再像以前那样平静坦然了，只有伊丽莎白没有丝毫的敬畏之意。她从来没有听说过凯瑟琳夫人在德行或者才干方面有什么令人敬畏三分的地方，光凭钱势，恐怕还不至于让她惶恐不安。

走进大厅，柯林斯饶有兴致地大肆渲染着大厅协调的布局和精美的装饰，随后，他们随仆人穿过前厅，走进一个房间，只见凯瑟琳夫人、她的女儿还有简金森太太已经坐在那里了。夫人竟然不顾自己高贵的身份，起身迎接客人。柯林斯太太事先就已经与丈夫商量好了，这时介绍宾主的事宜就理当由她来做。这件事她做得十分妥帖，恰到好处，把丈夫本来认为必不可少的一些感谢呀道歉呀之类的话全部省略。

尽管曾经入宫参见过詹姆士国王，威廉爵士仍然对四周的恢宏气势所折服，内心不胜惶恐，以致他在向主人们深深鞠了一躬之后，就一声不吭地坐到了自己的座位。他的女儿差点没被吓破了胆，坐在椅子边上，眼睛不知该往哪里放为好。伊丽莎白对这种场面却镇定自若，从容不迫地打量着眼前的三位女士。凯瑟琳夫人身材高大丰腴，面部轮廓分明，年轻时可能非常俊秀。她的神情并不和善，举止也并不亲切，仿佛是提醒客人不要忘记自己卑微的身份。她不开口还好，一开口就让人觉得可怕。她的语音之中透着威严，这正说明她自命不凡高傲自大。伊丽莎白突然想到了威克汉先生，经过这一整天的观察，她觉得凯瑟琳夫人与威克汉所描述的丝毫不差。

伊丽莎白很快发现，凯瑟琳夫人的容貌和举止与达西先生颇有些相似。研究完这位母亲之后，伊丽莎白把目光投向了她的女儿，这位小姐竟如此瘦弱娇小，不由得跟玛丽亚一样大吃一惊。这母女俩无论是在身材还是容颜方面，毫无相似之处。德·波尔小姐脸色苍白，身体虚弱，五官倒不算难看，但绝对不算出众。她言语不多，只是偶尔低声地与简金森太太说点什么。简金森太太长相实在难以恭维，每当德·波尔小姐与她说话时，总是全神贯注地听她说了些什么，并且像用屏风挡住她的眼神一样，让人很难从中看出点什么来。

坐了不到几分钟，大家就被请到一个窗前去观赏风景。柯林斯先生陪着大家，向大家指点着美景奇观，凯瑟琳夫人也和蔼地告诉众人说，到了夏天，这里的景致更好看。

宴席极为丰盛，果然像柯林斯先生曾经说的那样，仆人如云，菜肴丰富。也正如他先前所预言的那样，他遵从夫人的意旨，在餐桌的末位就座，那神情让人觉得似乎人生到此已是到了极致。他挥舞刀叉，大嚼大咽，一边美滋美味地大加赞叹。每上一道菜，柯林斯都会赞叹一番，并且威廉爵士总是随声附和，他这时已经恢复过来了，与女婿一唱一和说着奉承赞美的话。伊丽莎白真不知道凯瑟琳夫人是否能承受得了。不过，再多的恭维也似乎被凯瑟琳夫人欣然笑纳，尤其是他们对桌上那道稀罕菜赞不绝口时，她更是喜笑颜开。席间，其他人倒并没有多说话，只要有机会，伊丽莎白倒是想说说话，聊聊天，可惜她的一边是夏洛特，一边是德·波尔小姐，夏洛特只顾着听凯瑟琳夫人说话，而德·波尔小姐则在整个席间始终没与她说过一句话。简金森太太的注意力主要放在德·波尔小姐身上，不让她吃得太少，不时地逼她多吃点鱼，生怕她亏了自己。玛丽亚根本就想不出该讲些什么，而那两位先生则只顾着大口吃喝，满嘴恭维。

女士们回到客厅，仍是无事可做，只是听着凯瑟琳夫人高谈阔论。从进客厅到咖啡上来，都是她一个人在滔滔不绝地讲。她对任何事情都要评说一番，语气坚决毋庸置疑，让人一眼就能看出，她的观点一向不容有任何争论的余地。她询问了夏洛特持家理财的情况，显得驾轻就熟，却又极其详尽，并对此给了一大堆建议，告诉她在这样的小户人家一切都要精打细算，并且指示她该如何饲养奶牛家禽等。伊丽莎白发现对这位夫人的高贵之身而言，竟然事无巨细都在她的关注之中，这样一来，就增加了她向人发号施令的机会。她在与柯林斯太太说话时，还不时就向玛丽亚和伊丽莎白问了些五花八门的问题，向伊丽莎白问的问题尤其多，因为她对伊丽莎白家庭情况一无所知。她向柯林斯太太说，伊丽莎白是个文静典雅的姑娘，长得也很清秀。她反复问起伊丽莎白有几个姐妹，有几个姐姐或者妹妹，她们中有没有人要结婚了，她们长相是不是都很俊秀，她们都在哪里上过学，她们父亲的马车怎样，她们母亲娘家姓什么。伊丽莎白感到这些问题未免太唐突，但还是平心静气地一一作答。凯瑟琳夫人然后又是一番评论：

“我想，你父亲的财产将由柯林斯先生继承吧？”说着，转过头对夏洛特说，“对你们俩来说，我倒是感到很高兴。要是换了其他人，我就会认为，没有理由不让女性继承家产。刘易斯·德·波尔爵士家族就认为女性也有继承权。你会弹琴、唱歌吗，贝内特小姐？”

“会一点儿。”

“噢，那好，什么时候我们想听听你的演唱。我们家的乐器可是不错的，可能强于……哪一天你来试一试。你的姐姐妹妹们也会弹琴唱歌吗？”

“有一个会。”

“你们为什么不都学呢？你们应该都学才对呀。威伯一家几个小姐就全会弹唱，她们的父亲还不如你父亲收入多呢。你画画吗？”

“不画，一点也不会画。”

“什么，你们姐妹都不会画吗？”

“是的。”

“这倒就怪了。不过我想你们是没有机会。你们的母亲应该每年春天把你们带到城里拜师学艺。”

“我母亲倒不反对这样做，不过我父亲讨厌去伦敦。”

“你们的家庭教师不再教你们了吗？”

“我们从来就没有家庭教师。”

“没有家庭教师！怎么可能呢？家里有五个女儿要抚养成人，竟然没有家庭教师？——我还是破天荒头一次听说这样的事。那么你们母亲教你们读书写字，一定十分辛苦。”

伊丽莎白忍不住扑哧一声笑了出来，告诉夫人说事实完全不是那么回事。

“照你这么说，那是谁教你们的呢？是谁在照管你们呢？没有家庭教师，你们不就给耽误了吗？”

“照有些人家的情况来看，我们的确像被荒废了。不过，我们要想学习，是不需要什么条件的。我们就常常被鼓励去读书，该请的老师也请了。要是不愿学习，也只好随便了。”

“嗨，一点不假。但是请一位家庭教师就是为了防范这种荒废学业的现象。当初我要是认识你母亲，就一定会极力劝她请一位家教。我常说，要是没有持续稳定的教育，一个人在学业上会一事无成。只有家庭教师才能提供这种系统教育。说起来真让人骄傲，许多人家这方面的事情都是我一手操办的。我总是希望每个年轻人都能有出息。简金森太太的四个侄女就都是经我介绍的，各自都找到了称心如意的位置。就在前两天，我还给一位年轻姑娘介绍了一户人家呢。那位姑娘也只是别人偶然跟我提起的，我给她找的那户人家让她十分中意。柯林斯太太，我有没有跟你谈起过，昨天梅特卡尔芙夫人还专门来感谢我呢？她说波普小姐是个难得的家庭教师。她说：凯瑟琳夫人，您真是给了我一块宝玉呀。贝内特小姐，你们家姐妹几个有没有进入社交圈呢？”

“全都开始交际了，夫人。”

“全部？！五个姐妹一下子全都开始交际了？真是稀奇。……而且你也只是排行老二呀！姐姐还没出嫁，妹妹开始交际了！……你的妹妹们一定年纪很小吧？”

“是的，我最小的妹妹还不到十六岁，也许年纪太小，还不适合多交际。不过，说实在的，夫人，如果因为姐姐们还没有能够嫁出去或者还不想嫁出去，妹妹们就不应该有她们的社交和娱乐的话，那对她们来说未免太苛刻了一点。最小的理当与最大的一样有权利享受青春年华。又怎能因为出生的早晚被关在家里呢？……我想，那样做也不利于培养姐妹之情和高尚情操。”

“在我看来，你小小年纪，说话的语气未免太坚决了点。”夫人说道，“请问你芳龄几何呀？”

“我的三个妹妹都已经长大成人了，”伊丽莎白笑着说道，“夫人总不至于还要我说出自己的年龄来吧。”

凯瑟琳夫人见她竟然对自己的问题避而不答，不由一惊。伊丽莎白心中暗自思忖，敢于傲视这样一位地位显赫的贵妇人的逼人气势，她恐怕是第一人。

“你的年龄肯定不过二十，所以，你没有必要隐瞒下去。”

“我快二十一岁了。”

这时男士们也走过来一起喝茶，喝完茶的时候，牌桌已经摆好了。凯瑟琳夫人、威廉爵士、柯林斯夫妇俩四个人各自落座，玩起“四十张牌”来。这边由于德·波尔小姐想玩“卡西诺”，玛丽亚和伊丽莎白就有幸与简金森太太一起陪她玩，这桌牌玩得乏味至极，大家所说的一言一语无不与牌戏有关，只是简金森太太有时候说些为德·波尔小姐身体担心的话，问她是否太热或者太冷，是否感觉灯光太强或太暗。另一个牌桌就要热闹许多，不过基本上还是凯瑟琳夫人在说话，时而指出其他三方牌出错了，时而讲述一些有关自己的轶闻趣事。夫人每说一句话柯林斯先生都忙不迭地点头称是；他自己每赢一个子儿，都要对夫人感谢一番，如果觉得自己赢得太多，还要向夫人表示歉意。威廉爵士说话不多，他正把这一桩桩轶事趣事、一个个高贵的名字存到记忆库中呢。

等凯瑟琳夫人和她的女儿玩牌玩够了，牌局就自动散了。主人提出用马车送客人回府，柯林斯太太满怀感激地接受了这份好意，于是主人立即吩咐人去备好车马。末了，大家都围在壁炉前面听凯瑟琳夫人对明天的天气进行预测。马车到了，招呼大家上车，凯瑟琳夫人的指教才算告一段落。辞别时，柯林斯先生又是一大堆感激，威廉爵士又是一阵鞠躬。马车刚出大门，柯林斯先生就叫伊丽莎白谈谈今天在罗辛斯庄园的观感，看在夏洛特面子上，她言过其实地恭维了几句。但是她费了好一番心思才说的一些恭维话却丝毫没有让表哥满意，无奈，他只好亲自赞扬起凯瑟琳夫人。

第三十章

威廉爵士在亨斯福住了一个星期，不过这足以让他相信，女儿嫁给了这样一位如意郎君，找到一位不可多得的邻居，也算是找到了一个安乐窝了。他住在这里的时候，柯林斯先生每天早晨都必定陪他坐上自己的双轮马车，一块出去看乡村景色。等他走后，这整个家庭就又恢复了往日的生活，伊丽莎白感到庆幸的是，威廉爵士一走，她见到表哥的次数也少了。从早餐之后到吃晚餐这段时间，他不是在花园忙活，就是在自己的书房里读读写写，或者是凭临书房靠大道的窗户往外张望。几位女士常常坐在屋子后面的一间房里谈天说地，伊丽莎白不禁感到奇怪：夏洛特为什么不太喜欢在餐厅里呆呢？那餐厅面积要大得多，也舒服得多呀！不过，她很快就发现，她的朋友这样安排是很有道理的。要是她们呆在一间舒适的房间，柯林斯先生无疑在他自己的房里呆的时间就会少得多。她不由得佩服起夏洛特心计机巧。

她们从客厅里完全看不到马路上的情形，但多亏了柯林斯先生及时汇报。每逢有什么马车打这里经过，他都要跑过来报告一下；特别是德·波尔小姐的四轮敞篷马车，虽说她差不多每天都打这里路过，可是他还是一次不漏地来向女士们汇报。她还不时地把马车停在柯林斯家门前，与夏洛特聊上一会儿，可是很难请她下马车进屋来坐坐。

柯林斯先生差不多天天都要去一趟罗辛斯。柯林斯太太也每隔三两天就觉得有必要去看看。伊丽莎白不禁想到，兴许是还有别的营生事务相求于人，否则，她真不知道这夫妇俩为什么要牺牲那么多的时间。有时候，老夫人也会大驾光临。每当这时，柯林斯家中的一切都逃不过她的眼睛，她检查他们的日常事务，看看他们的家务活，总是建议他们不要这样，而应该那样做。有时还指出室内家具摆放不合理，甚至还会逮着女佣偷懒。如果她肯留在这里品尝一点什么，似乎也只是为了查看一下这家里的女主人过日子是否大手大脚，碗里的肉块是否比他们这样的人家所能承受的要大。

不多久，伊丽莎白就发觉，这位贵妇人虽然并不负责本郡的治安，在这个教区却俨然是一位非常活跃的法官，毫末小事都是由柯林斯先生禀报给她。无论什么时候，村民们要是吵架、发牢骚，或者因穷滋事，她都会亲自到场解决纷争，平息怨气，斥责他们，使他们和平共处，相安无事。

他们大约每个礼拜有两次要去罗辛斯庄园进餐。由于威廉爵士走了，晚上就只设了一个牌局。这里的每项娱乐差不多都是前一次的重演，很少有新意。因为这附近一般人家的生活风格对柯林斯一家来说，还高攀不上，所以他们很少上别处做客。不过，在伊丽莎白看来，这也不是坏事。总的说来，她在这里度过的这段时光还是舒适愉快的：她差不多有一半的时间在与夏洛特愉快地交谈，这些天的天气也是出奇的好，在户外走走她也常常感到惬意得很。当其他人去拜见凯瑟琳夫人时，她常常到庄园旁边的一片树林里散步，这可是她最喜欢的户外活动了。那里有一条林阴小道，似乎别人全不在意，只有她认为这是个难得的去处。她感觉到这里可以不受凯瑟琳夫人好奇心的左右。

转眼间，她在这里已经平静地度过了两个星期的时光，复活节快要到了。就在节前的一个星期，听说罗辛斯庄园要来一批客人，在这么一个小地方，这可是一个重大新闻。伊丽莎白来后不久就已经听说，达西先生要在近几个星期来罗辛斯。虽然在伊丽莎白认识的人当中，达西先生可以说是最让她反感的人了，不过他的到来可能还会给他们在罗辛斯的聚会增添一点新鲜的内容，而且还可以幸灾乐祸地看台好戏，看达西先生如何对待他那位表妹，看宾利小姐在他身上的一番心机是怎样泡汤的。凯瑟琳夫人很明显已经把达西先生当作自己的乘龙快婿了，只要一谈到他的到来就喜上眉梢，对他本人是大为赏识，赞不绝口，可是一听说卢卡斯小姐和伊丽莎白以前常与他见面，似乎气不打一处来。

达西先生刚一到达，柯林斯家的人就全都知道了。原来，柯林斯先生在面朝着亨斯福大道的几间林中小屋附近转悠了整整一上午，就是为了尽快得到确切的消息。当达西先生的马车驶进庄园时，他向来客们鞠了一躬，便飞似的跑回家向大家报告这一特大消息。第二天一大早，他就匆匆赶往罗辛斯庄园去拜会贵宾。这一次他可是得同时向凯瑟琳夫人的两位侄子问安了，因为达西先生还带着他一位称为什么爵士的舅舅的小儿子菲茨威廉上校随行。而让柯林斯先生家里人大感意外的是，那两位先生竟然随柯林斯先生一道来到了府上。夏洛特从丈夫的房间里看到他们正穿过马路，就立即跑进另一间房，告诉姑娘们有贵宾光临。并特意加上了一句：

“我应该感谢你，伊丽莎白，是你带来了这份荣耀。达西先生这么快就登门来访，不会是来看望我的。”

伊丽莎白还没来得及对夏洛特的恭维表示推辞，门铃已经响了，贵宾们已经驾到，不一会儿，三位先生走进了客厅。走在最前面的是菲茨威廉上校，他大约三十岁，长相并不英俊，但从他的仪表和谈吐上看，他是一位不折不扣的绅士。达西先生看上去跟以前在赫特福郡没什么不同，仍然和以前一样，十分矜持地向柯林斯太太问安，而对她的闺阁好友不管他内心怀有怎样的心情，见面时都是一本正经，不露声色。伊丽莎白只是屈膝还了个礼，没有说话。

菲茨威廉上校立刻和大家攀谈起来，他语言机敏，轻松自然，显得颇有教养，与大家谈得十分投机。而他的表弟则只是与柯林斯先生随便聊了些住所、花园之类的事，便坐在那里不再说什么了。过了一会儿，又突然想起了礼节，于是向伊丽莎白询问起她家里人的身体状况，伊丽莎白平静地作了答。停了片刻之后她问道：

“我姐姐这三个月以来一直住在城里，难道你们一直没有见过她吗？”

她心里其实非常清楚他从没见过，她只是想试探一下，看他会不会知道宾利兄妹与简之间的情况。当达西回答说他还从来没有碰巧遇见过简的时候，伊丽莎白觉得他显得有一丝慌乱，就没有往下继续谈论这个话题。过不了多久，两位先生就告辞了。

第三十一章

柯林斯一家人都十分欣赏菲茨威廉上校的言谈举止，女士们都认为他的到来会为她们在罗辛斯的聚会增添欢乐，不过，好几天过去了，他们没有接到罗辛斯庄园的任何邀请。说来也是，既然庄园已经有了客人，也就不必邀请他们了。到了复活节那天，差不多就是那两位先生来到庄园之后一个星期的时候，他们才荣幸地接到邀请。不过这次也仅仅是请他们晚上在离开教堂之后顺便上庄园去坐一坐。差不多一个星期他们都没见到凯瑟琳夫人她老人家，也没有见到她的千金小姐，菲茨威廉上校可是来过柯林斯家几次，至于达西先生，他们只是在教堂见过。

罗辛斯庄园邀请当然被接受了，大家选了个合适的时间到了庄园，在客厅与庄园里的人相聚一起。凯瑟琳夫人客客气气地接待了他们，不过很明显，完全没有平时找不到别的人作陪的时候那样热情。实际上，她的注意力几乎全部放在两个侄儿的身上，光顾着与他们说话，特别是跟达西说话，很少搭理客厅的其他人。

菲茨威廉上校看到柯林斯一行人，显得由衷地高兴。对他来说，罗辛斯的任何事都叫他感到欣慰和振奋，特别是柯林斯太太的那位漂亮女友让他着迷。此刻，他刻意坐到了她的旁边，与她谈论肯特郡和赫特福郡，谈论居家和出行，谈论新书和音乐。他们谈得很是投缘，令伊丽莎白不禁感到，以前在这座房子里连这一半的乐趣都不曾有过。他们谈得兴致勃勃，手舞足蹈，凯瑟琳夫人的注意力被一下子吸引过来，达西先生也看到了这边的情景。霎时间，他的目光不断地往这边扫视，显得大惑不解。凯瑟琳夫人也止不住好奇心起，不过她不需躲躲藏藏，不一会就听到她嚷开了：

“你们在谈些什么，菲茨威廉？你们谈论的是什么话题？你在向贝内特小姐讲些什么呢？让我也听听。”

“我们在谈论音乐。”菲茨威廉见实在无法避而不答，迫不得已地说道。

“谈音乐！那就大声谈吧！这可是我喜欢的话题。如果你们正在谈音乐，那我也说几句。我想，在英格兰，恐怕没有几个人能够像我这样真正热爱音乐，或者说有我这么纯正的鉴赏力。要是当初我学过音乐，我应该可以成为了不起的大师。要是安妮的身体状况允许，她一定能成为音乐天才。我相信要是那样的话，她一定可以演奏得非常出色了。达西，乔吉亚娜在音乐方面怎么样？”

达西先生对妹妹的音乐才能大加赞誉，言语间流露出浓浓的兄妹之情。

“听到你对她的一番表扬，我非常高兴。”凯瑟琳夫人说道，“不过，请你转告她，如果不勤学苦练，就别想超过别人。”

“请您放心，姨妈，”达西答道，“她不用别人提醒也一直在苦练。”

“这样更好，练琴就是多多益善哪。我下次给她写信时，一定会提醒，她千万不可松懈。我总是告诫年轻的姑娘们，没有持之以恒的苦练，就休想在音乐方面有炉火纯青的修为。对贝内特小姐我就告诫过多次，她如果不多加练习，就难以真正弹一手好琴。柯林斯太太没有钢琴，但我常常对她说，欢迎她天天来罗辛斯，欢迎她到简金森太太房间的那架钢琴前坐下来练一练。你们知道，在那间房间练习是不会影响任何人的。”

见姨妈言语不逊，达西显得有点难为情，没有答话。

喝完咖啡，菲茨威廉上校提醒伊丽莎白，要她履行承诺，为他弹奏一曲。她径直走到钢琴前面坐了下来，菲茨威廉拉来一把椅子，在她旁边坐下。凯瑟琳夫人还没听完一首曲子，就又跟以前一样，与另一个侄子说起话来。后来，这个侄子从她身边走开，意味深长地走到钢琴前面，他站立的地方正好把钢琴演奏者漂亮的容颜一览无余。伊丽莎白把这一切看在眼里，她在弹奏的间歇时间，冲着他狡黠一笑，说道：

“您这副神情来听我弹奏，是想把我吓倒吧，达西先生？虽说您的妹妹钢琴弹得很好，我也并不怯场。我这人就是那么倔，从不因为别人的吓唬而有丝毫害怕。事实上，别人越是威胁，我的胆量越大。”

“我不想说是你误会了，”他答道，“因为你不会真的相信我存心吓唬你来从中取乐。我有幸认识你那么久，也深知你的秉性，有时候就爱说一些言不由衷的话。”

伊丽莎白一听达西对自己的这番描述，不禁开心地笑了。她转身对菲茨威廉上校说：“瞧你表弟把我描绘得多逼真啊，他是在叫你不要相信我的话。我本来想在这个地方蒙混一阵子，可我的运气实在不太好，偏偏又遇到了一个擅长揭我老底的人。说实在的，达西先生，您把您在赫特福郡了解到的我所有的缺点全都说出来，好像不够大度吧，而且，请恕我直言，也不够高明。把我逼急了，我也会报复的，我说出来的事情准会让您的亲戚们大吃一惊。”

“我可不怕你的这一招。”达西微笑着说。

“说来听听，看你都指责他的什么事情。”菲茨威廉上校急忙喊道，“我倒想知道，他和生人交往时是一副什么德行。”

“那你听好了，不过要有心理准备，有些事情还是十分可怕的哦。你知道，我第一次在赫特福郡见到他是在一个舞会上。在这场舞会上，你猜他做了些什么？他只跳了四曲舞！实在抱歉让您不开心了，可这是事实呀。虽然男宾少女宾多，他只跳了四曲。我敢肯定，当时因缺少舞伴而坐冷板凳的年轻女士可不止一两个呀。达西先生，您可不能否认这一事实。”

“当时除了我们一同去的人以外，我实在无缘认识哪位姑娘。”

“不错。可是在舞会上总不能等着别人去介绍吧？好，菲茨威廉上校，我下曲该弹什么？我的手指可是在时刻待命呢。”

“要是我当时自己主动一些，或许不会落得这样坏的印象。”达西说道，“可是我是最不擅长与生人交往的。”

“我们可以请你表弟解释一下吗？”伊丽莎白仍然是看着菲茨威廉上校在发问，“我们可不可以问问他，为什么一个通情达理，受过教养的活生生的人，竟然不擅长与生人交往？”

菲茨威廉说道：“不需要问他，我就可以回答你的这个问题。那是因为他怕麻烦。”

“有些人与素昧平生的人可以一见如故，谈笑自如，我确实不具备这方面的才能。”达西说道，“我听不出别人说话时的弦外之音，也不会对别人的事情装出感兴趣的样子。”

“我弹琴的时候，手指总是不如我见过的许多女士那样弹拨自如，”伊丽莎白说，“没有别人那样的力度和灵巧，也没有别人那样富于表现力。可是我总是把这归咎于自己的过错，只是觉得是因为自己疏于练习，但从来不认为是自己的手指不及那些比我弹得好的人能干。”

达西笑了，说道：“你说的一点不错，你的时间也没有荒废。有幸听过你弹琴的人都不会认为你的演奏有什么欠缺，我们俩都不愿意在陌生人面前卖弄。”

这时，他们的谈话被凯瑟琳夫人打断了，她正大声询问他们在谈论什么。伊丽莎白立刻开始演奏一支新曲子。凯瑟琳夫人走过来听了一会儿，对达西说道：

“贝内特小姐要是多加练习，并能得到伦敦的名师指点的话，她的演奏将无可挑剔。她对手指的领悟非常不错，但在修养品位方面则不及安妮。安妮如果健康状况允许的话，一定能成为一名出色的钢琴演奏家。”

伊丽莎白抬头看了看达西，想看看他到底会怎样欣喜地领受这份对表妹的赞美，可是根本没有看出他对表妹一丝一毫的爱慕之情，这时没有看出，其它场合也没有看出，从他对待德·波尔小姐的整个表现来看，伊丽莎白只能得出一个利于宾利小姐的结论。如果宾利小姐和他是亲戚关系，他一定会娶她。

凯瑟琳夫人继续对伊丽莎白的弹奏发表高论，其间也不乏关于演奏技法和审美修养方面的指导。伊丽莎白出于礼貌，以极大的忍耐听着这番指教。在几位先生的请求之下，她坐在钢琴旁边继续演奏，直到夫人命人备好马车送他们回家。

第三十二章

第二天早晨，柯林斯夫人和玛丽亚进村去办点事儿，伊丽莎白一个人坐在房间给简写信，这时一阵门铃声把她惊醒。有客人来！由于事先没有听到马车的响声，她想来人一定是凯瑟琳夫人，情急之下，急忙把已经写了一半的信藏起来，免得她到时又问这问那。门开了，让她大感意外的是，来人竟是达西先生。

见屋里只有伊丽莎白一个人，达西先生似乎也颇感诧异，连忙为自己的唐突来访表示歉意，说他原以为所有女士可能都在家里的。

两人坐了下来，伊丽莎白问了问罗辛斯那边的情况，之后两人似乎要完全沉默下来，陷入僵局，所以有必要想出点什么来谈，正在关键时刻，伊丽莎白突然想到了在赫特福郡最后一次见到达西先生的情景，对他们当时匆忙离去顿生好奇，想听听他会怎么解释这件事，于是说道：

“去年十一月，你们离开泥泽地别墅真是太突然了，达西先生。当时宾利先生刚刚一走，就见你们那么快跟上去了，他一定十分意外。如果我没记错的话，他比你们早一天离开。但愿您离开伦敦时，他和他的姐妹都好。”

“非常好，谢谢你。”

她见对方没再往下说，稍停了一会儿之后，又加上了一句：

“我猜想，宾利先生一定不再打算回泥泽地别墅去了，是吗？”

“我倒从来没有听他这么说过。不过，将来他可能到那边去的时间也不会多。他交友很广，而且他也正处于人生之中这样的时刻，交友和应酬正在一天天多起来。”

“如果他真打算不在泥泽地别墅多住，那就最好完全放弃那个地方，这样对左邻右舍都好，因为那时就可能会有人长住下来做我们邻居了。或许宾利先生当初租下房子图的是自己方便，而没有考虑邻居是否方便，不过，我们希望他还能本着同样的原则来决定是保留还是放弃别墅。”

“我看哪。”达西说，“他一旦买到了合适的房子，会很快放弃那幢别墅的。”

伊丽莎白没有吱声，她不想继续谈论他的那位朋友。可是又没有别的好谈，于是她就把寻找话题的任务交给了达西。

达西心领神会，立刻就开始了新的话题：“这座房子看起来很舒适的，我想柯林斯先生初到亨斯福时，凯瑟琳夫人一定对这房子大修过了。”

“我想是的。同时我也相信她的一片好心没有白费，柯林斯先生算得上是天下最知恩图报的人了。”

“柯林斯先生在婚姻方面好像很有福气。”

“这话不假。他能遇上这么一位世间少有的通情达理的女子，既愿意接纳他，又能给他幸福，有这等福气，他的朋友们真应该替他高兴了。虽然我不敢说，我的女友嫁给柯林斯先生是她最明智的选择，但她一定有她过人的考虑。不过，她看起来似乎极为幸福，仔细一想，这对她来说也算是一段良缘。”

“她住的地方离父母和朋友不远不近，来去便利，她一定感到称心如意。”

“你认为这距离适中吗？差不多五十英里呀。”

“只要路好走，五十英里又算什么？也不过半天的路程。所以我说这段路程非常适中。”

“我不认为这段距离也成为这门亲事的优点，”伊丽莎白嚷起来了，“我也不应该说，柯林斯太太住得离娘家很近。”

“这正说明了你对赫特福郡的依恋之情。我想，只要不是在龙博恩的四周，你就会觉得很遥远。”

他说这话时，脸上露出淡淡的微笑，伊丽莎白以为领悟到了这其中的含义；他一定是猜想到自己想到了简和泥泽地别墅。于是脸一红，答道：

“我并不是说，女儿出嫁就不应该住得离娘家太近。远近只是相对而言，而且要看很多不同情况而定。只要有钱，不在乎那点路费，有点距离也不打紧。可是说到眼前，事情就不一样了。柯林斯夫妇收入也还可观，但也并没有富有到能让他们经常出去旅行。我想，就算距离娘家不到现在一半远，我的朋友也不会认为自己住得离娘家很近。”

达西先生把椅子朝她跟前挪了挪，说：“你可不能对家乡太依恋哦，你不可能总是呆在龙博恩。”

伊丽莎白满脸愕然。这位先生见状连忙定了定神，把椅子往后拉了拉，顺手从桌上抓起一张报纸，不经意地扫了一眼，说道：

“你喜欢肯特郡吗？”声音明显不如以前那样热情。

两人又就这个话题谈论了一会儿，双方都平心静气，话语也简洁，过了一会儿，夏洛特姐妹俩从外面溜达回来，他们的谈话也就到此终止，不过他们之间你一言我一语小声的交谈还是让夏洛特颇感惊奇。达西先生连忙把刚才自己贸然来访，碰巧遇到贝内特小姐独自在家的事情解释了一通。接下来，又在这里坐了一会儿，有一句没一句地与大家说了一会，就告辞了。

“他这样做用意是什么呢？”达西先生一走，夏洛特就开口了，“亲爱的伊丽莎白，他肯定是爱上你了，要不然，他是不会这样随便上门来坐坐的。”

可是一听伊丽莎白描述他刚才不吭不哈的情形，夏洛特又觉得纵然自己真心希望如此，可事实又好像不是那么回事。猜来想去，

最后大家还是觉得，达西先生之所以来这儿走动，只是出于闲得无聊出来解解闷，更何况是在一年中这个乏味的季节呢？眼下一切户外活动都已经结束，呆在家里面对的不是凯瑟琳夫人就是书本、台球，可是男人有谁受得了一直呆在家里呢？或许是因为柯林斯家就在附近，或许是往那里溜达一阵别有一番情趣，也或许受到那儿住着的人的吸引，反正这表兄弟俩差不多天天都要上那儿去溜达。他们去那儿早也好，晚也罢，反正全都是在早晨，有时是分头去，有时是两人一块去，偶尔还有姨妈陪伴。对于柯林斯家的几位女士来说，菲茨威廉上校之所以勤来，显然是因为他喜欢与她们交往，再加上女士们一番盛情，促使他跑得更勤了。伊丽莎白感到自己喜欢与他相处，而他也明显倾慕自己，这不由得让她想到先前自己最喜欢的乔治·威克汉。尽管把这两人一比较，菲茨威廉上校不及威克汉那般迷人温柔，不过她却觉得菲茨威廉上校极有思想。

那么达西先生也频频往这边跑，又是为什么呢？真是更令人费解，但不可能是为着来聊聊天说说话。因为他经常在那里一坐，上十分钟都不说一句话。即使开口了，也只是迫不得已，而不是主动去说的，或者是出于礼貌，而不是为了给自己添点快乐。他很少有真正兴致勃勃眉飞色舞的时候。柯林斯太太也猜不透他到底怀着什么心思。不过菲茨威廉上校有时候笑话这位表弟傻头傻脑，说明达西先生现在确实有些与以前不同，至于怎么不同，夏洛特就怎么也感觉不到了。她倒衷心希望他是坠入情网的缘故，而他爱慕的对象，但愿就是自己的女友伊丽莎白。她一个人坐在那里认真地思考着这个问题，决心去弄个明白。于是，无论什么时候在罗辛斯碰上他，还是他来到牧师住宅，她都留心观察他，结果还是没有看出个所以然来。他的确不停地把目光投向伊丽莎白，可那眼神也让人难以捉摸。那的确是一种真诚而且专注的眼神，可是她又不能确定那里面真有很多倾慕的成分，有时候，那目光又让人觉得只是他心不在焉的表现。

柯林斯太太曾经向伊丽莎白提起过一两次，说达西先生可能爱慕上了她，可是伊丽莎白每次都只是一笑了之。这样一来，夏洛特就觉得不便在这个话题上多谈，免得撩动伊丽莎白的希冀到头来又落得一场空。在她看来，只要伊丽莎白觉得达西先生对自己一往情深，她对他所有的厌恶都会因之烟消云散，这一点毫无疑问。

她热情地为伊丽莎白构思着幸福姻缘，有时候也希望能让她嫁给菲茨威廉上校。他绝对是一位和蔼亲切的人，他也确实倾慕伊丽莎白，而且他的社会地位无可挑剔。不过，达西先生在教会方面有着极强的势力，而他的表兄却没有任何根基，仅这一点就足以抵消表哥的所有优势。

第三十三章

伊丽莎白在庄园散步时，竟不止一次地碰到了达西先生。她不禁大感倒霉，在这个静僻之处竟然会偏偏遇上他。为了避免这种事情再次发生，她曾一开始就告诉他说，这儿是她最喜欢溜达的地方。她想，这样的事情要是有第二次，那才真是怪事了。然而，恰恰就有了第二次，甚至还有第三次。看来他像是存心与她过不去，要不就是特意来赔不是，因为每每在这个时候，他不仅仅只是客客气气地询问几句，然后尴尬地沉默一会儿就走开，甚至觉得有必要折转回来和她一道散步。他从来说话不多，伊丽莎白也懒得开口，无心多听。不过当她第三次与达西在这里相遇时，她惊奇地注意到，他竟然问到了一些不着边际的怪问题：问她在亨斯福是否快乐，问她是不是喜欢独自散步，问她对柯林斯夫妇的姻缘有什么看法，并且谈到了罗辛斯庄园。当时，伊丽莎白说她不太了解那幢豪宅，达西先生似乎希望她再来肯特郡时就干脆住进庄园去。他的话语之中似乎暗示着这一层意思。难道他是在为菲茨威廉上校着想？她想要是他真的话中有话，他一定是在暗示那里有人在为她心动，她不由得感到一丝懊恼，幸好他们已经走到了牧师宅楼对面的栅栏门口。

有一天，她一边散步，一边细细重读着简上次的来信，反复咀嚼其中的几个段落，很明显她写信时情绪十分低落。突然抬眼一看，见有一人迎面走来，这次却不是达西先生，而是菲茨威廉上校，她连忙把信收起，强装微笑，说道：

“没想到你也在这里散步。”

“我在庄园里到处转悠，每年如此。”他答道，“我正打算溜达一圈之后上柯林斯先生家去坐坐呢。你还要继续走吗？”

“不了，我马上就要回去了。”

于是，她掉过头来，两人一起往牧师宅楼方向走去。

“你们星期天一定要离开肯特郡吗？”伊丽莎白问道。

“是的，要是达西不再推迟的话。我只是听从他的安排。他安排事情全凭兴致。”

“他虽然不能把事情安排得称心如意，但至少可以从行使权力的过程中获得巨大乐趣。我实在不知道还有谁比达西先生更看重这种我行我素的权力。”

“他的确喜欢按自己的意愿行事。”菲茨威廉上校答道，“可是我们都喜欢，只不过他比许多人更有条件那样去做而已。谁叫他那样富有呢？我说的可都是肺腑之言啊！你也知道，要是小儿子就只能自我忍让、仰人鼻息了。”

“在我看来，一位伯爵的次子不可能落到这般田地。说实在的，你尝过自我忍让、仰人鼻息的滋味吗？你又何曾因为缺钱而不能去你想去的地方，买你想买的东西呢？”

“你的话真可以说是一语中的。在那类问题上，或许我算不上是经历了千难万苦。可是，在一些更为重大的问题上，我可能就银根吃紧了。小儿子难得娶上自己的心上人啊！”

“只要他们不是爱的富家女子，我想他们常常还是会如愿以偿的。”

“我们花钱惯了，也就难以不存依赖之心。像我们这等身份的人，结婚时不考虑钱财的为数不多啊。”

“这是不是说给我听的？”伊丽莎白暗自思忖，脸上不觉泛起一丝红润，但很快就恢复了常态，用一副天真活泼的语气说道：“请问，一位伯爵次子一般的开价是多少呢？要不是伯爵的长子已经病入膏肓，我想你开出的价格是不会超过五万英镑的。”

他也用同样俏皮的语调回敬了她几句，这个话题就被撩到了一边，两个人沉默下来。可是就伊丽莎白而言，她又担心这样沉默会让菲茨威廉上校感到自己是在为刚才的话难过，于是连忙开口打破沉默，说道：

“我想，你的表弟之所以把你带在身边，可能主要是想找个人差遣。我真不明白他为什么不结婚，要是结婚了，他不就有人可以终生差遣了吗？不过，眼下他的妹妹或许可以充当这一角色。她现在可是由她哥哥一个人照料，那他不就是可以想怎么对待妹妹就能怎么对待了？”

“不，”菲茨威廉上校说，“他的这种权利是和我共同分享的。我和他一起都是达西小姐的保护人。”

“真的？请说一说，你们两个保护人做得怎样？你在行使职权时麻烦多吗？她这个年龄的女孩子，有时候可是有点难管的哦。要是她也秉承达西家族的性格，或许也会喜欢自行其是。”

她说话之际，发现菲茨威廉上校正一脸正经地看着自己。他立刻反问伊丽莎白，她为什么认为达西小姐可能会让他们头痛，他说话的神态对伊丽莎白来说，恰好印证了自己的猜测十之八九接近事实。她立刻回答道：

“你也不必惊慌。我从没听说过她有什么不好的表现，而且我也敢说，她是世上最听话的姑娘，我认识的一些女士，像赫斯特太太啦，宾利小姐啦，都十分喜爱她。我好像听你说过，你也认识她们几位。”

“我认识她们，不过不熟。她们的兄弟可是一位讨人喜欢、温文尔雅的绅士呀。他也是达西的好朋友。”

“哦，是的，”伊丽莎白生硬地说道，“达西先生对宾利先生可真是好得出奇，关怀得可谓无微不至啊！”

“关怀他！哦，我相信在他最需要关怀的时刻，达西一定鼎力相助。我们来这里的路上，他也向我讲一些事儿，我有理由相信：宾利多亏了他的关照。不过，我也请他原谅，我也不敢说他讲的那人就是宾利。我只是猜测而已。”

“那你的意思是什么？”

“不要忘了，我没有理由断定那人就是宾利。他只是告诉我，最近他帮助一位朋友摆脱了一桩极不妥当的婚姻，并没提到那位朋友姓甚名谁，也没提及其它细节。我只是猜测那可能是宾利，因为我认为他属于那种在情场方面容易栽跟头的人，而且我知道去年夏天他们俩一直呆在一块儿。”

“达西先生有没有向你谈起过他为什么要插手这件事呢？”

“我听说是有些条件对女方极为不利。”

“那他是用什么手段拆散人家的呢？”

“他倒没有说过怎么样让他们分开的，”菲茨威廉笑着说道，“他对我说过的事情，我已经全部告诉你了。”

伊丽莎白一声不吭，径自往前走着，激愤之情在心中喷涌。菲茨威廉看了她一会儿，询问她为什么心事重重。

“我是在想你刚才对我讲的事情。”她说道，“你表弟的行为让我很难接受。他凭什么替人家做主？”

“你是想说，他插手这事是多管闲事？”

“我不明白，他有什么权力来决定朋友的婚姻情感是否合适得体，也不明白他为什么单单凭个人眼光就要决定朋友该怎样去获取幸福。不过，”她控制了一下自己的情绪，继续说道，“我们不知道详情就对他加以指责似乎有失公道，也说不定这男女双方并没有什么真正感情呢。”

“这种推测也不无道理，”菲茨威廉说道，“不过，这样一来，岂不就抹杀了我表弟的一半功劳？他本来还一直为这事洋洋自得呢。”

菲茨威廉的这番话本来只是开玩笑，但对伊丽莎白来说，这似乎是对达西先生的真实描绘。她觉得不便加以应答，于是立刻改变话题，谈起一些无关紧要的事情。两人边走边谈，一直回到了柯林斯家。等客人一走，她就把自己关进自己的房间，一个人静静地思考着刚才所听到的事情。菲茨威廉上校刚才所讲的不可能是别人，肯定是和她有关的人。世界上没有第二个男人能够对达西先生如此言听计从了。伊丽莎白从来就没有怀疑过达西参与策划了拆散宾利先生和简的阴谋，但她从来都把这件事情的主谋和主要操纵者归结到宾利小姐的身上，不曾想到他竟然因为虚荣心作祟，成为了这事件的罪魁祸首，他的傲慢，他的专横导致了简至今遭受的种种痛苦磨难。他在顷刻之间毁掉了人世间最纯情、最宽容的女子对幸福的一切期盼，可是又有谁知道，他所作的冤孽到何时才是个尽头。

菲茨威廉上校说“有些条件对女方极为不利”，这极为不利的条件很可能指的就是她有个姨父在乡下当律师，还有个舅舅在城里经商。

“至于简本人，她可是无可挑剔的呀！”伊丽莎白不由得叫出声来，“她是那样可爱，那样善良。她善解人意、情思高雅、举手投足仪态万千。至于父亲，应该也是挑不出刺的。他虽然有些怪僻，但他的能力连达西先生本人也不能小视，他的人品达西先生也望尘莫及。”不过，一想到母亲，她的信心略微打了一些折扣，但是她认为，在这方面不尽如人意也不至于对达西先生产生实质性影响。她坚信一点：凭着达西先生的傲慢，他感到最伤心的是自己朋友娶一位无钱无势的卑贱女子，而不是这位女子的家人亲戚是否有见识、懂情理。她左思右想，终于认定了一点，那就是达西先生之所以这样损人美事，一方面是受那种可恶的傲慢心理驱使，另一方面是希望他的妹妹与宾利先生结为连理。

伊丽莎白越想越气愤，不觉已是泪流满面，头痛不已。到了傍晚，头痛得越来越厉害。她极不情愿再见到达西先生，于是决定不陪表兄嫂上罗辛斯庄园去喝茶。柯林斯太太见她确实身体不适，就没有勉强她一同前去，并且还尽量不让丈夫催她去。这下子柯林斯先生不由得犯愁，担心表妹不去会惹得凯瑟琳夫人不悦。

第三十四章

众人去后，伊丽莎白把她到肯特郡以后简写来的书信一一拿出，逐一仔仔细细地读了起来，就好像是故意想让自己加深对达西的仇恨似的。简的信中没有丝毫抱怨悲戚之言，没有重提过去的不快，也没有诉说当前的痛苦，然而这一封封书信全然不见她往日轻松欢快的文风，一行行文字根本就没有她先前那种神清气爽的娴静，没有那种宽厚祥和，没有那种万里无云的晴朗。在伊丽莎白看来，这信的字字句句无不传达出一种不安宁的情愫，这是在初看信时难以觉察到的。一想到达西曾厚颜无耻地把自己给人带来的苦痛加以炫耀，伊丽莎白仿佛对姐姐的痛苦看得更加真切了。不过，一想到反正达西的罗辛斯之行到后天就要结束了，她不禁感觉到了些许欣慰。更重要的是，不到两个星期，她就可以和简重聚，又可以与她促膝交谈了。想到这些，她的精神不由得又一次振作起来。

想到达西先生就要离开肯特郡，她就不自觉地记起他的表哥也会一同离去。由于菲茨威廉上校已经明确地表示，他对伊丽莎白并没有什么特别意图，因此，虽然他讨人喜欢，但她决计不会去为他而自寻烦恼的。

正想着这个问题时，突然一阵门铃声把她惊醒。来人说不定正是菲茨威廉上校本人呢！这念头刚一闪过，她的心又突突地跳起来。

菲茨威廉以前在晚上也来过一次，此时此刻说不定是他专程来探视自己的。然而，打开门，进来的却是达西先生！她惊呆了，刚才的一切念头立刻风消云散，精神状态与先前截然不同。达西先生刚一进屋就忙不迭地询问她的健康状况，并告诉她说，自己此时来访正是希望听到她已经痊愈的消息。她的答复冷淡但又不失礼节。他坐了片刻，就站起来，在房间里来回踱步。伊丽莎白大为诧异，但还是没吭一声，谁也没说话。又过了几分钟，他走到伊丽莎白面前，神情激动，说：

"我一直在跟自己斗争，可是失败了，今后或许仍然会失败，我再也无法控制自己的感情了。请你务必允许我告诉你，我对你的仰慕和爱恋是多么的狂热。"

伊丽莎白大惊失色。刹那间，她杏眼圆睁，一会儿脸颊绯红，接着是满脸疑惑，之后是一阵沉默。达西先生把这一切看在眼里，以为她在鼓励自己说下去，于是就把自己对由来已久的感觉与倾慕之情一吐为快。他滔滔不绝地倾吐自己的情感，也娓娓讲述自己的其它情感因素，他侃侃谈到了自己温柔一面，而讲到自己的自负时也毫不逊色。他说他认为她的出身卑微低贱，认为自己这样做是在屈尊俯就，并且这些观念常常与自己对她的爱恋之情碰撞，但终究是炽热的爱恋占上风。他为自己所做的牺牲而陶醉，却浑然不知自己的这场神采飞扬的演说可能无助于他的求婚。

虽然伊丽莎白对他的厌恶感已经根深蒂固，但面对一位这样的男士如此求婚，又怎能完全无动于衷呢？尽管她对达西的看法一刻也没有改变，乍一听他的话语，又不由得为他遭受拒绝可能会感到痛苦而心怀同情。可是他接下来的话不觉又激起了她的忿恨之情，起初的那份同情顿时化作愤怒之火。不过，她还是极力克制自己，准备等他的话讲完之后给他一个耐心的答复。达西在结束自己讲话时，再次向她表明了自己对她的倾慕之情，说自己极力所能也无法控制自己的炽热情感，并表示希望她现在就能接受自己的求婚。伊丽莎白从他说话的神情中可以清楚地看出，他似乎已经稳操胜券了。

他口里虽然说自己对她的态度既担忧又焦急，而他的表情却显得成竹在胸，万无一失。这副神态只可能进一步激怒伊丽莎白。果然，等他的话音刚落，她就涨红着脸开口了：

“对于这类问题，我觉得既然人家向你表白了爱慕之情，无论你怎样不能以同样的情感回报人家，也应该表达感激之情，这是人之常情。知恩图报，是情理之中的事情，而如果我真的觉得你有恩于我，我一定会感激不已。可是我感觉不到你的恩典——我从来没有期盼过你对我另眼相待，而且你对我的青睐也太过勉强。我实在不忍去伤害任何人，如若无意中给人带来痛苦，我衷心希望能转眼散去。在听了我这番话之后，你刚才所说的那种积闷已久的情感也就不难消解了。”

达西先生斜靠在壁炉架上，眼睛一直紧紧盯着伊丽莎白的脸。此刻听到这番话语，既愤怒，又惊诧。他气得脸色发白，脸上的每个神情无不透出内心深处的惊诧与混乱。他极力使自己的情绪镇定，直到他确信自己的表情已经镇定下来，才开口说话。这种短暂的沉默使伊丽莎白感到骇然，终于，听他用一种强装出来的平静语气说道：

“得到如此回复，本人感到荣幸之至！不过，没关系。我只希望你能赐教，本人为什么会遭到如此无礼的拒绝？”

“我倒也想请问几句，”伊丽莎白说道，“你为什么要告诉我，说你喜欢我，这既违背你的意愿，又违背你的理智，甚至违背你的性格？你为什么要选择这样蓄意冒犯我、羞辱我？如果说我无礼，难道这不能说明我为什么无礼？不仅是这一点，我还有别的理由呢。你心中有数。就算是我对你没有反感，就算是我与你毫无芥蒂，就算是我对你还有几分好感，请问，对于一个可能永远破坏了她最亲爱的姐姐的幸福的男人，我又怎么可能去接受呢？”

伊丽莎白这番话一出口，达西的脸色大变，但这种情绪的波动似乎一瞬即逝。他甚至无意打断她的话，只听她继续说道：

“我有千万个理由来鄙视你，任何借口都不可能为你在那件事情上扮演的不光彩不公正的角色开脱。你不敢否认，也不可能否认，你把他们俩活生生地给拆散了。即便不是你一人所为，你也是主谋。你把他们俩坑惨了，一个被人指责为薄情寡义、朝三暮四,一个被耻笑为痴心妄想、不知天高地厚。”

说到这里，她顿了顿，抬头却见达西不但没有丝毫懊悔之意，还装出一副难以置信的样子，正满脸堆笑地看着呢。她不由得火冒三丈。

“难道你能否认你自己的所作所为吗？”她追问了一遍。

这时，他才故作平静地回答道：“我根本就没想到要否认什么。是我想方设法把我的朋友和你姐姐分开的，我办到了，并且为此高兴。我对他比对我自己还要好！”

伊丽莎白对这番不温不火的解释装作毫不在意，可心里却清清楚楚，丝毫没有感到好过一些。

“我对你的厌恶并不仅仅是因为这件事，”伊丽莎白继续说道，在这之前很久，我对你的为人就清清楚楚。你为人怎样，威克汉先生在好几个月以前就告诉了我。在这一点上，你还有什么可说的？你又能再想出什么朋友义气之类的话来为自己辩解呢？难道你还想黑白颠倒，混淆视听不成？”

“你对那位先生的事情倒是关心得很哪。”达西说道。他的语气已经不像先前那么平静，脸也涨红了。

“了解他的不幸的人，谁不会对他关心呢？”

“他的不幸？”达西重复了一遍，语气轻蔑，“是的，他的不幸可大着呢。”

“这都是你一手造成的。”伊丽莎白气呼呼地喊道，“是你把他逼到现在的穷困的境况，当然只是相对而言，你明知他应该享受一些特权，却偏偏不肯给他。你毁掉了他一生中最美好的时光，剥夺了他本该拿到自己应得的一份财产独立生活的机会。这些全都是你一手造成的！而你，竟然还对他的不幸不屑一顾，嗤之以鼻。”

“这就是你对我的看法！”达西吼了起来，步履急速地踱过屋子，

“你竟然对我是这样的评价。多谢你解释得这样透彻！按你的推算，我可是罪大恶极了，不过，”他停下脚步，转身朝着她，补充了一句，“假如我没有这样匆忙之间向你袒露早已藏在心底，却让我难以认真地向你表达爱慕的顾虑，伤害了你的自尊，或许你不会计较这些事情。假如我多一点心眼，掩藏住心中的矛盾，专拣好话说，让你相信，从理智到思想到一切，我对你的爱都是无条件的，纯洁无瑕的，你也许不会那样对我严加指责了。可是我最讨厌掖掖藏藏，我对自己坦诚的顾虑也毫不羞愧。因为这种情感是自然的，合理的。难道你指望我会因为你那些卑微粗俗的亲戚感到欢欣鼓舞吗？难道你指望我会因为自己摊上一群生活境况远不如自己的亲戚而庆幸吗？”

伊丽莎白越听越气愤，但还是极力克制住自己的情绪，镇定地说：“达西先生，如果你刚才的言行更像绅士，我又拒绝了你，那我还可能于心不安；可是你要是认为你那种表白情感的方式让我有别的想法，那可就错了。”

伊丽莎白见他听到这里愣了一下，却没有吱声，于是继续说道：“无论你用什么方式向我求婚，我都不会接受的。”

达西再一次露出震惊的表情，这一次十分明显。他看着伊丽莎白，目光中交织着诧异和屈辱。伊丽莎白继续说道：

“从一开始，可以说是从我认识你的那一刻起，你的一举一动就让我充分相信，你是个高傲、自负、自私、没有同情心的人，这是我对你不满的开始。后来又发生了一连串的事情，使得我的不满变成了十足的厌恶。认识你不到一个月，我就觉得，我这一辈子就算嫁不出去，也决不嫁给你。”

“您已经说得够多了，女士。对您的心情我十分理解，而现在我只能为自己的情感感到羞愧。请原谅我占用了您太多的时间，也请接受我对您的良好祝愿。祝您身体健康，幸福快乐！”

说完，他匆匆走出了房间。接着，伊丽莎白听到他打开前门，离开这座房子。

此时此刻，她感到心乱如麻，烦恼透顶，不知道该如何支撑下去，身心疲惫使她一下子瘫坐下去，哭出声来。她足足哭了半个钟头。回想起刚才的情景，她越来越感到惊诧。达西先生竟然向自己求婚！他竟然好几个月以来一直爱恋着自己！他对自己的爱如此之深，竟然置种种不利因素于不顾，真是令人难以置信！想当初正是因为这些不利因素，他才极力阻挠他的朋友娶自己的姐姐，到如今，事情落在他自己头上，他不也感觉到同样的压力吗？一个人无意中赢得如此强烈的爱慕之情，也足以让人满足了。可是他那副傲气，他那让人恶心的傲气，他在承认破坏了简的婚事时恬不知耻的神情，他在为自己辩解不能自圆其说却仍然表现出来的不可饶恕的自以为是，还有他提及威克汉先生时表现出的那副铁石心肠和冷酷表情，所有这些在顷刻之间将她因为他的求婚而一度激发起来的恻隐之心化为乌有。

她就这样心烦意乱，左思右想。忽然，听到凯瑟琳夫人的马车声，这才想起自己这副样子很容易被夏洛特看破的，于是匆匆忙忙回到了自己的房间。

第三十五章

伊丽莎白思绪万千，难已入眠，第二天早晨醒来，脑海里仍然被那些思绪占据着，根本无法从昨天那件突如其来的事情中摆脱出来。她无心去想别的事情，也无心去做点什么，于是早餐一过，就决定到晨风中去走走，散散心。转眼之间，她已径直走上了平常她最喜爱的那条小道，可一想到达西先生有时候也来这里走走，不由得停下了脚步。不过，她没有走进庄园，而是折转上了一条小径，顺着庄园的围栏朝着远离大道的方向走去，不久她来到了进入庄园的一扇园门。

就这样，她在这段小径来回走了两三趟，不觉被早晨的美景所吸引，于是在园门边停下脚步，向庄园里张望。转眼间，她在肯特郡已经度过了五个星期。在这段时光中，乡村的景色已经有了很大变化，早绿的树木每一天都在增添妩媚。她正要抬脚继续散步，忽然间瞥见庄园边的树林里有一位先生正朝这边跑来。她害怕来人是达西先生，便匆匆避开，可是来人已经离她很近，可以清楚地看见她。只见那人迫不及待地跑向她，还呼喊着她的名字。听声音，那人正是达西先生。伊丽莎白已经离开，可是听到达西在叫着自己的名字，她还是转身朝园门走去。达西先一步到达了园门，掏出一封信。伊丽莎白竟不由自主地接过了信，只见他矜持而从容地说道：“我在树林里已经走了一段时间了，就是希望能够遇上你。你能否赏脸看完这封信？”说完，微微鞠了一躬，转身又进了庄园，顷刻之间不见了踪影。

伊丽莎白丝毫没有指望从中获得什么乐趣，但出于一种强烈的好奇心她还是把信拆开。让她越发惊奇的是，信封里面装着两张信纸，写得满满当当，密密麻麻，连信封边上也写满了字。她一边沿着小径款款而行，一边展开信读了起来。信是早晨八点钟在罗辛斯庄园写成的。上面写道：

小姐，接到这封信时，请不必感到惊慌，不必担心我会在这封信里重复那些感伤之事，或者继续昨日的求婚之举，我知道昨晚之事深深地刺痛了你。

这次写信，我本不该久久盘桓于那些一厢情愿的念头，不希望让你痛苦，也不希望让我再次蒙羞；为了我们彼此的幸福，也应该尽早忘却这种念头。要不是因为我的个性使然，我根本不会动笔写信让你去读，这样也落得各自清闲。所以，务请恕我冒昧，劳你费神阅读此信。我深知，从感情上来说，你决不愿意看它一眼，但是为了正义，务请一读。

昨天晚上，你给我扣上了两项性质不同、轻重不等的罪名。其一，你指责我无视宾利先生和你姐姐的感情，将他们活生生地拆散；其二，你指责我不顾别人的利益，不顾别人的荣誉和人格，毁坏了威克汉先生即将享受的荣华富贵，断送了他的锦绣前程。这样，我就成了一个无情无义、反复无常的小人，抛弃了自己童年伙伴和父亲最宠爱的养子、抛弃了一个从小就指望得到我们家恩惠而别无其它依靠的青年。这简直就是弥天大罪了。相比之下，把一对坠入爱河不过几个星期的青年男女活活拆散也不过是个小错了。因此，我在此将自己的行为和动机一一道出，希望你弄明原委之后，将来不再对我像昨天那样严辞指责。在解释关于我本人的一些事情的时候，如果有冒犯了您的感情，只能敬请原谅，再次向您致歉也显得荒唐，写此信实属无奈之举。

我到赫特福郡不久，就与其他人一样，发现宾利对您的姐姐特别偏爱，超过了对当地任何一位年轻姑娘。可是到了泥泽地别墅举办舞会的晚上，我才真正感到不安。我以前也常常见他堕入情网，可这次对您姐姐的情感是认真的。正是那场舞会上，当我有幸与您跳舞时，威廉·卢卡斯爵士无意中说的一句话点醒了我，使我第一次意识到，宾利对您姐姐的殷殷之情已经弄得满城风雨，让大家以为他们就要喜结良缘了。听卢卡斯爵士说话的口气，这事似乎已成定局，只是时间问题而已。从那时起，我就注意观察我朋友的言谈举动，我可以感觉到，他对贝内特小姐情有独钟，大大超出了我已往的观察。我也在观察您的姐姐。她一切如初，神情豁达，举止活泼，逗人喜欢，却独独不见一丝钟情于人的迹象。根据那天晚上的仔细观察，我始终坚信，她虽然愉悦地接受了宾利的殷勤，但自己却并没有动情，没有着意去促成情感的升华。——在这一点上，如果您没弄错，就是我有失误。鉴于您对您姐姐的了解更深，第二种可能性一定更大一些。——如果情况果真如此，我就是受到了这一判断失误的牵制，给您姐姐带来了痛苦，那么您对我的忿恨之情就不难理解了。不过请恕我直言，您姐姐沉着稳重、神情安详，再善于观察的人也会形成这种印象：她虽然情性温和，内心却不易打动。诚然，我当时的确希望她真的无动于衷。——不过，我也敢斗胆放言，我观察事物作出判断一般不受自己主观喜好或厌恶所左右。——当时，我并不是因为自己希望她无动于衷而认为她果真如此；我之所以作出这样的判断实在是基于公正客观的思考，但愿合情合理。——而我之所以反对这桩婚事，其原因并不仅仅在于那些不利因素，正如昨天晚上谈及我自己婚姻时，我所承认的，那些不利因素需要有强烈的情感力量才能克服。而至于门户不等，我的朋友并没有像我一样过于计较。——但是我不满于这桩婚事还出于其它原因——虽说这些原因仍然存在，而且在这两桩事中却都存在，可是我本人会尽力把这一切忘记，毕竟我不必立刻面对它们。——您母亲的娘家虽说不够体面，但与你们那个粗俗家庭相比，也就无足轻重了。您母亲，您的三个妹妹几乎都是清一色的庸俗之辈，有时候连您的父亲也难登大雅之堂。——请原谅，我实在不愿伤害您。我知道，您会为自己家人的缺点而烦忧，也会为我对他们这一番评价而不悦，但是您和您姐姐举止言谈卓然不同于您的其他家人，不但没有受到人家的指责，反而备受赞赏，特别是您二位的见识和情操广受好评，这一点应该能让您感到些许欣慰。还有一点我想在此说明。经过那天晚上的观察，我对每个人的看法更加坚定，我的判断也更加清晰，于是我下定决心去阻止我的朋友去缔结一门在我看来极为不幸的婚约（在此之前我也有这种想法）。第二天，宾利离开泥泽地别墅前往伦敦——我想您一定还记得——本来打算快去快回的。我现在就向您解释一下我在这件事上所扮演的角色。宾利的姐妹也和我一样为此感到不安，而且我们很快就在这一点上彼此沟通了。大家都认为事不宜迟，必须尽快将她们的兄弟隔离起来，于是决定直奔伦敦与他汇合。我们说到做到。我一到伦敦，就极力向他陈述作出这一选择必须会面对的种种不利。我诚心诚意地劝说，苦口婆心地叮嘱，却似乎只是使他的决心有所动摇，他只是有点犹豫不决。要不是我果断地告诉他，您的姐姐对这桩姻缘无动于衷，我想我还是不可能最终成功阻止这桩婚事的。本来他在此之前，他一直认为您的姐姐即便不是用真情回报他的真情，至少对他也是真诚的。不过，宾利天生性情谦和，遇事缺乏主见，对我言听计从。因此，要让他相信自己是在自欺欺人，并非难事，只要做到这一点，再去说服他不回赫特福郡，那简直就是举手之劳了。——我对自己所做的这些事情并不感到自责，只是有件事不太满意，那就是我不择手段向他隐瞒了您姐姐住在伦敦的消息。我知道这事宾利小姐也知道，只有宾利一个蒙在鼓里，其实，他们见一面也不一定会产生不利的后果，但是我知道，宾利对您姐姐并没真正心灰意冷，所以还是不让他们见面为妙。或许我这样遮遮掩掩、藏藏掖掖，有失自己的身份。不过事已至此，而且是出于一片好心。——在这件事上，我不想多说，也不想再为此道歉了。如果说我伤害了您姐姐的感情，那只是我无意中所为；尽管您会很自然地认为，我的理由并不充分，但我至今还没有意识到自己错在哪里。——至于另一项罪名，您对我的指责更为严厉，指控我毁掉了威克汉先生。我只有一个方法为自己辩解，那就是把他与我们家族的恩恩怨怨全部抖落出来。我不清楚他是如何刻意指责我，但是我在此要说明的完全属实，并且还可以请一些声名显赫的人为我作证。威克汉先生的父亲是一位德高望重的人，多年来一直负责管理彭伯里的房地产。他品行端正，恪尽职守，很自然地让我父亲想到要为他和他的儿子做些事情，以示回报，于是威克汉先生就成为了我父亲的教子，尽享我父亲的关爱恩宠。我父亲先是供他上学，后来还供他上了剑桥大学。这可算是对他最大的帮助了，因为他的母亲花钱如流水，他的父亲总是囊中空空，根本不可能让他享受上等教育。我父亲倒是喜欢与这位风度翩翩的年轻人交往，而且还十分赏识他，希望他将来能够伺奉神职，并打算给他在教堂安排一个职位。而我对他的看法却迥然不同，好多年前我就算认清了他。这人恶习累累，放荡不羁，尽管他小心伪装，连最好的朋友都难以察觉，却终究逃不过一个同龄人的眼光。我有机会看到他没有设防时候的言谈举止，我的父亲却不能。我在这里可又要让您伤心了，不过伤心到什么程度，只有您自己知道。然而，无论他曾经唤起您什么样的情感，我都怀疑他动机不良，因此我必须在此揭开他的真实面目，当然，我这样做还出于另一个动机。我父亲于五年前去世，直到临终前他都十分宠爱这位威克汉先生。父亲在遗书中特别叮嘱，要我根据他的职业情况，尽最大力量提拔他；如果他接受了圣职，希望一旦有了空缺，就把他安排到一个俸禄优厚的职位上。父亲甚至还给他留下了一千英镑的遗赠。他的父亲不久也去世了。此后不到半年，威克汉先生写信给我，说他已经最后下定决心，不接受圣职，希望我为他放弃那个俸禄优厚的职位而给予一定的直接的经济补偿，并且希望我不要认为这有违情理。他又说，他有意去学习法律，希望我能明白单靠那一千英镑的利息是不足以维持学业的。我当时并不相信他的诚信，但我希望他是真诚的，所以无论怎样，我还是欣然答应了他的请求。我也知道威克汉先生不应该当牧师。于是事情很快就得到了解决：他放弃伺奉神职的权利，即便将来他有了机会也不得再次提出主张，作为补偿，他获得了三千英镑。就这样，我们之间的关系似乎已经了断。我对他的看法实在太差，不想邀请他再回彭伯里，也不想在城里见到他。我相信他大部分时间都住在城里，可是他学法律不过是个幌子。既然现在没有了先前的束缚，他就愈加游手好闲，放浪形骸。大约三年的时间里，我没有他的半点消息，可是就在原定由他接任的牧师刚一去世，他又来信要求我替他举荐。他告诉我，他的境况极为糟糕，我相信这话不假。原来，他发现学习法律无利可图，现在已痛下决心，如果我能举荐他继任那份神职，他一定赴任。他相信我一定会举荐他，因为他十分清楚，除了他外，我没有别人需要关照，而且我也不可能忘却先父的意愿。我却拒绝了他的请求。后来又几次三番地缠着我，都给我拒绝了。你或许不会因此而责备我吧！他的境况越来越糟，他对我的怨恨也越来越深。毫无疑问，他对我恶语相向，妄加指责。在这之后，我们之间就已经恩断义绝。他生活怎样我无从知晓，可是去年夏天，他再一次出现在我的视线之中，这一次让我恼恨至极。在这里，我又不得不提及一件事。这件事，我恨不得永远忘却绝不再提，要不是眼前这种情形，我不会向任何人诉说。不用多说，我绝对相信你会严守秘密。我的妹妹比我年幼十来岁，由我母亲的外甥菲茨威廉上校和我一起做她的监护人。大约一年前，我们把她从学校接出来，安置在伦敦居住。去年夏天，她随照管她生活的女士一起去了拉姆斯盖特，威克汉先生也去了那里。毫无疑问，他是精心策划好了的。因为事实证明，他和杨格太太早就认识，都怪我们没有看清她的真实本性。在她的默许和帮助之下，威克汉竟然向她求婚。我妹妹乔治安娜还记得小时候对他的友善，再加上她又是一个重感情的姑娘，所以一下子就被迷惑住了，自以为爱上了他，居然还同意和他一起私奔。她当时才十五岁，这或许是能为她开脱的一个原因吧！不过，我还是要高兴地添上一句，还是亏了她本人告诉我这一个鲁莽行为，我才了解事情真相。就在他们打算私奔之前一两天，我突然出现在他们面前。乔治安娜一直对我这个兄长视同慈父，她实在不忍心让我伤心难受，就把整个事情如实告诉了我。您可以想象当时我的内心感受如何，我会如何处理这事。为了顾全我妹妹的声誉和感情，我没有把事情闹大，以免张扬出去，而是给威克汉写了封信，责令他立刻离开，杨格太太自然也被扫地出门。威克汉先生无疑主要是冲着我妹妹的三万英镑财产来的，但是我想，他也是企图借此向我报复：他的报复行动差点就得逞了。女士，我已经如实地向您讲述了与我们彼此相关的每一件事。如果您不完全认为我是一派谎言，我希望您能从此不再指责我对威克汉先生残酷无情了。我不清楚他是以什么方式、用什么谎言来蒙骗您，但他能得逞也不奇怪，毕竟您对我们俩之间的事情一无所知：一方面您无法逐一考证；另一方面您也不耻于怀疑什么。您也许不解：所有这些，为什么昨天没有告诉您呢？事实上，昨天晚上连我自己都还没有拿准哪些事情该说，哪些事情不该说。我这里所说的话句句属实，尤其是可以请菲茨威廉上校作证。菲茨威廉上校既是我的至亲、长期的密友，而且还是我父亲遗书的执行人之一。毫无疑问，他对这些事情一桩桩一件件了如指掌。就算说您对我厌恶至极，认为我所说的话是一派胡言，也决不会连我表哥的话也不相信。您可以寻个机会向我表哥求证一下。今天早晨我会尽力把这封信交到您手上的。

最后，我只想说一句：愿上帝保佑你！

菲茨威廉·达西

第三十六章

伊丽莎白从达西先生手中接过信的时候，根本就不指望信中会有什么新意，无非就是再次提出求婚罢了。虽说里面说了些什么并没有什么了不起，可是不难想像，当她展开信时，是以怎样急切的心情往下读着，心中又激荡起怎样复杂的情感。她心中恰如打翻了五味瓶一样，那滋味难以名状。起初，她感到惊诧：他居然还相信自己能辩解；接着，她坚定地相信，他已经理屈词穷，居然还强词夺理……真是没有一点羞耻之心，当她读到达西讲述在泥泽地别墅发生的事情时，心里抱着一股强烈的偏见——任您怎么说，我也不相信；同时她又异常急切，一句话还没仔细读过，就迫不及待地想知道下一句讲的是什么，仓促之间根本没来得及仔细理解。达西认为她姐姐对宾利的感情无动于衷，伊丽莎白立即认定他无中生有；他历数这桩婚事的种种不利因素，哪怕确实存在，也让她怒气难平，几乎都没有心思往下看；他对自己的所作所为全然没有丝毫悔意，这让她极为不满;他的语气没有丁点后悔之意,反而盛气凌人。总之，他仍是一副傲慢无礼的模样。

接下来，当她读到有关威克汉先生的内容时，她的思想稍稍明晰了一些。达西所讲述的事情与威克汉先生本人自述的身世惊人相似；要是达西所说的果真就是事实，那么她对威克汉先生的一切美好印象将被彻底颠覆；伊丽莎白感到更加痛苦，情绪变得更加复杂。震惊、不安、甚至恐惧一起袭来，压迫着她。她恨不得把这些通通推翻，嘴里不停地叫嚷着："这不是真的！不可能是真的！这一定是一个弥天大谎！"她匆匆把信看完，连最后的一两行上写了些什么都没弄明白，就急忙把信收起来，口里还在赌气，说自己根本不在乎这封信，以后再也不会瞧它一眼。

她心绪不宁地走着，心乱如麻。可是这样也不行，不出半分钟，信又展开了。这一次，她集中注意力，强忍住痛苦把与威克汉有关的内容再读一遍，逼着自己去弄清楚每一句话的含义。信中讲述的他与彭伯里的关系与他自己所说的毫厘不差；已故的老达西先生对他十分友善，虽说伊丽莎白本人不知道这种友善到了什么程度，但信中所言与威克汉所说的完全一致。这样，达西和威克汉各自印证了对方的话。可是在遗嘱方面，双方的说法可就大相径庭了。威克汉在供俸神职一事上的说法她还记忆犹新，甚至连原话都能回忆起来。细细一想，她不由得感到，这两个人必定有一个说假话。有一段时间，她甚至认为自己原先所想的不错，可是当把信读完一遍又一遍之后，信中关于威克汉以放弃牧师俸禄而换取三千英镑补偿等细节再一次让她犹豫不定。她放下信，尽量不偏不倚地权衡每一个细节，仔细斟酌信中每句话的每种可能性，还是一片茫然。双方各执一辞，是非难辨，无奈，她继续往下读。这一次，信里的字字句句似乎都清楚地表明事情可能正好相反：她原以为无论达西怎样能言善辩、花言巧语，都不可能掩盖得了自己的可耻行径，可现在他可能自始至终都是完全清白无辜的。

达西毫不犹豫地把挥霍无度、品行不端的评价加在威克汉的头上，这令伊丽莎白不胜惊诧，而她又无法证明这是不实之辞，不觉更加震惊。她在威克汉进入本郡民兵团之前，对他一无所知，而且他也只是在城里偶然碰上一位年轻人，并在这人的劝说之下才入伍的，而这位年轻人与他也只是泛泛之交而已。而至于他的生活方式，赫特福郡的人只是听他本人谈到一些，除此之外，大家毫不知晓。

至于他的人品，即使她可以了解到一些，也从不愿意打听什么。之所以认定他品德高尚，全是因为他的容貌、谈吐和风度。她绞尽脑汁想搜索到某些事例来证明他的德行，或者一些明显的优点表明他正直或者仁慈的品德，希望能击破达西对他的攻击；或者能通过他的一贯的美德来弥补那些不经意之中出现的过错，虽然达西说他多年游手好闲、恶习重重，可她还是更愿意把那些缺点看成是偶然过失。可是她着实无法在他身上找出这类优点。顷刻之间，她就可以想像出一个气度不凡、谈吐不俗的威克汉呈现在自己眼前，可是她无论如何也想不起他有什么实质性的美德，她回想起的充其量不过是邻居街坊们对他的赞赏、他以社交手段赢得的同伴们的赏识。她在这一点上沉吟了很久，又接着往下读信。可是，天哪！信中接下来写的关于威克汉对达西小姐的阴险图谋，正好从前一天早上伊丽莎白与菲茨威廉上校的交谈中得到了应验；信的结尾正是建议她去向菲茨威廉上校求证一切细节的真实性。其实，他早就知道了他对表弟达西先生差不多事事关心；而且他本人的人格也是不容怀疑的。她几乎真的立即就决定去向菲茨威廉询问真伪了，可是一想这样去问未免尴尬，于是就把这一想法搁置到一边去了。再后来，她想到达西先生如果对他表兄的证词没有足够把握是决不会冒失地提出这样的建议的，所以干脆就放弃了向菲茨威廉上校求证的念头。

伊丽莎白还清楚地记得在菲力普姨父家与威克汉第一次见面时他们之间的谈话。对他当时的许多话都记忆犹新。此刻，她惊诧地发现自己当时竟然与一位陌生人那样倾心交谈，实在冒失，她也奇怪，当时自己又为什么没有意识到这一点呢？她觉得威克汉一味标榜自己实在有失风度，也意识到了他言行不一的虚伪。记得他曾经夸口说根本不害怕见到达西，说达西要是害怕，就自个儿走开，他本人决不会退缩。可是在接下来的一星期，泥泽地别墅举行舞会，不到场的正是他。她还记得，在泥泽地别墅一行人离开乡下之前，他只是向她一个人讲述了他的身世，可是等那班人一走，这事就到处传开了；并且正是那时候起，这个口口声声说尊重达西老先生，从来不忍心抖落他儿子不是的威克汉，却急不可耐、不遗余力地诋毁达西先生的人格。

凡是与威克汉有关的事情，读信前后迥然不同！他向金小姐大献殷勤，纯粹是他贪图钱财的可恶本性使然。金小姐钱财并不多，但这并不说明他的贪心不大，而恰恰说明他贪财成性，见利眼红。由此看来，他对伊丽莎白本人所表现出的殷殷之情，其动机也是不可宽恕的：他要么是误认为她有钱财，要么就是企图赢得她的青睐以满足自己的虚荣心，而她竟然在不经意之间流露出了对他的好感。她在情感上极力为威克汉辩解，可是这种努力越来越显得苍白无力，而达西先生则更显得站得住脚了。她不禁想到，很久以前，姐姐简曾向宾利先生问起达西和威克汉的纠葛，宾利先生就断定达西在这件事上不会有错。达西虽然态度傲慢得让人难以忍受，不过在与他相识以来，特别是近期与他更为密切的交往中，她对他的为人处世了解更多了，却从来没有见到他有什么违规逾矩的不端行为，没有任何有违教规、有伤风化的陋习。他颇受亲友的敬重，就连威克汉都不得不把他视为兄长，她也常常听到他谈到妹妹时语气亲切，这不正说明了他这个人有情有义吗？倘若他的行为举止真的像威克汉所描述的那样为非作歹，他又怎能瞒得过世人的眼睛？那他与宾利这样与人为善的好人建立起友谊岂不更令人难以费解吗？

她感到羞愧难当。不管心中想到达西还是威克汉，她都深感自己一直以来太盲从、太片面，成见太深，做事太荒唐。

“我做事多么可恶啊！”她叫出声来，“我竟然还一直洋洋自得，自己认为有明辨是非的能力！我一直还以为自己精明能干呢！我竟然还一直对姐姐宽容仁慈的性格不以为然，而自己却总是疑神疑鬼呢！真是毫无意义、可恨至极。今天才发现，这真是奇耻大辱！真是羞死人了。要是我真的坠入情网，还真不知道自己糊涂到怎么可怜的地步呢。可是，我的愚蠢却不在于我是否恋爱，而在于我的虚荣心！有人对我殷勤，我就高兴；有人对我疏远，我就生气。从一开始结交他们，我就丧失了应有的理智，让偏见冲昏了头脑，表现得太无知了。此时此刻，我才算真正认识自己。”

她从自己想到了简，又从简想到了宾利，当她这样往下想的时候，立刻又回想到达西对简与宾利的说法似乎不太充分，于是她又打开信读了起来。经过第二次细读慢想，情形就大不一样了。在先前那件事情上她已经不得不认为达西有理，那么在另一件事情上又怎能否定他的话的真实性呢？他声称自己完全没想到过简对宾利萌动爱情，这不由得让伊丽莎白想到，夏洛特以前不也是这么认为吗？她无法否定达西对简的分析。简虽然感情丰富，但表面上从不显露，她总是一副怡然自得的神情，很难让人看到她情感细腻丰富的一面。

当她看到信中提及她家人的内容时，不由得感到羞愧不已。里面所说的虽然让人难以接受，却也不无道理。他的指责合情合理，让她无法否认。他特别提到了泥泽地别墅舞会上的事情，并承认自己从那天晚上起开始反对宾利与简的婚事，说这些事情让他记忆犹新，其实伊丽莎白也同样清楚地记得当时的情景。

至于达西对伊丽莎白和她姐姐的恭维，她不无感触。达西的恭维让她心情舒畅了些，都无法给她安慰：却只怪家人自作自受，遭致别人轻视。她认为，简的失恋实际上是由于亲人们一手造成的，而且他们的粗俗行为一定会让她们姐妹俩声誉大为受损。想到这里，她不禁感到一阵前所未有的沮丧。

她在小径上徘徊了两个小时，任由自己的思绪自由地伸展。她把所有的事情重新考虑了一遍，权衡了各种可能性，尽力重新调整自己以适应这一突如其来的重大变化，最后弄得疲惫不堪。她突然意识到自己出门已经很久了，该回家了。进屋的时候，她竭力保持着以往轻松的样子，尽量抑制自己的情绪，以免与别人说话时露出破绽来。

伊丽莎白一进屋，大家就告诉她，罗辛斯庄园的两位先生一前一后都来找过她。达西先生仅呆了几分钟就告辞了，而菲茨威廉上校却在这里坐了起码一个小时，等她回来，后来差一点还出去找她呢！伊丽莎白没有碰上菲茨威廉上校，表面上显得很惋惜，心里却感到高兴。菲茨威廉上校已经不是伊丽莎白惦记的对象了，她的心里装着只是那封信。

第三十七章

第二天一早，两位先生就离开了罗辛斯庄园。柯林斯先生一直在寓所房候着，躬送他们远去，回到家里就爆出一条令人欣喜的消息，说是两位先生虽然刚刚经历了一场离愁别恨，看上去依然身体健康、神清气爽。然后，他又赶赴罗辛斯庄园，去安慰凯瑟琳夫人母女，又满心欢喜地带着夫人的口信回家，说夫人她老人家觉得十分烦闷，切望大家与她共同用餐。

见到凯瑟琳夫人，伊丽莎白情不自禁地想到，如果她接受了达西的求婚，恐怕她此刻要以夫人未来外甥媳妇的身份行礼了，甚至还想到，夫人对此一定会大发脾气。她暗自觉得好笑，在心里自个儿逗乐："她会说些什么呢？她又会怎样做呢？"

大家一开始谈到的是两位先生辞别罗辛斯庄园的话题。凯瑟琳夫人说："不瞒你们，我对此最伤感了。我想，朋友离去，没有人有我这么伤心。我特别爱和这两个年轻人在一起，我知道他们也十分依恋我。他们实在不舍得离开这里，不过他们一向如此。亲爱的上校临走时还能强打精神，而达西就显得极为感伤，似乎比去年还要伤心呢。他对罗辛斯的依恋之情，可是愈来愈深了。"

柯林斯先生立刻恭维了一番，还暗示了一下其中的原因，凯瑟琳夫人母女俩和善地笑了。

用餐之后，凯瑟琳夫人发现贝内特小姐好像情绪低落，不免又对其中原因作了一番分析，说贝内特小姐可能是不愿意那么快就要回家去。末了，她补充说道：

“如果真是这样，就给你母亲写封信去，请她让你在这里多呆些时日。我相信，柯林斯太太有你陪伴，一定会非常高兴的。”

“我真心感谢您的挽留，”伊丽莎白答道，“不过，我无法接受这一盛情。我下星期六就得到达伦敦了。”

“唉呀，照这么说，你就只能在这里呆上六个星期啦。我原先还想到你要呆上两个月呢！你还没来的时候我就这么对柯林斯太太说过。其实，你不必这样匆匆忙忙就走了。贝内特太太一定会再宽限你两个星期的。”

“可我父亲不会同意。他上星期还写信来催我快点回家呢。”

“噢，要是你母亲答应了，你父亲岂有不同意之理？对父亲来说，女儿从来就是无足轻重的。你们要是再待上一个月，到时候，我就可以把你们其中一人带到伦敦。因为六月初我要去伦敦住上一个星期。道森如果不反对乘那驾巴洛克式马车，那正好宽宽松松为你们省下一个座位。要是天气凉爽，也不妨把你们俩一起捎带上，好在你的个头不大。”

“多谢您的美意，夫人。不过我们恐怕不便改变既定的计划。”

凯瑟琳夫人没再勉强。

“柯林斯太太，你可得派个仆人送送她们。你知道，我这人总是心直口快的，要是这两位姑娘独自乘车赶路，我可放心不下，这样也实在不妥，我最看不惯的就是这种事情。你务必派人去送送。年轻女士都应根据各自的身份得到合适的保护和照拂。去年夏天，我的外甥女乔治安娜上拉姆斯盖特时，我就特意强调要安排两名男仆随行。你想想，达西小姐，彭伯里达西先生的女儿，安妮夫人的千金小姐，如果不那样安排，岂不有失体统了吗？所以呀，对这类事情我是格外注重。你必须安排约翰护送两位小姐，柯林斯太太。幸好我及时提到了这一点，要不然，要是两位小姐独自上路，那您可就实在太丢面子了。”

“我舅舅会派人来接我们的。”

“哦！你舅舅！他雇有仆人？看到有人替你们操心那些事情，我也很高兴。你们打算在哪里换马？——噢，当然是布隆利罗！只要你们在贝尔旅店提到我的名字，就会有人关照你们的。”

凯瑟琳夫人问了许多关于她们旅行的问题，有些问题她自个儿作了答，有些则要别人回话，每当这时，她们可就得用心去听去说了。在伊丽莎白看来，她实在是侥幸过关了，因为她满腹心事，要不集中精力，说不定会答非所问，闹出笑话呢。心事应该属于一个独处的时光。当伊丽莎白独自在一旁的时候，总是痛痛快快地想着心事。每一天她都要独自一人出去散步，每次她都会尽情回想那些令人惆怅的事儿。

达西先生的那封信，没多久她都差不多能脱口背诵了。她对信中每个句子都反复琢磨，对那位写信人的感觉时冷时热，波动很大。她一想到达西信中的语气，仍然怒火中烧；可是转念想到自己一直在无端指责他，不由得又将满腔的怒火转移到了自己身上。特别是一想到他求婚不成的失望心情，伊丽莎白顿生同情。达西的倾慕让她心存感激，他的人格让她敬重，然而她就是不能接受他的真情，甚至对自己拒绝他的求婚没有丝毫懊悔之情，也没有一丝一毫想与他再次相见的愿望。她时时为自己过去的行为而苦闷、后悔，而家人身上存在的种种让人难以接受的缺点让她更是懊恼不已，但又无药可治。她的父亲总是对他们的缺点冷嘲热讽，却从来不会去想办法约束几个小女儿的轻佻放荡的性格；而她的母亲，她自身的行为举止就有失体面，自然就完全分辨不出是非美丑了。伊丽莎白经常和简齐心协力，努力纠正凯瑟琳和丽迪亚的轻佻行为，可是她们仗着有母亲纵容，根本没有一点长进。凯瑟琳缺乏主见，性情急躁，完全受丽迪亚摆布，对两位大姐姐的建议充耳不闻；丽迪亚则自以为是，粗心大意，对她们的话根本不听。这两个妹妹愚昧、懒散而且贪慕虚荣。只要麦里屯来了一位军官，她们就去打情骂俏；由于麦里屯离龙博恩路程不远，她们恨不得天天去那儿。

伊丽莎白甚为牵挂的还有一件事，那就是为姐姐简着急。达西在信中的一番解释不由得让伊丽莎白恢复了对宾利的好感，但又让她更加感觉到简的损失之大。宾利对简的感情被证明是真挚的，他的行为也无可挑剔，如果说有什么可以指责的话，充其量不过是他对朋友的绝对信任。简本来已经遇上了一个各个方面都十分理想的机缘，可以给她带来大吉大利、终生幸福，到头来这大好前程却因为家人的愚昧和无礼之举白白断送掉了，想到这些，真叫人扼腕痛心。

伊丽莎白随后又把威克汉的人品分析了个透彻，一步步认识了这个人的本质。不难想象，她那少有忧郁沮丧的乐天派性格受到了多大影响，此刻，她连强装欢笑都做不到。

还有一个星期就要离开了，这段时间她的频频应邀赴罗辛斯庄园聚会，就像她们刚到这里的那个星期一样。最后那个晚上也是在那儿度过的，老夫人又一次详详细细询问了她们旅途的安排，给她们一些具体的指示，教她们怎样收拾行李，并且特别强调要把长礼服放得规规矩矩。玛丽亚一回到住处就把早晨收拾好的行李解开，按老夫人的吩咐，重新整理了一遍。

她们辞行的时候，凯瑟琳夫人还放下架子，祝她们旅途平安，并邀请她们来年再到亨斯福做客。德·波尔小姐也表现出了最大的礼貌，向伊丽莎白和玛丽亚一一握手道别。

第三十八章

星期六早晨，伊丽莎白和柯林斯先生不约而同地比其他人早几分钟来到了餐桌前，柯林斯先生趁着这会儿功夫向她道别。在他看来，这是必不可少的礼仪。

“伊丽莎白小姐，”他说道，“我不知道我太太是否对您光临寒舍表达过谢意，不过我相信，在您离别之前，她一定会对您的友善之举表示感谢的。说实在的，我们非常珍惜您和我们一起度过的时光。我们自知,家舍贫寒,难得有客人愿意光临。我们这里生活清苦，住房狭小，又雇不起多的仆人，再加上我们见识浅陋，这一切一定会让像您这样的女士认为，亨斯福实在乏味至极。不过，请您相信，我们对于您大驾光临不胜感激，并且一直在竭尽全力为您在这里的生活添色增彩。”

伊丽莎白连忙道谢，说这段时间过得非常愉快。她说这六个星期过得十分开心，与夏洛特在一起非常愉快，并且得到了很好的关照，这一切都让她感激不已，柯林斯先生听得十分中意，面露微笑而又不失庄重地说：

“听您说在这里日子过得还算顺心，我感到莫大的欣慰。我们总算尽了自己的一份心。万分幸运的是我们能够把您引荐到上流社会，而且由于我们与罗辛斯庄园的关系密切，还能够经常上那儿去走动一下，才不至于让您一直忍受我们家单调乏味的寒碜景象。因此，我们还能聊以自慰地认为，您的亨斯福之行还不至于无法忍受。我们与凯瑟琳夫人一家的交情，的确是我们得天独厚的优势，也是我们的福分，这一点是别人无法相比的。您看到了我们的社会地位有多高，您也看到了我们是怎样频繁地被邀请到罗辛斯庄园赴宴。老实说，我这所教士住宅楼虽说寒酸，还有诸多不便，可是我认为只要来到这里，就可以与我们一起分享罗辛斯庄园的情义，就在享受一种福分。”

他说到激昂处，语言已经不足以表达他的心情，于是干脆起身在餐厅里踱来踱去。伊丽莎白简单地说了几句，语气既客气又真诚。

“其实，亲爱的表妹，你完全可以把我们这里的情况转告给赫特福郡的亲人，并请多多美言，我相信你一定会做到的。凯瑟琳夫人对柯林斯太太关怀备至，这你可是天天亲眼目睹到的。我完全有理由相信，你的朋友当初并没有作出不幸的……不过，在这一点上还是不说为妙。我只想告诉你，我的伊丽莎白表妹，我是打心眼里真诚地期待着，你会找到一份同样美满幸福的婚姻。亲爱的夏洛特和我，我们俩之间志同道合，同心同德，遇事总能心心相印，意气相投，简直就是天造地设的一对。”

伊丽莎白本来想说一句像他们这样的姻缘的确是莫大的幸福，并且用同样真诚的语气加上一句，说她着实觉得他们夫妻俩生活得有滋有味，她自己很喜欢这里舒适的生活。她的话刚说一半，他们正在谈论着的夏洛特走了进来。见自己的话被打断了，伊丽莎白也没有丝毫遗憾。可怜的夏洛特！把她一个人留在这里与这样的人朝夕相处，实在让人替她难过。可这也是自己睁着眼睛做出的选择。此刻，夏洛特看着自己的好友和妹妹即将离开，心中的遗憾明显地流露出来，但让人看不出有丝毫乞求同情的神情。她要管家又要做家务，她要协助料理教区的事务还要喂好自家的家禽，这桩桩件件虽然繁烦，对她却仍然充满诱惑。

终于，马车到了，箱子捆在车顶，包裹放在厢内，一切准备停当，两位好友就此依依作别，由柯林斯先生护送伊丽莎白上马车。当他们穿过花园的时候，他请伊丽莎白向她的家人转达他最良好的祝愿，叮嘱她务必代他为去年冬天在龙博恩爱到的热情款待表示感谢，并请她代为向素昧平生的加迪纳夫妇表示问候。千叮咛万嘱咐之后，他才扶伊丽莎白进了马车，接着玛丽亚也上了车。就在车门关上之际，他突然急急忙忙地提醒两位女士，她们还忘了给罗辛斯庄园的夫人小姐留下祝福的话哩。

“我想，你们一定希望我代为向她们转达你的敬意，”柯林斯先生又说道，“你们也一定会对她们在这段时间的热情友善表示感谢。”

伊丽莎白没有表示反对。车门这才被关上，马车启动了。

“天哪！”玛丽亚沉默了几分钟之后，突然叫了起来，“真像是才来了一两天一样。不过经历的事情可真不少啊！”

“的确不少！”同伴叹息一声，说道。

“我们在罗辛斯庄园吃了九顿饭，喝过两次茶！这下子我要讲的事情可多了！”

伊丽莎白暗自也在说：“我要隐瞒的事情可多了。”

一路上，两人言语不多，倒也无惊无险，平平安安。离开亨斯福不到四个小时，她们就已经到了加迪纳先生的家。她们在这里还要呆上几天。

简的气色不错，伊丽莎白也没有机会想自己的事。好心的舅妈已经为她安排了各种各样的活动，让她一刻没得闲。不过，反正简也要和她一块回家的，到了龙博恩，她就可以从从容容地观察简了。

此刻，伊丽莎白真想把达西求婚的事情告诉姐姐，可还是强忍了下来，决定回龙博恩之后再说。她知道，这事一旦说出，准会叫简大感震惊，也会大大满足自己无法用理性克服的虚荣心。她真想一吐为快，却又拿不准说到什么地步合适，又怕一旦谈及这个话题，难免又要提到宾利，这样会让姐姐更为伤心。所以她始终犹豫不决。

第三十九章

转眼到了五月份的第二个星期，三位年轻姑娘从慈恩教堂街一起动身，往赫特福郡的一个小镇方向行进。贝内特先生事先就与她们约定好了，将派马车在一家旅馆等候他们。当小姐们还没进旅馆就发现凯蒂和丽迪亚正从楼上的餐厅往下张望，这说明马车已经准时到达。这两位姑娘已经到了一个多小时，一会儿到对面的女帽店闲逛，一会儿去瞅瞅站岗的哨兵，甚至还调制好一盘黄瓜色拉，玩得开心极了。

两位姑娘将姐妹们迎了进来，洋洋自得地摆上了一桌旅馆常备的冷肉，尖声嚷嚷着："这不挺好的吗？难道这不是意外惊喜吗？"

"我们打算犒劳你们一顿，"丽迪亚附和道，"不过得先向你们借点钱。我们的钱已经花在对面那家店里了。"说着，拿出刚买来的东西给姐妹们看："瞧我买的这顶帽子。虽说这帽子不算十分漂亮，不过，买了就买了吧。回家之后我就把它拆开，看能不能改得更漂亮些。"

姐妹们都说这顶帽子难看，丽迪亚却毫不在乎地说："噢，那儿还有两三顶更难看呢。等我买一些颜色鲜亮一点的缎子把它装饰一新，那样肯定中看。再说，今年夏天穿戴什么也无关紧要，反正本郡民兵团再过两个星期就要离开麦里屯了。"

“真的吗？”伊丽莎白叫了起来，顿时觉得轻松极了。

“他们要开拔到布莱顿附近驻扎下来。我真希望爸爸能把我们都带到那儿去过夏天。这个计划太诱人了，而且花钱也不会多。妈妈也一定愿意去！你们想想要不这样，我们又得过一个惨兮兮的夏天了。”

“这话不假”，伊丽莎白心中暗想，“那真是一个不错的计划，而且马上就会要我们的命。天哪！布莱顿，满军营的兵士！光是麦里屯一个民兵团一个月举行一次舞会就把我们折腾得够呛了。”

“现在,我要告诉你们一些消息，”等大家落座之后,丽迪亚说道，“你们猜猜是什么事情！这可是个大好消息，特大新闻，与我们大家都喜欢的一个人有关。”

简和伊丽莎白相互对视了一下，连忙把侍者支开。丽迪亚大笑着说：

“哎呀，你们又是那样懂慎小心，疑神疑鬼的。你们以为那侍者想听哪，他才不会在乎呢！我敢肯定，他平时听到的惊人的事情多着哩,我要讲的还算不了什么！不过,那家伙长得太丑,走了也好。我一生都还没见过像他那样尖的下巴。好了，现在该听听我的消息了。这是有关亲爱的威克汉的一条消息。这么好的消息，那侍者不配听！现在威克汉娶金小姐的可能性已经不复存在了，你的机会来了！金小姐要到利物浦去，去了就呆在那儿了。威克汉可就不受干扰了！”

“玛丽·金也不受干扰了。”伊丽莎白接了一句，“从财产方面来看，那本来就是一桩荒唐的姻缘。她再也不会受那桩姻缘的困扰了。”

“要是她喜欢他，那她离开这里可就太傻了。”

“但愿双方都没有在情感方面陷得太深。”简说道。

“我敢肯定，他并没有动真情，他丝毫都没有在乎她。谁会看得上一个满脸雀斑的梳着辫子的小丫头呢？”

伊丽莎白心想，自己虽然无论如何也说不出这样粗糙的话语，

CEB

而自己心里却有过与这不相上下的粗俗的念头，当初还自以为是宽宏大量呢。想到这里，她不胜惊讶。

大家吃完饭，姐妹们付了账，就让人备好马车。经过一番精心安排所有的行李包裹以及凯蒂和丽迪亚刚刚购买的一些讨厌的东西，全都放进了马车，也各自坐在自己的座位上。

“我们都挤进来了，真棒！”丽迪亚叫嚷着，“我买的那顶帽子，就算是为了单单再添置一个帽盒，也值。好了，我们就这么舒舒服服地挤在一起，一路说说笑笑地回家去。首先，请你们讲讲离家在外的经历。有没有遇上中意的男人？有没有去和别人打情骂俏呢？我倒是满怀希望，看你们中谁能够在外面找个如意郎君呢。我说，简都快要成老处女啦！她都二十三了。天哪，要是我在二十三岁之前还不嫁人，简直就要羞死人了。你们想不到吧，菲力普姨妈多么希望你们能找到如意郎君。她说，丽兹最好是嫁给威克汉先生，不过我倒不觉得这话只是说着玩儿的。唉呀，我真恨不得比你们早一点结婚，这样我就可以领着你们到处参加舞会了。前几天我们在福斯特上校家玩得多开心呀！凯蒂和我准备到那儿去呆上一天的，福斯特太太还答应晚上开个小型舞会呢！（顺便说说，福斯特太太和我可是贴心好友！）当时她请哈林顿家两位小姐参加，不巧哈瑞特病了，所以佩恩只好一个人过来。你们猜，我们当时玩了些什么？我们给张伯伦穿上女装，把他打扮成女人模样。瞧那滑稽样儿！这事儿只有科尔福斯特太太、凯蒂和我知道，别人谁也不知晓，就连姨妈都给瞒住了，尽管我们当时得向她借一件女式长裙。你们恐怕想像不到，他扮得真神。当丹尼、威克汉、普拉特和两三个男人一起走进来时，他们丝毫都没认出他来。唉呀，当时我笑得都喘不过气来。不过，我们这一笑，倒让那些男人们怀疑起来，不久就弄清了这是怎么一回事。”回龙博恩的路上，丽迪亚尽讲些自己参加舞会的趣事和笑话，凯蒂不时地在旁边添油加醋，努力想把同伴们逗乐。伊丽莎白极力不去听，可是仍然注意到她们反复提到了威克汉的名字。

回到家中，她们一行人受到了极为亲切的接待。贝内特太太见到大女儿依旧美丽动人，喜不自禁，贝内特先生则在饭桌上不止一次地对伊丽莎白说：

“我很高兴你回来，丽兹。”

餐厅里坐的人可真不少，因为卢卡斯一家大小也差不多都来了，他们一是来接玛丽亚，二是来听听消息，所以对那些五花八门的话题都听得十分专注。卢卡斯夫人还隔着桌子向玛丽亚打听大女儿的生活境况如何，家禽养得怎么样。贝内特太太则显得倍加忙碌，一再向坐在下手的简打听有关当前流行时装的信息，一面把刚刚听到的话一一传给年轻的卢卡斯小姐们。丽迪亚嗓门比谁都要大，向愿意听她说话的人一件一件地讲述着今天早晨的各种趣事。

“噢，玛丽。”她说，“你要是和我们一起去过就好了，我们玩得太开心了。去的时候，我们把马车的车窗全都放下，假装里面空无一人。要不是凯蒂晕车，我一路上都会这样。等到了乔治旅馆，我敢说，我当时做得特棒，我们请她们三位品尝了世上最美的冷餐。你要是在场，我们当然也会请你的。回家的时候，那才好玩呢。我真没想到这么多人还都能挤进那辆马车。我都要给笑死了。这一路上，我们那高兴劲儿呀，别提了。我们有说有笑，嗓门特大恐怕十里开外的人都能听得到。”

玛丽听了，神情变得十分严肃，说道：“亲爱的妹妹，并不是我有意要破坏你们的好心情。说实话你们说的那些事情一定迎合一般的女子的情趣，但对我来说，并没有吸引力。我更喜欢的还是读书。”

可是丽迪亚丝毫都没有把玛丽的话听进去，她很少听人说话超过半分钟的，而对玛丽的话根本就不听。

下午时分，丽迪亚一个劲儿地鼓动其他姑娘上麦里屯去，看看那边的朋友的日子过得怎样。伊丽莎白自始至终都反对这个提议，生怕别人传出流言飞语，说贝内特家的小姐们在家里半天都呆不住，就急着去和那些军官们追逐调情。她之所以反对这项计划，还有另一个原因：她害怕再次遇到威克汉，并且已经下定决心尽量避开他。好在民兵团就要开拔，这个消息给了她说不出的慰藉。还有两个月他们就要离开了，她希望他们一走，就不会因为威克汉而苦恼不堪了。

伊丽莎白在家里没呆上几个小时就发现丽迪亚在旅馆里提到布莱顿消夏的计划已经成为了父母反复争论的话题。她清楚地看得出，父亲丝毫没有同意这个计划的意思，不过他的话显得太不坚决了，模棱两可，所以母亲几次碰钉子之后，仍然没有放弃成功出行的希望。

第四十章

伊丽莎白再也忍耐不住了，她决定把发生的一切向简吐露出来，但把与姐姐有关的所有细节保留下来，尽管如此，她仍然觉得姐姐一定会很惊讶。第二天一早，她就把达西先生向她求婚的主要情节向姐姐讲述了一遍。

简先是大吃一惊，但很快又平静了一些。出于对妹妹的偏爱，她觉得无论谁爱上妹妹，都是十分自然的事情，不久，她的心里又起一些别样的感觉，把先前的惊诧冲得无影无踪。她觉得遗憾，认为达西不该以一种不恰当的方式来表达对丽兹的爱；不过，她更为他难过：妹妹拒绝了他的求婚，这会给他带来多大的痛苦啊！

"他对求婚成功过于自信，甚是不妥，"她说，"至少他不应该流露出来。不过，你把人家拒于门外，无疑增加了他的失望啊！"

"说实在的，我真心为他难过，"伊丽莎白回答道，"可是，他心中还有些别的顾虑，或许这些顾虑会让他对我的好感很快就消失得无影无踪。难道你会因为我拒绝了他而责怪我吗？"

"责怪你？不，不会的。"

"那你是怪我当初不该还对威克汉大加赞赏了？"

"不，你当时那样对待他，我至今也看不出有什么错。"

"你要是听了第二天的事情，你就会知道我错在哪儿了。"

于是，伊丽莎白谈起了那封信，把信中有关乔治·威克汉的内容一古脑儿地讲了出来。这下子，可怜的简吃惊不小。她这个人本来是宁愿吃尽世上的苦头也不愿相信人世间有那么多邪恶，如今却发现那么多的邪恶居然集于一人之身；达西这一番表白，虽说让她幡然醒悟，却终究难以抚平她因为了解到真相而产生的伤痛。她竭尽所能，想证明这是一场误会，努力去为一个人洗清罪责，同时又极力保持另一个人的清白。

"这万万行不通，"伊丽莎白说道，"你无法做到两全其美。你必须作出选择，而且只能选择其中一个。其实，在他们两个人之间只有那么一丁点的优点，只够粉饰一个人的，可是近来这点优点似乎总是在两人之间飘忽不定，让人看不清楚。我倾向于认为那些优点应该属于达西先生。不过，你也可以作出自己的判断。"

过了好大一会儿，简的脸上才勉强露出一丝笑容。

"我想，这是让我最感震惊的事了，"她说，"威克汉实在太坏，真让人难以相信。达西先生也真可怜。好丽兹，你想想，他会怎样痛苦啊！如此痛苦的失恋！而且，他明知你对他印象不好，却还要把他妹妹的事情告诉你！那件事的确太痛苦了。你一定也能感觉得到。"

"噢，不。看到你又是遗憾又是同情，我原先的遗憾和怜悯之情反而荡然无存了。我知道你会还他一个公道，所以我对这件事就越来越漠然，是你的同情心让我从中解脱出来。你越是为他痛惜，我的心就越轻松，就会像羽毛一样轻松。"

"可怜的威克汉！他的面容竟然那样和善，举止竟然那样大度、优雅。"

"他们两个人的教养一定各有不足。一个光有心灵之美，另一个徒有外表之美。"

"你以前总是认为达西先生的外表举止一无是处，可我从来没这么看他。"

"我无缘无故地讨厌上他，而且这种情感那样坚定，我倒也觉得自己出奇的明智。这样的厌恶感的确能激发天才，开启睿智。一个人如果总是辱骂伤人，就不可能说出公道话语；可是一个人要是总是嘲笑他人，说不定会时不时地冒出一些妙语真言。”

“丽兹，我敢说，你第一次读这封信时，你的态度与现在大不一样。”

“这话不假，当时我深感不安，非常不安，可以说是不快乐。当时，我没有人去诉说心中的感受，你也不在旁边安慰我，对我说我并不像自己想象的那样脆弱，那样虚荣，那样荒唐。嗨，我当时是多么需要你。”

“真是太不幸了，你竟然在达西先生面前用那样热烈的措辞谈论威克汉。现在看来，他们两人都不值得你那样对待。”

“话是这么说，可谁叫他以前让我对他产生偏见呢？我对他说话刻薄，造成遗憾，正是这种偏见产生的再自然不过的结果。但有一点，我确实需要你帮忙拿主意。请你告诉我，我们是不是该让我所认识的人都认清威克汉的人品。”

简沉吟半晌，说道：“我看，没有必要把他弄得臭名昭著。你自己怎么看呢？”

“我看不必，达西先生没有授权让我公开他说的话，相反，一切与他妹妹有关的细节都应该遵从他的要求，绝不泄漏出去。如果这点不说，就算费尽心机去让大家相信他在其它方面的为人，又会有谁相信呢？人们普遍对达西抱有成见，其成见如此之深，麦里屯一半的善良人死也不会相信他是正人君子。所以，我实在无可奈何。好在威克汉不久就要离开这里了，对这儿的人来说，他是一个什么样的货色也无关紧要。过不了多久，人们也会醒悟过来的，到那个时候，我们就可以嘲笑他们愚蠢之至，竟然先前都没有认清这个人。所以说，我会绝口不提这件事。”

“你说得对，要是把他的过错公之于众，岂不就毁掉了他的一生？此时此刻，他或许正为自己以前的行为后悔，或许正迫切希望能重新塑造自己的形象呢。我们万不可把他往绝路上逼。”

这次谈话之后，伊丽莎白喧嚣的心境开始宁静下来。两个星期以来，她被两个秘密压迫得喘不过气来。如今终于卸掉了，而且她相信，今后她再次谈论到这些秘密时，简一定会乐意倾听的。可是，这两件秘密之后还隐藏着秘密，出于谨慎，她目前还不能透露出来。她不敢把达西信中的另一半内容告诉姐姐，也不敢告诉她宾利先生如何真诚地爱恋着她。谁也不能知道这个秘密。她深知，除非姐姐与宾利先生之间彻底沟通，否则决不会捅开这最后的一道秘密。她心想："万一那件不可能的事真的发生，我再把真情告诉她也不迟，不过，到那时，宾利也会把这一切亲口告诉她，而且还会讲得更引人入胜。等到我能无所顾忌地说起这件事时，恐怕已经失去了它原来的价值。"

在家里安顿下来之后，她就开始不慌不忙地研究她姐姐的精神状态。简并不开心，心中依然珍藏着对宾利的微妙情感，尽管她从来没有想到自己已经坠入爱河，她对宾利的那份情感却与所有少女的初恋一样温馨热烈，而且由于年龄和性格的关系，她的那份爱恋比起一般的初恋更显得坚贞。她痴情地眷恋着宾利，把他视为世间最优秀的男人，若不是她阅历丰富，体贴亲友的情感，恐怕她已深深地陷入遗憾和感伤之中不能自拔，落得自己身虚体弱，亲友们心绪不宁。

有一天，贝内特太太开口问伊丽莎白："丽兹，你对简的这桩不幸事怎么看？照我说，以后决不要向任何人提起这事。前天，我对你的菲力普姨妈也是这样说的。我知道，这次简上伦敦，连他的影子都没见着。算了，他这样的年轻人不值得爱，我想简今生今世再也不会有机会嫁给他了。到现在还没有听说今年夏天他会回到泥泽地别墅的事呢。凡是有可能知道一点消息的人，我都一一问过了。"

"我想他不会再回泥泽地别墅住了。"

"唉，算了，随他去吧！没人想着要他回来。我会逢人就说，他把我女儿给坑惨了。我要是她呀，怎么也咽不下这口气。唉，等到简带着一颗破碎的心离开这个世界时，让他为自己做错的事后悔去吧。他活该！”

伊丽莎白根本就没指望从这样的臆想中得到什么慰藉，于是，她没有吭声。

“喂，丽兹，”没隔多大一会，母亲又开口了，“柯林斯夫妇过得挺滋润的吧？好了，好了，但愿他们幸福长久。他们家饭菜怎么样？夏洛特是个出色的管家婆，我敢肯定。就算她只有她妈妈一半精明，也算非常节俭了。我敢说，他们居家过日子绝对不铺张浪费。”

“是的，您说的不错！”

“凭这一点，就可以说是治家有方。是的，是的，他们会精打细算，杜绝入不敷出的。他们决不会为钱发愁。好呀，这对他们会大有好处。所以说，他们一定总在商量着等你爸爸一死，就把龙博恩给接过去。我敢说，他们现在就已经把龙博恩视为己有了，接管它只是时间问题。”

“这种事情，他们怎么可能当着我的面谈呢？”

“是啊，要是那样，岂非怪事。不过我敢肯定，他们常常在私下里商谈着这事。得，得，要是他们心安理得地拿走这笔不义之财，那就由他们去吧！我要是继承一笔别人的财产，我会脸红。”

第四十一章

转眼之间，伊丽莎白和简回到家里已过了一个星期，第二个星期开始了。这是民兵团在麦里屯驻扎的最后一个星期，附近的年轻姑娘们一个个都耷拉着头，一派沮丧的气氛，只有贝内特家的两位大小姐依然吃得香，睡得好，跟往常一样该做什么就做什么。凯蒂和丽迪亚伤心到了极点，无法理解自己家里竟然有这样铁石心肠的人，止不住常常指责姐姐们冷酷无情。

“天哪！我们该怎么活呀！我们该怎么办呀！”她们常常这样悲伤地大叫，“你怎么还能笑得出来，丽兹？”

她们的慈母也同样伤心，不禁想起了二十五年前自己也经历过相似的一幕。

“想当初，米勒上校的民兵团开拔的时候，”她说，“我哭了两整天哩，当时我觉得心都要哭碎了。”

“我肯定心都要碎的。”丽迪亚说。

“大家要能去布莱顿该多好啊！”贝内特太太说。

“哦，对！要是能去布莱顿就好了！可是爸爸不同意呀。”

“洗洗海水浴，我一辈子不会生病。”

“菲力普姨妈也说，洗海水澡对我大有好处。”凯蒂附和道。

这样的感叹在龙博恩这户人家上上下下时时刻刻都可以听到。

伊丽莎白本想拿她们开开心，却不想满脑子都是羞愧，全然没有一点快乐可言。她再一次想到，达西先生的评价多么公允啊！她竟然第一次心甘情愿地原谅起他对朋友婚姻大事的阻拦了。

可是不久，丽迪亚心头的愁云消散了。民兵团福斯特上校的太太向她发出了邀请，希望丽迪亚陪她上布莱顿去。这位高贵的朋友是一位年轻女士，与福斯特上校结婚不久。她与丽迪亚气味相投，都性情奔放，精神乐观，所以她们才认识了三个月就做了两个月的知己。

此时此刻，丽迪亚欣喜若狂，对福斯太太敬佩不已，贝内特太太也喜出望外，凯蒂则悲痛伤心。这幅景象真是难以言表。丽迪亚全然不顾凯蒂的感觉，自顾自地在屋里疯狂地东奔西跑，让大家向她道贺。她大呼小叫，嘻嘻哈哈，越闹越凶；而时运不济的凯蒂独自一人躲在小客厅里怨天尤人，举止怪异，语气中充满了恼怒。

“我弄不明白，福斯特太太为什么不能同时邀请丽迪亚和我呢？”她自言自语地说道，“我不是她特别要好的朋友，可我同样有权接受邀请呀。我比丽迪亚还大两岁，我受邀请的权利应该更大些才对呀！”

伊丽莎白努力劝她理智一些，简也劝她不要死心眼儿，可全都是徒劳无功。就伊丽莎白而言，丽迪亚接到邀请一事并没有引起她丝毫激动，尽管母亲和丽迪亚本人为此激动不已。事实上，她认为这是丽迪亚尚存的一点理智的死亡通知书，因此，她悄悄劝说父亲，让他别放丽迪亚走，哪怕自己的行动被泄露之后会遭致多方责难也在所不惜。她极力向父亲陈述，丽迪亚一贯行为有失检点，与福斯特太太这样的女人交上朋友不会带来什么好处，特别是到了布莱顿，与这样的女人为伴，特别是面对比家乡更多的诱惑，她的行为举止可能会更加放纵。父亲专心地听她说完，然后开口说道：

“丽迪亚不在公共场所出点丑是决不甘休的。照现在的情况来看，她会付出惨重的代价，给家人带来很大的麻烦。”

“既然您已经意识到了丽迪亚这样行为不检，放荡不羁会丢人现眼，并且会让全家人跟着丢脸的话，不，已经让全家人丢脸的话，我相信您一定会用完全不同的方式来定夺这件事。”

“已经丢脸了！”贝内特先生重复了遍，“难道说她已经吓跑了追你的人？可怜的丽兹！不过，不要气馁。那些吹毛求疵的年轻人，女方家里人荒唐一点的行为都不能容忍的，根本就不值得你去遗憾。来吧，告诉我，都有哪些可怜的家伙是因为丽迪亚的愚蠢行为退缩的。”

“说真的，你误解我的意思了。我没有受到这类伤害，自然就不为这些事忿恨不平了。我现在抱怨的不是具体哪一种害处，而是一般性的害处。丽迪亚那种放荡不羁、我行我素的性格一定会有损我们家的尊严和声誉。请原谅，我必须说得这么直接。亲爱的爸爸，您得采取措施，管束一下她的野性，让她明白自己目前情场追逐嬉戏并不能成为将来的谋生手段，要不然，她就无可救药了。到那时，她的性格一旦定型，在十六岁的时候就会变成一个执迷不悟的放荡女人，让自己和全家遭人耻笑。而且，她将成为一个最坏最下贱的女人，除了青春和模样一无是处，头脑愚昧，思想空洞，疯狂追求别人的爱慕，到头来换来的却是人们普遍的轻蔑。她根本无法抵挡人世间哪怕些许的蔑视。凯蒂也面临这种危险。她总是紧跟丽迪亚后尘。虚荣、无知、懒散，十足的浪荡样儿。噢，好父亲，我认为，她将来无论走到哪里，只要被人们认出来都会遭到唾骂和鄙视，连她们的姐姐也常常会被人羞辱。您认为我说的有道理吗？”

贝内特先生见女儿把这事看得很重，便爱抚地握住她的手，回答说：

“别着急，乖乖。无论人们在哪里见到你和简，都会尊重你们的。虽说你们有两个、或许是三个傻妹妹，这也不会对你们有不利影响的。要是丽迪亚不去布莱顿，整个龙博恩都会不得安宁。那就让她去吧。福斯特上校也是个通情达理的人，不会让她瞎胡闹的。幸运的是，她一无家产二无钱财，不会成为男人们追逐的对象。到了布莱顿，就算她是个一般的浪荡女，也不会有在这里的时候那么受追捧。军官们会找到更出色的女人。所以，我们有理由相信，她到了那儿就会自愧不如别人。无论怎样说，她也不会坏到什么程度，还不至于让我们用锁链套住她一辈子吧？”

父亲的回答丝毫没有让伊丽莎白认同，她无可奈何地点了点头，怀着失望和遗憾的心情走开了。不过，就她的本性而言，她是不会对这些事情耿耿于怀平添苦恼的，她深信自己已经仁至义尽，不必再为那些不可避免的恶行丑事而伤神，也不必再忧心如焚地去说服谁了。

假如丽迪亚和母亲知晓了她与父亲的谈话内容，她们的愤怒将是无法想像的，一定会勃然而起，同时向她攻击。在丽迪亚的幻想之中，布莱顿之行意味着体验一切人间欢娱，她用创造性的目光在内心里憧憬着到处都是军官的海滨浴场，那里的街道，还有那里的神奇经历。她仿佛看到几十名军官向自己大献殷勤，还有好多素不相识，仿佛看到那座蔚为壮观的军营，看到了那一片片连绵伸展的帐篷，里面满是青春焕发血气方刚的官兵，他们全都身着光彩夺目的红制服。她也仿佛看见自己安坐军中帐里，风情万种，同时与不下六名军官眉来眼去打情骂俏。这是她幻想中不可缺少的一部分。

假如丽迪亚真的知道了她的姐姐极力想把她从如此美妙的幻想和现实中拽回来，她将是何等感受呢？只有妈妈才能理解她，因为她自己也有过几乎相同的感受；也只有丽迪亚前往布莱顿才能给她悲伤的心灵以慰藉，因为她深知，丈夫根本就不打算去布莱顿。

可是，她们对伊丽莎白阻拦一事一无所知。她的情绪高涨，一直持续到丽迪亚成行的那一天。

伊丽莎白又要见威克汉了。她回家之后的这段时间，也与他有些往来，原先的烦恼早已不复存在。当然以前并不因为对他的倾慕而泛起的躁动也已荡然无存。她甚至开始发现，他原先拥有的，曾经赢得她的芳心的翩翩风度是那么矫揉造作，千篇一律，让人恶心讨厌。眼前，威克汉对她的大度又一次引起了她的不悦。他试图重新燃起他们初识时的情感火花，重温旧梦，对于经历了一场变故的伊丽莎白来说，这一企图只能激发她的恼怒。被这种游手好闲，轻浮浅薄之辈作为追逐对象，使她对他残存的一丝情感烟消云散。在威克汉看来，自己不用向她解释这么长时间把她冷落一旁的原因，随时可以再次赢得她的芳心，让她的虚荣得到满足，却没想到这更加深了伊丽莎白对她的厌恶，她只是强忍着没有骂出来。

民兵团在麦里屯驻扎的最后一天，龙博恩宴请了威克汉和其他几位军官。伊丽莎白压根儿就不想与威克汉好声好气地告别。当威克汉问到她在亨斯福郡的生活情况时，她有意提起菲茨威廉上校和达西先生在罗辛斯庄园住了三个星期，并问他认识不认识菲茨威廉上校。

威克汉闻言，先是一惊，继而不悦，接着大惊失色。不过，他不久就镇定下来，继而一笑，回答说，自己以前常常见到菲茨威廉上校，并说他非常具有绅士风度，接着反问伊丽莎白，她对这位上校印象如何。伊丽莎白对菲茨威廉赞叹了一番。之后，威克汉以一副漫不经心的口气问道："你刚才说他们在罗辛斯住了多久？"

"将近三个星期。"

"你经常见到他？"

"是的，几乎天天见。"

"他的言行举止与他表弟的大不一样啊！"

"不错，完全不同，不过，与达西先生交往之后，我对他的印象有了改善。"

"真的？"威克汉叫出声来，他的神情一丝一毫都没有逃过伊丽莎白的眼睛。"不过，请问你，"他克制住自己的情绪，换了一种更轻松的口气说道，"他是在谈吐方面进步了？他真的放下了高高在上的架子，多了几分随和？我可不敢相信，"他的语气变得严肃起来，压低声音继续说道，"他在本质上有了进步。"

"哦，不。"伊丽莎白说道，"我想他的本质并没有变。"

听到伊丽莎白这么一说，威克汉真不知自己是该高兴还是该表示怀疑。她的表情令人琢磨不透，他心中忐忑不安，急于想知道她到底想说什么。这时只听她继续说道：

“我刚才说，经过与达西先生交往，我对他的印象有了改善，我可不是说他的思想或行为正在改进，而是说与他交往得越多，就越了解他的性格。”

威克汉顿时大惊失色，脸涨得通红，一副惶惶不可终日的神情，有好几分钟，他一声不吭，极力想摆脱他的窘困。过了好一会儿，他终于又转过头来，用极其温和的语气对伊丽莎白说：

“你是非常了解我对达西先生的感情的，你一定会理解，当我得知他终于走上了正道，哪怕只是表面如此，我也感到由衷的高兴。在这方面，他的高傲性格可能起了作用，这即使对自己无益，对许多其他人也有好处。正是因为他的高傲，才使他不屑于去做一些像以前一样伤及我本人的傻事。我唯一担心的是，你刚才一直在说他的举止沉稳，我想，可能只是在他姨妈那儿做客期间表现一下而已，他对他姨妈的看法和观点十分敬畏。我知道，每当他与姨妈在一起的时候，他都是战战兢兢的，这多半可以归结于他想向德·波尔小姐求婚。我敢肯定，他心里十分希望能成就这桩婚事。”

伊丽莎白听到这里，忍不住笑出声来，不过，她什么也没说，只是微微点头。她看得出，威克汉想把话题扯回去，重新谈他的满怀愁绪，但她没有兴致去促成他的意愿。在后半个晚上，他表面上一直都显得轻松惬意，却再没有去向伊丽莎白献殷勤。虽然告别的时候，他们两人都显得客客气气，其实内心里或许都有一个共同的愿望，彼此都已不想再相见。

晚宴散了，丽迪亚跟着福斯特太太去了麦里屯，以便第二天一大早一同出发。她与家人分别的时候，没有感伤落泪的气氛，倒是一派热热闹闹的景象。唯一掉眼泪的是凯蒂，不过她流泪全是出于恼怒和妒忌。贝内特太太说了一大堆祝愿女儿幸福的话，并且反复叮嘱女儿，不要错过任何尽情玩乐的机会。对这样的嘱咐，丽迪亚有千万个理由去一一照办。最后，丽迪亚大声喊着再见，只顾着自个儿乐，全然没有听到姐姐们柔声细语的道别。

第四十二章

如果说伊丽莎白的婚姻观和家庭观都是基于自己的家庭背景，那么她所憧憬的婚姻家庭可能并不美妙。她的父亲当年贪恋青春美色，着迷于性情温顺的表象（年轻漂亮的人一般都有这种表象），娶了一位智力平庸、心胸狭隘的女人，结果结婚之后，不久就心灰意冷，原先的儿女之情早已荡然无存。他的声誉、尊严、信心都已消失得无影无踪，他对幸福家庭的憧憬到头来却是黄粱美梦一场。贝内特先生尽管一时鲁莽造成终身失望，但他并没有像许多人那样寻欢作乐，慰藉自己的愚妄之举造成的不幸，他无意寻找心灵的慰藉。他爱读书，爱乡村，这些情趣演绎成了他的主要嗜好。他的妻子没有给他带来丝毫的情趣，只是做些幼稚和愚蠢的事逗得他开心。可是，这并不是男人们希望从妻子那里寻求到的幸福，而只是无法获得其它欢娱时，一个达观者对种种不利情境的利用而已。

然而，对于父亲作为丈夫的种种不称职行为，伊丽莎白不可能看不到。她把这一切看在眼里，痛在心里，可是出于对他怜爱自己的感激，出于对他诸般才艺的尊重，她又努力忘掉这些她不可能视而不见的事情，尽量不去想到他屡屡违背婚姻义务和准则的举动。正是他从中撺鼓，使得他的妻子受到孩子们的轻视，实属太不应该。伊丽莎白从来没有像现在这样强烈地意识到，不美满的婚姻给孩子们造成了多么大的影响，也从来没有意识到，父亲滥用自己的聪明才智给家庭带来了这么多害处，他的聪明才智若是用得其所，即使不能拓宽妻子的心胸和眼界，至少也可能维持女儿的尊严。

威克汉走了，伊丽莎白着实高兴了一阵子，可是除此之外，民兵团的调离没有让她感到丝毫称心满意。外面不再有那么丰富多彩的舞会，家里又有母亲和一个妹妹整天唠唠叨叨，抱怨生活乏味，全家笼罩着沉闷的气氛。凯蒂原先被一帮子人搅得心猿意马，如今那班人走了，她迟早也会收心，露出自己纯真的一面，可是另一个妹妹丽迪亚，本来性情就不好，如今又身处海滨浴场和军营之中，危险诱惑倍增，说不定会变得更加放荡，更飘飘然，最终铸成大错，于是她发现，一般来说，一个人急不可耐期盼到来的事情，如果一旦发生，其结果也未必如人所愿。她以前有时候也这么想。因此，一个人有必要指望自己的幸福在将来某一天终会到来，让自己的希望与梦想有所寄托，这样一来，自己就可以再一次享受期盼的喜悦，给自己以暂时的慰藉，准备经受又一次失望。眼下，她心中最大的乐事就是想着去湖区旅游。这一阵子，母亲和凯蒂每每遇到不顺心的事，就搅得全家不得安宁。她要是去旅游，对这些事情就可以眼不见心不烦了。这次出行简要是能同去，就是安排得天衣无缝了。

"我还算幸运，心里总还有些期盼。"伊丽莎白心中说道，"等到这一切安排妥当，我又会失望的了。这一次姐姐不能一同出游，我感到很遗憾，不过正因为遗憾，我才有实现一切美好期盼的希望。一个面面俱到的计划决不会实现，只有忍受些小的烦恼才不至于导致全盘失望。

丽迪亚临走时曾经保证要经常给妈妈和凯蒂写信，而且会写得详详细细，可是她的信每次都要经过漫长的等待之后才到来，来了也只是一言两语就结束了。她在信中向妈妈汇报的无非是她们由某某军官陪伴去了图书馆，在那里见到了什么漂亮的室内饰品，美得简直让她要发疯，或者她又有了一件新的长礼服或者遮阳伞，说她本来想详详细细地描述一下，可是不巧，福斯特太太在叫唤她，她们要去军营了，所以只好匆匆打住。她给姐姐凯蒂的信，别人就更难知晓里面的内容，因为信虽然比给母亲的信长一点，但里面尽是一些不便公开的悄悄话。

丽迪亚走了两三个星期之后，龙博恩又开始重现往日生机勃勃欢快清爽的景象，一切都沉浸在更大的快乐之中。进城越冬的人家陆续回来，人们穿起了夏装，忙碌着准备消暑。贝内特太太心情恢复了平静，只是偶尔嘴里嘀咕嘀咕几句。到了六月中旬，凯蒂的情绪也差不多稳定下来了，开始不用挂着泪花上麦里屯去了。这一喜人的情景又唤起了伊丽莎白的希望，照这样下去，到今年圣诞节的时候，凯蒂有可能变得相当理智，不至于每天把军官们挂在嘴上。不过，陆军部要是作出什么残忍歹毒的部署，再派一支民兵团驻扎到麦里屯，她的想法就无法成真了。

原定的到北方旅行的日期转眼就快到了。大约离成行还有两个星期的时候，加迪纳太太来了一封信，说要推迟行期，并且还要缩短行程，原来，加迪纳先生因商务缠身，必须把行期推迟到两个星期之后的七月份，而且一个月内还必须赶回伦敦，这样，他们的时间就不足以远行，无法按计划去广泛游历了，至少不能像原先指望的那样悠然自得地去实施了。出于无奈，他们只好放弃湖区观光，缩短旅程。按照现在的计划，他们往北旅行最远不会超过德比郡，那个郡值得观赏的景点不少，足以让他们游览三个星期。对于加迪纳太太来说，去那儿旅行更具有吸引力。她年轻时在那里生活过一些年头，这次将要去那里小住几日，不禁激发起她对故地的神往，她那急切的心情丝毫不逊色要去游览于麦特洛克、查兹沃斯、多佛黛尔或者匹克峰这样著名景点的心情。

伊丽莎白则显得格外失望，她本来特意去看湖区景色的，现在这种情况下，她仍然觉得有充足的时间去湖区。不过，她也应该知足了，再说她生性快乐，所以不多久，又一切如常。

提起德比郡，伊丽莎白浮想联翩，看到这个名字，她怎能不想起彭伯里和彭伯里的主人呢？“哈！这次我要悄悄溜到他的郡里，偷他几块水晶石，谅他也不知晓。”

等待出行的时间又翻了一倍，再过四个星期舅舅舅妈才会到达这里，不过，时间总算过去了。加迪纳夫妇带着四个孩子，终于出现在龙博恩。这四个孩子中有两个小女孩，一个六岁，一个八岁，还有两个是小弟弟，都要留在龙博恩由简来照看。简性情平和，脾气又好，每个孩子都十分喜爱，而她也会极力照看好他们，会教他们知识，陪他们玩耍，去好好地爱他们。

加迪纳夫妇在龙博恩只住了一个晚上，第二天一早就带着伊丽莎白去探新访奇，游山玩水去了。他们情趣相投，一路欢笑。正是他们情趣相投，彼此了解对方的身体状况和性格，自然也就能忍受诸多不便，所以大家一直都轻松惬意，欢乐无限，同时，他们相互体贴，人人精明能干，即便在外遇到什么扫兴的事儿，大家都可以共同解决。

本书无意去详细介绍德比郡，也不打算描写他们一路上游历过的一些名胜景点。因为牛津、布莱尼姆、华威克、柯内尔沃思、伯明翰等等，人们都已经相当了解。这里要讲的是德比郡的一个叫做兰顿的小镇。这个小镇是加迪纳太太以前居住过的地方，并且在最近了解到还有些老熟人仍然住在这里，所以他们在游览了德比郡的主要景点之后，专程绕道去探望旧友。伊丽莎白从舅妈口中得知，彭伯里就坐落于兰顿小镇不到五英里的地方，虽说不在人们的必经之路上，但离主道也不过一两英里的路程。在动身去兰顿的前一天晚上，加迪纳太太说想再去看看那个地方，加迪纳先生欣然同意，于是两人就问伊丽莎白对这一计划怎样看。

“亲爱的，难道你不想去看看那个你久闻大名的地方？”舅妈问道，“那地方也与你的许多熟人有关系。你知道，威克汉的童年就是在那里度过的呢。”

伊丽莎白没有兴致。她觉得自己没有必要去看彭伯里，于是吞吞吐吐地表示出自己不愿意。她声称这一路上看到的豪宅大院太多了，对那种高墙大瓦已经厌倦，也不想去欣赏什么精毡细毯锦缎帏帘了。

加迪纳太太嗔怪她太傻。“要是那真的仅仅只是一座装饰豪华富丽堂皇的房子，我自己也不稀罕去看。”她说道，“重要的是那儿风景怡人，他们拥有全英国最漂亮的树林。”

伊丽莎白没有再说什么，不过她心里仍然一百个不乐意。刹那间，她不由得担心去那儿观光，说不定会让达西先生给碰上，要真是那样可就糟了。她想到这里，脸上不禁一热，心想，不妨把事情的真相干脆告诉舅妈得了，省得躲躲藏藏地去冒险。可是，她又转念一想，觉得不告诉舅妈也有道理。最后她终于打定主意，自己先私下打听一下彭伯里的主人是不是在家，如果得到的不利的回答，说主人在家，她就使出这最后一招。

伊丽莎白想到就做。她在晚上回房休息时，悄悄地向女服务员打听彭伯里的情况：那地方美不美？主人是谁？并且十分谨慎地问起那家主人是否带全家回来消暑度假。对于这最后一个问题，她得到了期盼之中的否定回答。她的紧张解除了，一下子悠悠然起来，不知不觉竟然急切地想亲眼去看看彭伯里豪宅。第二天早上当舅舅和舅妈又提起这事并且询问她的想法时，她显出一副无所谓的神情，当下就回答说，其实她并没有反对这项计划。

于是，大家去了彭伯里。

第四十三章

她们驱车前行。伊丽莎白远远地就看到了彭伯里的树林，心中顿时忐忑不安起来，等到进了庄园，她的心扑通扑通地跳得更快了。

庄园很大，里面地势起伏跌宕，气象万千。他们一行人从一处低点进入，乘坐马车走了很久，都是在树林中穿行，两旁的林木延绵至很远的地方，煞是美丽。

伊丽莎白满怀心事，无心与人交谈，可是每看到一处美妙景观，不禁要发出由衷的赞叹，他们沿着山路缓缓向上行进，约摸走了半英里的路程，不觉来到一处高丘之巅。林木在这时悄然止步，视野开阔，整个彭伯里一片高楼宅院尽收眼底。彭伯里府邸坐落在一个山谷对面，脚下这条山路蜿蜒曲折通向府邸。这是一座石头建筑，气势恢宏，雄伟壮观，耸立在一处高地，背后是一道林木苍翠的山冈，前面则是一条小溪，水势在这里由弱转盛。这景象浑然天成，毫无人工矫饰的痕迹。溪流两岸略加修饰，显得自然质朴活泼大方。伊丽莎白心旷神怡。她从来没有见过大自然竟然如此厚待一个地方，那天然美景全然没有受到丝毫低俗情趣的破坏。大家都赞叹不已。蓦然间，伊丽莎白想到，要是当上彭伯里的女主人，一定是一件挺不错的事。

他们从山坡下来，穿过小桥，驱车直奔彭伯里府邸大门。快接近大门了，伊丽莎白从近处仔细打量着这座豪宅，心中不免又发起悚来，担心碰上这处宅院的主人，她生怕那位女服务员把情况弄错了。当他们一行人说明来意，请求参观宅院，立刻得到了应允，被请进了大厅。大家候着管家的时候，伊丽莎白才有了时间想想自己的心事。她奇怪，自己竟然跑到这个地方来了。

管家来了。那是一位仪表端庄、年龄较长的女人，没有伊丽莎白想象的那么美貌，却比她想象的要热情得多。大家随着管家走进餐厅，里面布局巧妙，装饰得很精美。伊丽莎白稍稍打量了餐厅，便走近窗户，看看外面的景色，一眼就见到他们刚刚下来的那座山林阴覆盖，远远望去，更显得陡峭险峻，别是一番风景。眼前的景色千姿百态，各具秀色。放眼望去，那小溪、那岸边的林木，那一眼望不到尽头的山谷，无一不令人赏心悦目。当他们走向其它房间的时候，这些景色随角度的变化仪态万千，而且每到一扇窗口，都可以欣赏到多姿多彩的美景。这里每一个房间都显得高雅美观，家具陈设也与房屋主人的身份相称，既不奢华，又不俗气，不及罗辛斯庄园豪华气派，却更具风雅气质。看到这里，伊丽莎白不知不觉钦佩起这房屋主人的情趣来。

“我差点就成为了这处宅院的女主人！”她暗自想着，“要是那样，这宅院的每一间房我可能都已经了如指掌了，我也不是以陌生人的身份来参观，而是作为这里的主人，欢迎舅父舅妈来做客……可是，不……”她让自己定下神来。“这决不可能，我恐怕连舅父舅妈的面都见不着了，那一位不会让我邀请他们来做客的。”

幸亏她想到了这一点，要不然，她真的会一直感到懊悔和遗憾的。

她很想问一问女管家，她的主人是不是真的出门去了，可是半天鼓不起勇气来。不过最终还是舅父问到了这个问题，伊丽莎白惊得连忙转过身去。女管家雷诺兹太太回答说，主人出去了，接着又添了一句，说：“不过，估计他明天会回来，还会带上一大帮朋友呢。”伊丽莎白顿时放下心来，庆幸自己一行人一路上一天没有耽搁，来的正是时候。

这时，她听到舅妈叫她看一幅画。她走近一看，发现那挂在壁炉上方的竟然有威克汉先生的肖像，旁边还有几幅小型画像。舅妈笑吟吟地问她感觉威克汉的肖像怎样。女管家走过来，告诉她们说，画像上的那位年轻的先生，是已故老主人的管家的儿子，是由老主人供养长大的。“他现在参军了，”她补充了一句，说，“不过，恐怕他已经变野了。”

加迪纳太太仍然笑吟吟地看着外甥女，伊丽莎白却没有回应。

“那幅，”雷诺兹太太指着另一幅小型画像，说，“就是我的主人，画得非常逼真。这些画都是同一时候画的——差不多有八年了。”

加迪纳太太看着那幅达西的画，说：“我以前常常听说您家主人仪表英俊，相貌堂堂呢。丽兹，你说说这张画像不像他本人？”

听说伊丽莎白与自家主人相识，不由得又增加了几分敬意。

“这位年轻姑娘认识达西先生？”

伊丽莎白红着脸，说道：“有些交往。”

“您认为他是不是非常英俊潇洒，小姐？”

“非常英俊。”

“我敢说，他是我见到过的最英俊的小伙子了。楼上的画室里，还有一幅他的画像，比这幅大，也比这幅画得好。我已故的老主人最喜欢这间房子，所以这座小型画像都是按原先的样子挂着。他以前很喜欢这些画像。”

听了这番话，伊丽莎白才明白为什么威克汉的画像也在这里面。

雷诺兹太太又把达西小姐的画像指给大家看，这还是在她八岁的时候画的呢。

“达西小姐和她的哥哥一样好看吗？”加迪纳太太问。

“哎，不错。她是我见过的最俊秀的姑娘，而且还才艺兼备呢。整天都在弹琴唱歌。——隔壁房间就摆着一架新到的钢琴，是我家主人送给她的礼物。她明天会随他一起回来。”

加迪纳先生为人亲切谦和，不断地提些问题，作出评价，引着雷诺兹太太往下说。雷诺兹太太不知是出于自豪还是出于对主人的爱怜之心，一直愉快地讲着她家主人兄妹的事情。

“您家主人一年中在彭伯里呆的时间多吗？”

“我倒是希望更长一点，先生。不过，一年中他肯定要在这里呆上半年。达西小姐常常只是在夏天住这儿。”

“还应该减去她去拉姆斯盖特的日子。”伊丽莎白心里说着。

“要是您家主人结婚了，您就可以多见到他了。”

“谁说不是啊，就是不知道这什么时候才能成真，也不知道哪位姑娘可以配得上他呀。”

加迪纳夫妇都笑了。伊丽莎白忍不住冒出一句：“您这话的确是给他增色不少啊！”

“我说的可都是事实，只要认识他的人都会这么说的。”女管家答道。伊丽莎白认为这有点言过其实，可是听到女管家往下说的话，她不觉更加诧异起来。女管家说：她认识他时他才四岁，还从来没有听他说过一句粗话。

这句赞扬，算得上是她今天听到的最不同寻常的，与自己的想法最不同的话了，因为她一直都坚定地认为，达西不是一个脾气很好的人。于是，她对达西的那份热切关注的情感一下子苏醒过来，她渴望听到更多的介绍，甚至十分感激舅舅的一句话：

“值得这样称道的人，世间不多啊！跟上这样一位主人，是您的福气啊！”

“您说的不假，我想我也真是幸运。就算是走遍世界，也找不出比他还好的主人。我总是说，小时候性情好，长大了一定会宽厚仁慈。我家主人小时候就是一个性情最温和，为人最慷慨的孩子。”

伊丽莎白眼珠子瞪得溜圆，看着女管家，心里暗想：“达西真是这样吗？”

“他父亲也是一个非常不错的人。”加迪纳太太说道。

“是的，太太，他确实是个大好人。有其父必有其子啊，我们少主人对穷人也一样慷慨大方。”

伊丽莎白听着，想着，怀疑着，迫不及待地想了解更多的情况，可是雷诺兹太太所说的话都不能引起她的兴趣，她谈到画像、宅院的面积，家具的价格等等，全都白搭。加迪纳先生认为雷诺兹太太所说的这些话有些言过其实，全都是出于对家族的偏心。不过，他着实感到有趣，于是又登上高高的楼梯，一边兴致勃勃地细细讲着她家主人的种种美德。

“他是世上最好的地主，最好的主人，”她说，“他一点也不像如今的那些年轻人，一心只想着自己。他的佃户和仆人没有一个不说他好的。有人说他高傲，可我看不出他有丝毫高傲。我寻思着，那只是因为他不像别的年轻人那样夸夸其谈而已。”

“往他脸上贴的金片太多了一点吧？”伊丽莎白想道。

“这位太太所讲的达西先生的情况，与他对待我们那位可怜的朋友的行为可有些不一致啊！”她的舅妈边走边低声说着。

“或许我们弄错了。”

“这不可能，我们的消息很可靠的。”

大家来到楼上宽敞的大厅，立刻被领进了一间十分漂亮的客厅，这客厅刚刚被装修一新，显得更优雅明快，远甚于楼下的房间。据介绍，去年达西小姐在彭伯里时看中了这间房，于是达西先生为了让妹妹高兴，让人把这里重新装修了一遍。

“他真是一位好兄长啊！”伊丽莎白一边朝一扇窗户走去，一边说道。

雷诺兹太太说，达西小姐一进屋，一定会十分高兴。末了，她又补上一句，说：“达西先生就是这样，只要能让妹妹高兴，他会想到就做。为了她，他没有什么事情不愿做的。”

接下来，他们参观的是画廊、两三间大卧室，这是最后要看的项目了。画廊陈列着许多精美的绘画，可惜伊丽莎白不懂绘画。刚才在楼下看到的那些画中，她最喜欢看达西小姐的几幅蜡笔画，里面的题材很有趣，也更容易看懂。

画廊中有很多全家福画像，不过这类画像很难吸引一个陌生人

C.E.Brock

的注意力。伊丽莎白走过去，寻找着那张唯一能让她辨认出来的面孔。终于找到了！……她发现画像与达西先生惊人相像，满脸笑容，她记得以前有那么几次，他也是这样满脸笑容地看着自己。她在这幅画跟前站立了好几分钟，陷入了沉思之中。最后离开画廊的时候，她特意又去看了看那幅画。雷诺兹太太告诉大家，这幅画还是达西先生的父亲在世时绘制的。

此时此刻，伊丽莎白的内心漾起一阵温馨的情愫，这是她与达西交往接触最频繁的时候都不曾有过的。对于这种情感的变化，雷诺兹太太对达西先生的赞扬有着不可小觑的意义。有谁的赞美会比聪明的仆人的赞扬更有价值呢？在她的眼中，他是兄长，是地主，是主人，有多少人的福祉系于他一身啊！他能够给人幸福，也能施以痛苦；他能广施恩泽，也能行坏作恶。然而，她的女管家所说的话，字字句句都是对他人品的称道。伊丽莎白伫立在那幅画有达西的画像面前，与他的目光久久对视，心里重温着他对自己的一片情意，涌起一种前所未有的感激之情。记忆中的那片温情融化了她对达西说过的一些不中听的话所产生的隔膜。

大家看过了楼上供一般人参观的房间之后，又回到了楼下，向女管家辞行。女管家把他们送到大厅出口，吩咐园丁陪客人出去。

一行人穿过草坪，朝小溪边走去。这时伊丽莎白停下脚步，回过头想多看一眼彭伯里府邸。她的舅舅、舅妈也停了下来。正当舅舅估摸着这座石头建筑的年代时，忽然，这座宅院的主人沿着一条通往后面马厩的小路朝这边走来。

大家相距不到二十码，再加上他出现得实在突然，伊丽莎白根本无法躲过他的视线。他们目光相遇，两个人的脸都刷地一下红透了。达西完全惊呆了，一时之间，愣在那里一动不动。不过，一会儿之后，他又恢复了常态，朝这一行人走了过来，与伊丽莎白打招呼。他的语气虽然不是十分镇定，至少也是十分礼貌。

伊丽莎白本能地转身想走，可是见达西走了过来，也停住了脚步，接受达西的问候，但内心的窘迫实在无法控制。舅舅和舅妈从没有见到过达西先生本人，即使感觉他与刚才看到的画像十分相像，也不敢断定眼前的先生就是达西，不过一看到园丁见到主人的那副惊诧的表情，他们立刻就明白了。当达西与外甥女说话时，他们远远地站着。伊丽莎白满脸惊诧，一片茫然，没有一点勇气抬头正视达西的脸。达西客客气气地向她询问起家人的情况，伊丽莎白竟然不知道自己是如何回答的。让她感到惊奇的是，自从上次分手之后，达西的行为举止变化很大，所以此刻的他的每一句话都给她增加一分窘迫。她不断地在心里骂自己，竟然闯到这里来，真是太不应该，太不合适。他们俩在那里站着，这几分钟，在伊丽莎白看来，可以说是一生中最难熬的时刻。此时，达西也并不比她轻松。他的谈吐之中，平日那种从容的语气已经荡然无存。他翻来覆去地问着她什么时候离开龙博恩的，在德比郡住了多久，等等。他不断地重复着，语气匆促，一眼就能看出他的思绪纷乱如麻。

最后，他再也想不出该说点什么了，便站在那里，一声不吭。过了好一会儿，他突然醒悟过来，向她告别离开了。

舅舅、舅妈立刻来到她的身边，一个劲儿地夸奖达西先生仪表出众。伊丽莎白一句话也没听过去，默不做声地跟着他们往前走，闷着头想着自己的心事。她感到羞愧，感到懊恼，无法摆脱这种感情的折磨。来这里游玩是不幸最失算的事情。他一定会想这事太奇怪了！他这样高傲的人，会把她看成怎样下贱的人啊！这不正好让人觉得她是死乞白赖地送上门来吗？唉，自己为什么要来？他又为什么偏偏要提前一天回彭伯里呢？他们要是早走十分钟，也不会让他认出自己来了，很明显，他是刚刚下马或者刚下马车。想到刚才相遇的尴尬，她的脸红了又白，白了又红。而且他的举止行为，与以前大不一样！这说明了什么呢？他居然还和她自己说话，太离奇了。不过，他说起话来又那么客客气气，而且还询问她的家人！这次意外相遇，他的举止如此谦恭，谈吐如此温存，这是她从未见过的事儿。他在罗辛斯庄园把信交给她的时候，他那说话的态度与现在是多么鲜明的对比啊！她不知道该怎么去想，也不知道该如何解释。

她们踏上了一条溪边小径。沿着小径向前走，越走地势越低，景色更加引人入胜，更接近那婀娜多姿的林木了。伊丽莎白过了好一会儿才感受到身边的美景。尽管她每次听到舅舅和舅妈叫她，招呼她看这看那，她也机械地应了，眼睛也顺着他们的手指到处看着，但什么都没有分辨清楚。此刻，她一心只想着达西先生可能在彭伯里庄园的某一点，无论那一点是在哪里。她渴望知道此刻达西的头脑中在想些什么，他是怎样在看待她，他是否排除了一切干扰，依然钟情于她。或许他那样客客气气只是因为他心如止水；可是他的语气中传出某种信息，他不像是平静如水。她说不出达西见到她，是痛苦的成分多还是快乐的成分多，但有一点可以肯定，他见到她时心境并不宁静。

后来，舅舅、舅妈说她心不在焉，这才使她回过神来，觉得必须让自己镇定下来了。

他们进入树林，暂时告别小溪，登上了一处高丘。站在那里透过林木的缝隙，向四周眺望，可以看到山谷里迷人的景色，山谷对面的小山，一望无际的树林，以及在林中时隐时现的小溪。加迪纳先生即兴提出，想把整个庄园游览个遍，可又担心走不了那么多路。园丁在一旁得意地笑了笑，告诉他们，绕庄园一周要走十英里的路程。于是，这事就算作罢，大家沿着常规的路线继续在园区游览。

一段时间之后，他们顺着一道奇木险树覆盖的陡峭山路往下走，再次来到了小溪最狭窄的隘口，隘口上有一座小桥，简洁朴素，与周围的景致融为一体。这处景色比他们游历过的任何一处都素雅：山谷到了这里变成一道狭缝，仅仅只能容得下一道小溪和一条掩隐在灌木丛中的小径。他们走过小桥，伊丽莎白还想继续往前走，沿着曲折的小溪探幽寻秘。可是当他们刚刚过桥，加迪纳太太突然意识到他们现在离彭伯里府邸越来越远。她不善走远路，无法继续前行，只想着尽快回到马车上去。外甥女无奈，只好让步。于是，这一行人就抄近路向小溪对岸的彭伯里府邸走去，可是他们的进度实在太慢。加迪纳先生一向喜欢垂钓，却很少能钓个痛快，如今一看到小溪里鳟鱼不时出现，不由得兴致顿生，与园丁谈起鱼来，嘴上说得欢，脚下却动得少。大家就这样不紧不慢地溜达着，又一个意外的场景出现了，伊丽莎白的惊诧丝毫不亚于第一次。只见达西先生正朝这边走来，距离已经相当近了。她这边的小道林木覆盖不是那么浓密，所以双方还没碰面，伊丽莎白就已经看到他了。她虽说震惊，但至少比上次更有准备去面对他。她心想，如果他真是迎着他们来的，她一定要沉着冷静，说话做事不慌张。实际上，有一阵子，她都认为达西可能会拐到另一条小路上去，然而，这个念头只是在他的身影隐没在一个拐弯处时存在了一阵子，等她刚一转过弯去，他就出现在他们面前了。一眼就可以看出，他还是像刚才那样客客气气。伊丽莎白也以礼还礼，见面之后就向达西赞叹起这里美丽的景色来。可是刚刚说到这儿风景"令人心旷神怡"、"叫人着迷"之类的话，她突然间浮起一丝自怨自艾的阴影，她觉得这样赞美彭伯里庄园，说不定会使对方产生曲解呢。于是，她脸一红，不再做声。

加迪纳太太就站在她身后不远处。达西先生见伊丽莎白沉默下来，连忙问她能否赏脸引荐一下她的朋友。这一礼节可是伊丽莎白始料不及的。想当初他求婚时是怎样心高气傲、瞧不起这些人，如今却千方百计与他们套近乎。看到这种情形，她忍不住笑了。"他要是知道了他们的身份，一定会诧异不已！"她心中暗想，"他恐怕是把他们误认为上流人士了。"

不过伊丽莎白立刻作了介绍。当她介绍自己与他们的关系时，狡黠地偷看了他一眼，想知道他作出怎样的反应。她本来以为达西听到介绍之后，会借故离开她的这些粗俗的亲戚，不想，他虽然明显地露出了惊讶的神色，却并没有离开，而是坚强地克制着自己的惊诧，甚至与加迪纳先生聊了起来。伊丽莎白既高兴，又得意。这下子可让她知道了自己还有一些不必为之脸红的亲戚，真是令人振奋。她在一旁认真倾听着两位男士之间的谈话，不禁佩服起舅舅来，他的表情和言语无不显示出他不俗的智慧、高雅的情趣、得体的风度。

他们的谈话很快转到了垂钓上来。她听到达西先生十分客气地邀请加迪纳先生来这里垂钓，说加迪纳先生在这附近逗留期间，随时都可以回到这里钓鱼，并主动提出借钓具给他，还告诉他这小溪中哪个地方鱼儿最多。加迪纳太太一直是与伊丽莎白手挽手并行，见到眼前的情景，满脸疑惑地看着外甥女。伊丽莎白什么也没有说，心中却充满了感激之情，她知道达西的盛情相待一定是为了取悦自己。然而，她也感到极度的惊诧，心中不断地说着：“他怎么有这么大的变化？这到底是出于什么原因呢？不可能是因为我，不可能是因为我的缘故，他的行为举止变得如此温和。在亨斯福时我给他一顿责骂不可能产生如此大的效果，使他有如此大的变化。他不可能还爱着我。”

两位女士在前，两位男士在后，他们边走边聊，顺着一个下坡走到溪边，欣赏了一些平常罕见的水生植物。一会儿之后，他们又转回到了原位，排列的位置也有了变化，其根本原因在于加迪纳太太。加迪纳太太运动了一个早晨，全身疲惫不堪，又发现伊丽莎白的胳膊不足以支撑她，于是就与丈夫携手行走，而达西则取代了她的位置，与她的外甥女并肩而行。一阵沉默之后，伊丽莎白先开口说话。她想要让达西知道，她是在打听并且确信他不在彭伯里之后才决定上这儿来观光的。因此，她一开始就说，达西先生回来得太突然了。她还补充道：“他们告诉我们，说你一定会在明天回来，实际上我们离开贝克威尔时，就知道你不会马上就回到乡下。”他承认这些都是真的，说他找管家有急事，所以就比与他同行的一干人先几个小时回来了。“他们明天一大早来这里与我汇合。”他继续说道，“其中有你的一些熟人，宾利先生和他的姐妹。”

伊丽莎白微微点了点头，算是回答。她的思想一下子又飞回到了她与达西最后一次谈到宾利的时候。从达西的表情上看，他的脑海里恐怕也想着同样的事情。

“这一行人中还有一位，”达西暂停一会儿之后，又继续说道，“那个人特别想和你认识。你在兰顿逗留期间，请允许我把我妹妹介绍给你，不知我这个请求是否过分？”

伊丽莎白听到达西的这一请求，着实大吃一惊。她这一惊不小，竟然不知道自己怎么就应允了下来。她转念一想，达西小姐之所以那样急切地想认识她，一定是达西先生从中施加了影响。想到这一点，伊丽莎白颇感满意。

达西先生虽然当时气恼，但并没有对她真正产生恶感，这一点的确令人感动。

他们俩走着，谁也没说话，各想各的心事。伊丽莎白并没有感到十分舒坦，也不可能舒坦，但是她感到颇为满足和得意。他竟然希望把妹妹介绍给她认识，这是对她最大的恭维了。他们不知不觉，竟然把加迪纳夫妇甩在后面老远。当他们到达马车跟前时，后面两位还差好远呢。

他马上邀请她进屋歇息一会儿，可她说不累，就这样，两个人就在草坪上站着。在这种情况下，本来应该多说点话才好，沉默反而太尴尬。她想说点什么，可又苦于找不到话题来，终于她想到了自己是在旅游，便与达西谈起了麦特洛克、多佛黛尔，他们东扯西拉，可是时间过得太慢，舅妈走路的速度也太从容。谈话还没有结束，她就差不多找不出词来了，不由得暗自着急。等到加迪纳夫妇来到马车跟前，达西请他们一起进屋坐坐，用些茶点，被大家婉言谢绝了，大家就此分手了。双方都十分客气。达西先生把两位女士扶上车，马车走远了，伊丽莎白才见他缓缓地走进府中。

接下来，舅舅、舅妈就开始发表各自的高见了。两个人都称达西人品出众，比他们想像的要强百倍。“他举止有度，待人礼貌，没有架子。”舅舅如此说。

“他身上的确透着某种高贵的气息，”舅妈如是说，“不过这只是说他的气质高贵，而不是说他的举止有什么不得体的地方。我可以借用女管家的话来说，虽然有人说他高傲，我却丝毫看不出来。”

“他对我们的态度最让我诧异了。那不仅仅是客气，而且还有殷勤，他本来可以不用这么殷勤地对待我们的，因为他和伊丽莎白的交情并不深。”

“说实在的，丽兹，”舅妈说道，“他虽说不及威克汉英俊，或者说，他虽然没有威克汉那样的相貌，但他也长得端庄挺拔。可是你以前怎么告诉我说他让人见了就讨厌呢？”

伊丽莎白极力为自己开脱，说她以前就是那么认为的，但是自从上次在肯特郡重逢后，她就对他有了好感，而今天早晨，觉得他最讨人喜欢了。

“他的确客气，不过或许他只是心血来潮，”舅舅说道，“那些贵人都这样。所以我不会把他邀请我钓鱼的话当真，他随时可能会改变主意，说不定会把我赶出他的地盘呢。”

伊丽莎白觉得他们都完全误解了他的品格，不过没有说出来。

“从我们看到的情况来看，”加迪纳太太接过话茬，说道，“我真想不到他竟然会以那样残忍的手段来对付可怜的威克汉。从面相上看，他并不是心狠手辣之人呀。正相反，他说话时，嘴角总是挂着一丝和善的东西。他的外表给人以高贵的感觉，一看就知道心眼不坏。不过，领我们参观彭伯里豪宅的那位和善的女士的确把他捧得太高了！有时候我想起来就不禁想笑。可是，我想，他是一位积德行善的主人，在他的仆人眼中，他简直就拥有了一切的美德。”

伊丽莎白觉得有必要帮达西洗掉他在对待威克汉的事情上所蒙受的冤屈，于是把他与威克汉之间的恩恩怨怨，用尽量谨慎的方式向舅舅、舅妈讲述了一遍。她说，根据自己从他在肯特郡的亲戚那里听说的情况来看，达西先生的为人处世与人们传说的迥然不同，他的人品没有瑕疵，威克汉的人品则并不可敬，这一切与赫特福郡人们的看法毫不一致。为了证实这一点，伊丽莎白详细讲述了威克汉以圣职换金钱的交易。不过，她没有说明信息的来源，只是强调这则信息绝对可靠。

加迪纳太太听得直发愣，却又止住对这件事充满怀疑。不过，眼前就要到达曾经给她许多欢娱的小镇，脑海中的一切都已被抛开，深深地陷入了对往事的回忆之中。她忙不迭地把四周的景点指给丈夫看，根本无暇去想别的东西。尽管早晨走了一上午的路，她已经十分困倦，可是，饭一吃完，她又去寻访昔日的旧友去了。阔别多年，朋友之间少不了谈天说地叙叙旧，对加迪纳太太来说，这是一个十分充实的夜晚。

对伊丽莎白来说，白天发生的诸多事情都关乎她本人的利益，她无暇去结交新朋友，只是一个劲儿地想啊想，让她感到纳闷的是，达西怎么对他们那么客气？他又怎么想到要把妹妹介绍给她认识？

第四十四章

伊丽莎白断定，达西先生的妹妹回到彭伯里之后的第二天他就会带她前来拜访，于是决定那天整个上午都不出远门。可惜她还是失算了。她与舅舅、舅妈到达兰顿的第二天早晨，他们就前来拜访了。当时，伊丽莎白一行正与几位新朋友在附近转悠了一阵，刚刚回到旅馆准备换换衣服去朋友家吃饭，忽然听到外面传来喧闹的车马声，他们从窗口向外一望，只见一位先生和女士乘坐双轮马车沿着街道向这边奔驰而来。伊丽莎白认出了车夫的号衣，立即猜出了这是怎么一回事，忙将这一惊人的消息告诉舅舅、舅妈，说有贵客大驾光临。加迪纳夫妇一听，惊奇不已，见她说话时的一副窘相，似乎猜到了什么，再把前一天的种种情形联系起来，不觉豁然开朗，对这件事有了新的认识。他们以前没有看出任何迹象，而现在，见达西这样的人物对外甥女殷勤相待，觉得这只有一种解释，那就是达西先生钟情于她了。当他们脑海里闪过这些新念头的时候，伊丽莎白却在一旁更加心慌意乱。她自己都弄不清自己怎么就不能镇定沉着泥？她左思右想，推断着其中的原因，不过，最让她担心的是，唯恐达西出于对她的爱，在妹妹面前大肆高捧她；她十分急切地想给人留下好印象，却又不自觉地怀疑自己没有取悦于人的本领，反而事与愿违。

她生怕被人看见，赶紧从窗口走开，在房间里来回踱着步，极力让自己镇定下来。可猛一抬头，看见舅舅、舅妈正满脸诧异，带着询问的神色看着自己，越发慌乱起来。

达西小姐和她的兄长走进了房间，接下来双方的介绍都显得十分正式。伊丽莎白惊异地发现，她新认识的这位朋友竟然跟自己一样也显得局促不安。伊丽莎白到了兰顿之后，曾听人说，达西小姐极为高傲，可是经过几分钟的观察，她却断定，达西小姐其实只是极为羞怯罢了，因为达西小姐除了简单地应答几声之外，再就很难开口了。

达西小姐身材较高，比伊丽莎白高一个尺码。虽说她年仅十六岁，可是体态已经发育成熟，透着成熟女子的端庄典雅。虽说她相貌不及哥哥好看，面容却也透出睿智和风趣，接人待物也谦和温存。伊丽莎白本来以为达西小姐会像她的哥哥以前一样说话尖酸刻薄、盛气凌人，却没有想到情况截然不同，不禁轻松了许多。

大家见面不久，达西就告诉伊丽莎白，说宾利也要来看她。她还没来得及表示自己的感激之情，准备迎接客人，就已经听到宾利上楼的急促的脚步声，不一会儿，就见他进了房间。伊丽莎白对他的恼怒早已烟消云散，即使她还余怒未平，只要看看重逢时他的那股毫无矫饰的热情劲儿，也恨不起来了。

一见面，他就向她询问她家人的情况，虽说没有问到具体某个人的情况，态度却十分友善，他的言谈、他的表情都和以前一样，那样令人愉悦，那样从容轻松。

与伊丽莎白一样，加迪纳夫妇也觉得宾利是个十分风趣的人。他们早就盼望着认识他了。面前的这群人激起了他们浓厚的兴趣。先前他们怀疑达西先生与外甥女关系不同一般，这时忍不住在一旁偷偷地观察着两人的表现，很快就有了新的结论：这两人之中至少有一个人已初次品尝到了爱情的滋味。对女方的情感，他们还难以琢磨透彻，可是男方流露出的倾慕之心，让人一看便知。

伊丽莎白要做的事情可就多了。她要弄清楚每一位来访者的心

态，要镇定自己的情绪，还要亲切地接待每一个人，给大家留下好的印象。特别是这最后一个任务，是她最担心失败的，现在却最有希望成功，因为她努力去取悦的这些人，早就对她心存好感。宾利乐意与她交好，乔治安娜渴望与她交好，而达西则下定决心，一定要与她交好。

伊丽莎白一见到宾利，她的心就自然而然地飞向了姐姐，噢，此时此刻，她多么渴望知道宾利的心是否也像她一样，飞向了同一个人。有时候，她似乎感到他的言语没有以前多了，可是有那么一两次，她又欣喜地发现，他看着她的眼神，似乎就是在从她的身上寻找姐姐的影子。虽说这些都只是她凭空想像，可是她对宾利对待达西小姐的一举一动看得清清楚楚。虽说以前达西小姐一直被认为是简的情敌，可是从她和宾利两人的神态中丝毫看不出他们之间存在着特别的爱慕之情，也没有任何迹象表明两人关系朝着宾利小姐的愿望在发展。没过多久，伊丽莎白就得到了令人满意的答案。客人们临别的时候，还出现了两三个插曲。在爱姐心切的伊丽莎白看来，这些小插曲无疑表明了宾利至今还对简念念不忘，温情脉脉，也暗示出他的一种心迹，他希望多谈谈简的情况，只可惜他的勇气不够大。有一次，其他几位在一起交谈的时候，宾利对她说，大家很长时间没有见面了，语气中带着几分真诚的遗憾。伊丽莎白还没来得及接上话，就听他又说道："有八个月了，记得我们最后一次相见是在 11 月 26 日，那天我们一起在泥泽地别墅跳舞。"

伊丽莎白见宾利对往事记得如此清楚，心中暗自高兴。后来，他又趁别人不注意的时候，瞅了几个机会问她的姐妹们现在是否都在龙博恩。这个问题并无深意，刚才的交谈也没有什么特别之处，可是他的眼神、他的动作却意味深长。

伊丽莎白很少能够正视达西先生。但只要她朝他瞥上一眼，无论什么时候，都能看到他和善的表情，却听不出他的谈吐里面有丝毫高傲自大、轻视她亲戚的语气。这使她想到：自己昨天目睹了达西先生待人的态度，大有转变，无论这种转变有多短暂，至少也维持到了今天。她看到，达西几个月前还不屑于与她的亲戚交谈，视之为羞辱，如今却极力套近乎，图表现，争取好的印象；她也看到，他此时此刻不仅对她本人礼貌周全，而且对她的亲戚也客客气气，她还清楚地记得几个月前在亨斯福教士住宅楼发生的一幕。那时候他是怎样公然蔑视她的亲戚啊！两相比较，他的变化是多么巨大！他的巨变强烈地震撼着她的心灵，她内心的震惊几乎展露无遗。无论他是在泥泽地别墅与亲密的朋友相聚，还是在罗辛斯庄园与他那些显贵的亲戚相处，伊丽莎白都不曾看见过他如此热切地去取悦于人，如此乐意去放低架子，如此甘于打破一贯的矜持。殊不知，尽管他的努力换来了她的穷亲戚的好评，对他来说也毫无意义；而且他这样大献殷勤，结识这样的人，只能招致泥泽地别墅和罗辛斯庄园的女士们的讥讽和抨击。

客人们在这里呆了半个多小时。当他们起身告辞的时候，达西先生特意叫妹妹和他们一起向加迪纳夫妇和贝内特小姐发出邀请，希望他们离开这里之前，能够到彭伯里庄园去吃一顿饭。达西小姐虽然有点畏缩羞怯，显得还不习惯发出邀请，但也还是乐意按哥哥的话去做。显然，这一邀请主要对象是伊丽莎白。加迪纳太太用眼睛瞟了瞟外甥女，想看看她如何面对这份邀请，却见她把头扭向一旁，就料想她有意避开是一时羞怯，并非不愿意接受邀请，同时又见丈夫生性喜好交际，此时表现出十分的愿意，于是自作主张应承了下来，把赴宴的日子定在后天。

宾利说十分高兴可以再次见到伊丽莎白，到时候他还有很多话要说，还要向她打听许多赫特福郡的朋友的消息呢。

伊丽莎白满心欢喜，在她看来，宾利先生实际上是想多听听她谈谈姐姐的情况。客人们走了之后，伊丽莎白想想宾利的话和其它一些事情，觉得虽然这半个小时相聚之中并没有什么快乐可言，可是从总体来看，还是令人满意的。此刻，她特别渴望一个人呆一会儿，又害怕舅舅、舅妈问这问那，东猜西想，所以与他们稍稍待了一会，听了他们对宾利的一些赞誉之辞，便匆忙走开换衣服去了。

事实上，她并不担心加迪纳夫妇会刨根问底，他们不会逼着她回答的。很明显，伊丽莎白与达西的交情要比他们想像的深得多。而且达西深爱着她，这也十分明显。他们看到了许多饶有兴趣的情况，只是不便问她罢了。

可是他们对达西先生的好评却是一件让人着急的事。自从他们与达西先生结识以来，还没发现他有什么缺点。达西先生待他们礼貌客气，令他们感动。如果他们不考虑其它因素，而只是根据自己的感觉和他们由此得出的结论一定不会被赫特福郡那些认识达西先生的人所认同。现在只有相信那位管家了。很快他们俩就意识到，女管家的话一定不会不得到认同的。因为她在达西四岁的时候就认识了他，她本人言行举止也是那么端庄正派。就连兰顿的朋友们提供的信息也无损于他的声誉。大家都说达西除了高傲，无可指责。或许他是有点傲慢；即便是没有，小集镇的人也会这么认为，谁叫他们家族的人从来不光临这个小镇呢？不过，大家还是一致承认，他是一位慷慨大方的好人，为穷人做了不少好事。

至于威克汉，加迪纳夫妇很快就发现，这里的人们对他的评价并不怎么的。虽然人们并不大了解他与他恩公的儿子之间存在着什么样的恩怨纠葛，但都清楚一点，那就是，他离开德比郡的时候留下了一屁股债，后来都是达西先生替他还了。

这时的伊丽莎白，她的脑子里全是彭伯里庄园，今天晚上比昨天晚上更加烦乱。夜漫长，却仍然不足以让她定夺自己该对豪宅里的那一个人持有什么样的感情。她躺在床上整整两个小时难以入睡，脑子里仍是思虑百结，理不出头绪。可以肯定，她不恨他。绝对不恨！忿恨早已无影无踪，而且可以说，她早已开始因为自己曾对他产生过厌恶感而愧疚不已。他可贵的品质令她肃然起敬，虽然起初她并不愿意承认，但至少曾经一度消除了她对达西的厌恶感。如今，她又听到人们对他一致称道，昨天还亲眼目睹他所表现出来的和善亲切的态度，她对他的敬重已经升腾而成了一种更为友好的东西。可是，无论是敬重还是别的什么都已经不再重要了，重要的是她的内心深处有了一种善意的动机，这是不容忽视的。那就是她的感激之情。她心怀感激，不仅仅是因为他曾经爱过她，更是因为他仍然深爱着她，他原谅了她当初拒绝他的求婚时的无礼之举和刻毒言语，原谅了她拒绝他求婚时对他的无端指责。她原以为，他一定会把她当作最大的仇敌避而远之，可是这次两人偶然巧遇，他竟然如此急切地修补两人的关系，没有丝毫粗俗鲁莽的言语，也没有任何怪异不当的举动，甚至竭力向她的亲戚大献殷勤，以博得好感，并屈驾把妹妹介绍给她认识。一个那样傲慢的人竟然发生了如此巨变，激起的不仅是震惊，更是感激，而且这只能归结到一点：爱，炽烈的爱！她无法准确地说出他的爱有多深，但她觉得应该促进这份情感的发展，至少绝对不能加以遏制。她尊重他，敬佩他，感激他，她衷心祝愿他幸福，同时也想知道他的幸福在多大程度上取决于她本人，在多大程度上能尽力促成两个人共同的幸福。她自信，她自己仍然拥有这种能力，能够让他再次向她求婚。

傍晚的时候，她曾经与舅妈一起交谈过，一致认为达西小姐实在太讲礼节了，竟然在回到彭伯里的当天，连早饭都没吃上（她回来时已经过了吃早饭的时间了），就前来拜会。她们即使比不上达西小姐那么礼貌，但礼尚往来，她们也应该还礼。于是，两人决定第二天一大早上彭伯里回访达西小姐。事情就这样定下来了。伊丽莎白心满意足，可是当她问自己为什么这样高兴时，却又答不上来。

第二天早晨，大家吃完早饭之后，加迪纳先生就独自一个人出门。昨天他们又讨论过钓鱼的事，并且约定好了，他将在中午时分赶到彭伯里庄园与那里的几位先生汇合。

第四十五章

伊丽莎白现在坚信，宾利小姐之所以不喜欢她，其原因在于妒忌，因此，她不禁想到，自己这次出现在彭伯里庄园，一定会受到宾利小姐的冷眼相待。不过，她也想看看，这次故人重逢，那位小姐到底会怎样面对自己。

伊丽莎白与舅妈一到彭伯里府邸，就有人领着穿过大厅来到客厅。客厅朝北，在夏天显得清凉宜人。客厅的窗户都可以探景，从这里可以看到房子后面林木苍翠的山峰、时隐时现的草坪，以及散布其间的美丽的橡树和西班牙栗木，一派清新明丽的景色。

达西小姐正与赫斯特太太、宾利小姐以及那位陪她在伦敦生活的女士，一起在客厅闲坐，见这两位客人来，连忙起身接待。乔治安娜待她们十分客气，可是由于她生性羞怯，再加上担心失礼，举止不免显得局促不安，这很容易让那些地位不及她的人产生错解，以为她骄傲、矜持。不过，加迪纳太太和外甥女能够体谅她，也很同情她。

赫斯特太太和宾利小姐只是行了个屈膝礼，就算是与客人打过招呼，大家落座之后，就是一阵沉默，一阵通常让人十分尴尬的沉默。还是安妮斯丽太太打破了坚冰。她是一位文静隽雅、容颜和蔼的女人，单凭她竭力找话与客人交谈这一点，就足以证明她比另外两位更有涵养。她很快与加迪纳太太攀谈起来，伊丽莎白偶尔在一旁插上几句。达西小姐似乎也很想加入进来，但又勇气不够。她偶尔大着胆子说上一句，不过都十分简短，声音低得几乎听不到。

蓦然间，伊丽莎白见宾利小姐正密切地注视着她，她的每一句话，特别是与达西小姐的谈话，都没有逃过对方的耳朵。要不是她与达西小姐坐得较远，不便于交谈，她才不会理会对方的观察，她会自顾自地与她说话。不过，虽然明知应该多与达西小姐交谈，伊丽莎白也没有为自己少言寡语而遗憾。她满脑子都是心事，担心那几位先生随时会走进屋来。她既希望这座宅院的男主人一起到来，又害怕他来。到底是希望多一些，还是害怕多一些，她不知道。伊丽莎白就这样坐着想自己的心事，连达西小姐说的话一句也没有听进去。大约过了一刻钟，她猛然被她一声冷冰的问候给惊醒。宾利小姐问她家人是否安好，伊丽莎白同样冷漠地敷衍了几句，对方没再说话。

接着，第二个招待项目开始了。几个佣人端上来冷肉、糕点，还有各种精致的时令水果。不过，达西小姐开始并没有想到，后来还是安妮斯丽太太不停地朝她使眼色、送微笑，才让她想起来应该尽主人之谊。这下子大家可都有事可做了。虽说不是每个人都善谈，但每个人都能吃，一堆堆鲜美的葡萄、油桃、鲜桃一下子吸引大家围坐到了桌前。

大家品尝水果的时候，达西先生走进了客厅。于是，伊丽莎白就有了一个绝好的机会，可以根据自己此刻的心情来判断她到底是更希望还是更担心达西的出现。虽说一会儿之前她还认为自己更期盼他到来，可是现在却又开始觉得他还是不来为好。

达西先生带着两三位先生与加迪纳先生汇合后，就一起在河边垂钓。后来听加迪纳先生说夫人和外甥女打算上午去回拜乔治安娜小姐，便赶回府上。一见他进屋，伊丽莎白就在心里打定主意，一定要放得开，不要别别扭扭的。做出这个决定十分必要，可是要落到实处就不容易了。因为她发现客厅里的人都以怀疑的眼光审视着她和达西，而且自达西进屋的那一刹那起，每一双眼睛都盯着他的一举一动。宾利小姐表现得格外明显，她虽然和别人说话时，脸上总是挂着大大的笑容，可是内心的好奇和专注仍然清楚地写在脸上。这说明忌妒之心并没有让她绝望，她对达西的迷恋并没有终结。达西小姐一看到哥哥走了进来，便竭力多开口说话。伊丽莎白看得出，达西非常希望妹妹能与她交好，并且尽可能让她们俩多多交谈。宾利小姐也看出了这一点，怒不可遏，顾不得礼貌，率先发难，冷言冷语地说：

“请问一下，伊丽莎白小姐，赫特福郡的民兵团是不是已经撤出了麦里屯？这可是你们家一大损失啊？”

在达西面前，宾利小姐没敢提及威克汉的名字，不过伊丽莎白一听，就知道她所指的就是他，一想起自己与他的一些往来和对他的好感，不免一阵沮丧。可是她还是努力地振作起来，反击这种恶意的攻击，语气显得大度豁达，毫不在意。她说话当中，不由自主地扫视了达西一眼，只见他面红耳赤，满脸真诚地望着她，而他的妹妹则完全被弄得不知所措，连眼睛都不敢往上看。要是宾利小姐知道了她给自己深爱的朋友带来了多大的痛苦，或许她说话就不会那样含沙射影了。可是，她认定了伊丽莎白钟情于威克汉，暗示一下这件事，都会让对手手忙脚乱，表现不出她的灵性，从而导致她在达西心目中的形象受到损害，说不定还会让他记起伊丽莎白的一些家人与民兵团的官兵厮混的荒唐可耻的行为呢。关于达西小姐企图私奔的事，她一个字也没听人提起来，达西对这件事一直讳莫如深，除了告诉过伊丽莎白，没有向任何人漏过半点口风。而对于宾利小姐的姐妹，他更是唯恐藏之不深，因为他希望她们将来能与妹妹攀上亲戚。伊丽莎白老早就看到了这一点。不过，他虽然早有此意，但这并不是他刻意把宾利和简分开的理由，他当初那样做，或许只是出于对朋友幸福的殷殷关切之情。

不过，伊丽莎白沉着稳重的表现很快就让他的心平静下来。宾利小姐既苦恼又失望，却也不敢更多地提及与威克汉相关的事情，乔治安娜慢慢地也缓过神来，只是不敢说话了。宾利小姐害怕达西的目光，她看出达西并没有顺着她的引导去想一些不愉快的事情，原以为自己神机妙算会让达西冷落伊丽莎白，结果适得其反，似乎让达西对伊丽莎白更加眷恋，而且眷恋得更加坦然。

这样一阵言语交锋之后，伊丽莎白和舅妈没有再呆多久就告辞了，达西先生把她们送上了马车。他们一走，宾利小姐就开始大肆批评伊丽莎白的为人、举止和衣着。乔治安娜没有跟着附和，她哥哥推崇伊丽莎白，这本身就足以让她产生好感。哥哥的判断不会出错，他对伊丽莎白评价很高，让她满眼里看到的都是可爱友善的伊丽莎白。达西回到客厅，宾利小姐不禁又从刚才向他妹妹说的一番话中，挑出一些跟达西又说了一遍。

“达西先生，您瞧伊丽莎白·贝内特今天早晨的气色真不好！”她大声说道，“从冬天到现在，她的改变太大了。瞧她变得多黑多粗糙！露易莎和我都在想，我们真不该再与她见面。”

达西极不喜欢听到这样的话，于是冷冰冰地敷衍了一下，说，他还没有看出伊丽莎白有什么大变化，只是晒黑了一点而已。夏天出外旅游，这一点儿都不足为奇。

“照我看呀，”她继续说道，“我必须承认一点，她一点也不美。她的脸太瘦，肤色没有光泽，五官也不秀气，她的鼻子没有特点，连线条都看不出来。她的牙齿还不错，但也不算出众。有人曾经说，她的眼睛很美，我却从来没有感觉到她那双眼睛有什么特别迷人之处。她那目光犀利、蛮横，我一点儿也不喜欢。她那气质，自以为了不起，没一点优雅可言，简直让人受不了。”

宾利小姐明知道，达西先生倾慕伊丽莎白，却还用贬损他意中人方式来抬高自己，实在不明智。怒气冲冲的人往往都失去理智。当她看到达西脸上的愠怒神情，以为达到了目的，却又见他始终不说话，于是打定主意让他开口。她继续说道：

“还记得在赫特福郡第一次见到她的时候，听人说她是有名的美人，大家都觉得奇怪。我尤其清楚地记得，她们在泥泽地别墅赴宴之后的一个晚上，你还说：‘她要是个美人，那我真要管她母亲叫才女了。’不过，那以后，你对她的印象似乎好了起来，我想，或许有一阵子你还认为她非常漂亮呢。”

“你的话不错，”达西忍无可忍，终于开口了，“我是说过，不过那只是在刚认识她的时候，现在这几个月以来，我一直认为她是我所认识的最漂亮的女子之一。”

达西说罢，转身离开了。宾利小姐这下可算是心满意足了，她终于让达西开口说话了，不过达西的话没有伤害任何人，唯独伤了她自己。

加迪纳太太和伊丽莎白回到旅馆之后，你一言我一语地把刚才到彭伯里拜访时发生的事情议论了一番，唯独没有谈论各自最感兴趣的事儿，还把她们在那儿所见到的那些人的长相、神情举止都谈了个遍，就是没有谈到两人都极其关注的那个人。她们谈到了他的妹妹、他的朋友、他的高楼大院、他招待的水果，谈到了一切，就是没有谈到他本人。不过伊丽莎白很想知道加迪纳太太对他的印象，加迪纳太太也热切地期待着外甥女能够先开口谈起这个话题。

第四十六章

到达兰顿的第一天，伊丽莎白见没有姐姐的来信，心里颇有几分失落感。在她呆在兰顿的几天里，每天早晨都没见到姐姐的来信，每天早晨都要生出失望。可是第三天早晨，她的郁闷没了，也不再抱怨姐姐了：她同时收到了两封姐姐的来信，其中有一封还曾经被误投到其它地方过。这也难怪，谁叫姐姐把地址写得那么潦草呢?

信送来的时候，她正要和舅舅、舅妈出去散步，见有信来，舅舅、舅妈就自己出去了，让她一个人静静地读信。被误投过的那是五天前写的，应该先读。信的开头介绍了一些小型舞会宴会活动的情况，以及乡下的一些消息；可是后半部分写得十分浮躁，而且写明是在第二天写的，里面的内容却重要得多。信的内容大致如下：

亲爱的丽兹，我写到上面那部分内容时，发生了一件最意想不到最严重的事。我恐怕要吓着你。不过请你放心，家里人都平安。我要说的事情与可怜的丽迪亚有关。昨天晚上，我们已经上床睡觉了，有人送来一封快信，信是福斯特上校写来的，信中说丽迪亚与他的一位军官一起跑到苏格兰去了。老实讲，她是和威克汉一起跑了。你可以想像我们有多震惊。然而，凯蒂对这件事并不感到十分意外，我非常非常难过。他们两人太不般配了。可是，我仍然抱着最好的希望，希望威克汉的人品被人们误解了。我相信他轻率鲁莽，不过他这次私自出去似乎并没有存心不良（这算是万幸）。至少，他的选择不是为了贪财，他也应该知道，丽迪亚不可能从父亲那里得到什么。可怜的妈妈伤心不已，父亲比较能够沉住气。真是谢天谢地，幸好我们一直没让父母知道那些对威克汉不利的传闻，我们自己也得忘记掉。据猜测，他们俩是星期六晚上十二点左右，离开军营的，可是直到昨天早晨八点人们才发现他们不见了。这封快信是直接送达我们的。亲爱的丽兹，他们一定是从离我们这里十英里的地方路过的，福斯特上校说他不久赶到这里。丽迪亚给福斯特太太留下了几行字，向她说明了她与威克汉的打算。我得搁笔了，我不能离开可怜的妈妈太久。恐怕你难以弄清我说了些什么，就连我自己都不知道自己写了些什么。

伊丽莎白读完这封信，顾不得细想，也顾不得弄清自己心中的感受，就抓过另一封信，心急火燎地拆开信读起来。这封信比上封信晚写一天。上面写道：

此时此刻，我最最亲爱的丽兹，我想你已经收到了我的上一封信，那封信匆匆写成，十分凌乱，但愿这封信说得更清楚一些。虽然这时我时间不紧，但脑子里却一片茫然，都不知道该怎样才能使条理清楚。亲爱的丽兹，我真不知该对你说些什么，可是又必须把这坏消息告诉你，而且刻不容缓。尽管威克汉和可怜的丽迪亚在婚姻上过于草率，但我们还是希望他们结婚算了。可是现在让大家担心的是，他们或许没有去苏格兰。福斯特上校前天把快信寄出之后不过几个小时，就从布莱顿匆匆赶来，昨天到达这里。虽然丽迪亚在给福斯特太太的留言让大家理解为，他们要去苏格兰的格里特纳格林，也就是情人们私奔的地方。可是丹尼却露出口风，说威克汉从来就没有打算去那儿，也根本没有打算娶丽迪亚。丹尼把这事向福斯特上校说了几遍，福斯特上校立刻警觉起来，从布莱登赶出来，希望能追到他们。他也确实追了，他轻而易举地追到了克拉潘，但没有继续往前追。因为那两人换乘了一出租马车，把他们从厄普瑟姆雇来的马车打发掉了，在那之后的情况就不清楚了，只是听说有人在前往伦敦的路上见过他们。福斯特上校沿着从那边通往伦敦的路四处打听，后来又到了赫特福郡，在各个路口打听，在巴内特和哈特菲尔德的旅馆里四处探寻，急切地希望获得有关他们的最新消息，可是一无所获，人们都说没有见过这样的人路过。他怀着真诚的关切来到了龙博恩，诚恳地吐露了他的满腹忧虑。我为他和福斯特太太难过，我们丝毫不可责备他们。我们可以说是沮丧至极，亲爱的丽兹。父母都把事情朝最坏处想，可是我却不认为他坏到那样的地步。或许，出于环境的压力，他们会改变原来的计划在城里悄悄地结婚。就算是他欺负丽迪亚年幼无知，没有强有力的家庭背景，难道丽迪亚对这一点就无动于衷吗？这是不可能的。然而，我伤心地发现，福斯特上校并不认为他们会结婚。当我向他说出我的希望时，他摇了摇头，说恐怕威克汉不是一个值得信赖的人。可怜的妈妈真的病了，呆在房间不出门。要是她能想开些，身体会好起来的。可惜无法指望她会做到这样。至于爸爸，我从来没有见他如此伤心过，可怜的凯蒂在生自己的气，责骂自己不该隐瞒丽迪亚与威克汉之间的恋情，可是这种儿女私情，怎么好说出来呢？亲爱的丽兹，你没有看到这些令人心碎神伤的场面，我真替你庆幸。现在，最让人震惊的时刻已经过去，我真希望你能回来。当然，如果不方便，也不要勉强，我还没有自私到那种地步。再见！我刚才还在说不勉强你回来，可是当我再次提起笔，又出尔反尔了。可是照现在的情况来看，我还是真诚地请求你回来，越快越好。我十分了解舅舅舅妈的为人，所以敢这样无所顾忌地作出请求。不过，我还有其它的事情得求他们帮忙。父亲已经随福斯特上校一同去了伦敦，希望在那里找到她。他到底想到要做什么，我确实不得而知。可是，他心情极度沮丧，不可能想出最稳妥最有效的办法。更何况福斯特上校明天晚上就得回布莱顿去了。在这紧要关头，舅舅的建议和帮助是绝对必要的，他会很快明白我的心情的。我确实需要他的帮助。

“天哪！哪里？舅舅在哪里？”伊丽莎白大声喊着。她一看完信，就从座位上跳起来，急急忙忙地去找他。时间如金，她一分钟都不愿意浪费。她刚走到门口，就见仆人把门推开，达西先生出现在眼前。见她脸色发白，神色慌张，达西一惊。他还没醒过神来开口说话，就听见满脑子都在惦记丽迪亚处境的伊丽莎白心急火燎地叫喊道:“请原谅，我得马上走，我现在就得找到加迪纳先生。我有急事，刻不容缓，一刻也不能耽误。”

“天哪！到底怎么回事？”达西喊道，顾不上礼貌，但更显真情。随即他又恢复了常态，说：“我不愿耽搁你一分钟，请让我或者是仆人去找加迪纳夫妇。你看上去身体不太好，你不能自己跑去找。”

伊丽莎白还在犹豫，可是，她的双膝已经在瑟瑟发抖。她顿时想到，她要是去找人，恐怕也是心有余而力不足啊！于是，她唤回仆人，吩咐他去把加迪纳夫妇找回来，立刻！她上气不接下气，说话让人难以听清。

仆人一走，她就瘫软地坐下来，脸色铁青，让人爱怜。见此情景，达西无法离开。他用温柔体贴的声音对她说:“请让我把女佣人叫来，你能不能喝点什么，让自己放松一点？来一杯酒吧，我去端。——你好像病得不轻。”

“不了，谢谢你！”她一面回答，一面努力使自己镇定下来，“我不要紧，我很好。我只是刚收到龙博恩的来信，信里可怕的消息让我太沮丧了。”

她一提到这事就止不住泪如泉涌，好几分钟都说不出一句话来。

达西满怀忧虑，却也只能用含含糊糊的语气说一些关切的话，用怜爱的目光默默地注视她。终于，她又开口了："我刚刚收到简的一封信，里面的消息太可怕了。这事是瞒不住谁的。我那最小的妹妹，丢下了所有的亲友，……私奔了。她被——威克汉给骗走了。他们一起从布莱顿跑了。你是了解威克汉的，你知道他会干些什么。她既无钱财，又无背景，没有什么东西会诱使威克汉……她算是彻底毁了。"

达西怔住了。"我寻思着，"她继续说道，语气显得更加焦虑，"我本来可能阻止这件事的。我知道他是个什么样的人呀！我为什么不把我知道的事情向我的家人稍稍解释一下，哪怕是透露一点点？要是大家了解了他的人品，这事可能就不会发生了。可是，现在一切，一切都太晚了。"

"我很难过，真的。"达西说道，"也很震惊！这是真的吗？绝对真实吗？"

"噢，是的。他们俩是在星期天晚上一起跑的。大家追到快到伦敦的时候，就没再往前追了。他们肯定没有去苏格兰。"

"现在有没有想办法，有没有打算去找她？"

"我父亲已经去了伦敦，简写信来请我舅父立刻回去帮忙。我们得走了，我想，不出半个小时。问题是我们现在无能为力。我很清楚，现在想任何办法都不成。我们怎么可能斗过这样的一个人呢？又怎么去找到他们呢？我已不抱任何指望。真是太可怕了。"

达西摇摇头，默默地同意了她的分析。

"当我看清他的真实品行的时候，——唉，要是我知道该做什么就好了。要是我当初不前怕狼后怕虎就好了。可是我当时不知道啊！……当时我只是担心做过头了。痛心啊！错误啊！"

达西没有说什么，似乎根本就没有听到她说的话。他在房间里来回走动，陷入了深深的沉思之中，眉头紧锁，神情肃穆。伊丽莎白见此情景，立刻明白了这意味着什么。她的魅力正在消失，一切终将消失，就因为这一个证明自己家势衰弱的例证，就因为这一个

抖露家丑的事实。她对达西的举动既不感到诧异，也不觉得该去指责，她只是希望他能自我克制。但是这不能给她的心扉带来任何慰藉，也不能给她沮丧的情感带来丝毫抚慰。相反，她由此理解到了自己的心愿。她顿时真正地感觉到，她完全能够爱上他的，这是一种前所未有的感觉，只可惜，到如今纵然有千般爱也会转眼成空。

虽然她心中萌生了一些私心杂念，但她并没有深陷其中。丽迪亚，这个家族的耻辱、痛苦，一下子吞噬了她所有的儿女私情，她用手帕掩面，完全迷失在痛苦之中，把一切都抛诸脑外。几分钟之后，她同伴的声音把她唤回到了现实。达西先生充满了同情，又带着几分拘谨地说道：“恐怕你早就希望我走开。我除了能表达我真诚但又毫无实用价值的关切之外，无能为力，所以我不会恳求留下来。我只希望尽我之力说些什么或者做些什么，以减轻你的沮丧和痛苦。但是我不会空口许诺，那样只会打扰你，还可能会让你觉得我是故意讨好你。恐怕这件不幸的事情会让我妹妹今天无缘与你见面叙谈了。”

“是的，务请代我们向达西小姐致歉，就说我们有急事，立刻就得动身回家。请你代为隐瞒这件不幸的事情，尽可能隐瞒的时间长一点。——我知道，这件事不可能久瞒。”

他保证，乐意为她保守秘密。他再一次表示了对她痛苦心情的同情，希望事情会有一个更愉快的结局，而不是像现在想像的那么糟糕，并请代他向她的亲戚问好。说完这些，达西带着一副严峻而又充满眷恋的神情离开了。

达西走后，伊丽莎白不禁想起，这次在德比郡与达西几次相见都是那样热情坦诚，可惜这种坦诚相见的机会以后不会再有。回首往事，他们从相识到现在，风波迭起，跌宕起伏，不禁感慨这段不同寻常的情感历程，以前乐于中止，现在又希望能继续下去。

如果说感激和敬重是爱情的良好基础，那么伊丽莎白的情感变化就既在情理之中又无可非议。假如情况不是如此，假如与那种初次相见彼此还没说上两句话就产生的恋情，即所谓的“一见钟情”

相比较，由感激和敬重而萌生出的恋情是不正常的、不合情理的话，伊丽莎白的爱情就不值得颂扬了，该颂扬的倒应该是她对一见钟情的初步尝试。她对威克汉一见倾心导致的是不尽人意的结果，正是一见钟情使得她选择了另一种并不引人入胜的爱情方式。尽管如此，她也仍然是眼睁睁地看到他离开，心中悲戚戚。丽迪亚的丑行一开始就产生了令人懊丧的后果，再想想那件倒霉事本身，她的痛苦愈甚。自从她读了简写的第二封书信之后，她丝毫就没有抱一丝希望，认为威克汉可能会娶丽迪亚。她觉得抱这种幻想的只有简，绝无第二人。事态发展到这一地步，她心里丝毫不觉得奇怪，读简的第一封信时，她还感到颇为诧异，甚至震惊：威克汉竟然会娶一位无利可图的姑娘。她也感到惊奇，丽迪亚竟然会迷恋上他，这简直不可思议。可是现在，这一切似乎再自然不过了。丽迪亚有足够的魅力去赢得这类轻率的恋情。虽然她认为，丽迪亚在盘算着与人私奔时不可能没有结婚的打算，但是她又可能轻松地得出一个结论：无论是从丽迪亚的那么一点德性还是凭她的智力来看，她都很容易成为别人的猎物。

民兵团驻扎在赫特福郡时，她丝毫也没有觉察到丽迪亚对威克汉心存恋慕，于是她断定了一点，即丽迪亚只要被勾引就会上钩。有时候一个军官对她殷勤，她就会春心荡漾；有时候另一个军官向她献媚，她又会迷恋起这位。她的情感始终飘忽不定，从来不缺少调情对象。她堕落至此，都是家里人疏于管教、一味纵容的过错啊！唉，她现在感到了切肤之痛。

她急切地想回家，想去听一听、看一看，想回去亲临现场，分担一下全压在简一人身上的忧愁。家里现在一片混乱：父亲出门了，母亲瘫倒了，需要人不停地守候照看。虽说伊丽莎白差不多认为对丽迪亚的事情已经无能为力了，但舅舅迎难而上，似乎会起到至关重要的作用。只有等舅舅进了家门，才能真正减轻一下笼罩在大家心里的焦虑和痛苦。加迪纳夫妇听到仆人的叫喊和叙述，还以为外甥女突然病了，便急匆匆地赶回旅店。伊丽莎白见舅舅和舅妈回来，立即将派人找回他们的原因匆匆说了一遍，消除了他们刚才的疑虑，接着又大声把两封信读给他们听，并特别强调了第二封信的附言，急得声音直打颤。虽然他们夫妇俩并不特别喜欢丽迪亚，也不由得忧心忡忡。这件事涉及的不仅仅是丽迪亚一个人，而是所有的人啊。听到这个消息，加迪纳先生先是连连嗟吁，既惊诧又恐慌，继而又果断地答应，将尽力帮助化解困难。伊丽莎白虽然早就预料到了舅舅的态度，还是感激得眼泪直流。三个人受到同一个信念的驱使，很快做好了踏上归途的一切准备。他们将尽快出发。“我们这一走，彭伯里那边怎么交待？”加迪纳太太叫喊道，“约翰告诉我们，说你派他去找我们的时候达西先生也在这里，是吗？”

“是的，我已经告诉他我们今天无法赴宴了。这事就这么解决了。”

“这事就这么解决了！”舅妈冲进房间收拾东西，嘴里还在念叨，“他们就已经好到了可以把实情相告的地步？唉，我真想知道这是怎么回事。”

可惜，她的愿望又没有实现，充其量她只是在接着忙乱的几个小时里从中得到了些许乐趣。就算伊丽莎白有空闲聊，她也只会坚持一点：像她现在这样狼狈，不可能谈论这种事情。更何况她和舅妈都还有许多事情要做。其中一件要做的事情就是为他们突然离开找个借口，给兰顿的朋友们留个言，解释一下。一个小时之内，所有的准备工作都已完成，加迪纳先生跟旅馆结清了账目，只等出发。伊丽莎白整整痛苦了一上午，没想到用了这么短的时间，就已经坐进了马车，登上了回龙博恩的路。

第四十七章

“我把这事又想了一遍，伊丽莎白。”当他们驱车出城的时候，舅舅说道：“真的，经过认真的思考，我觉得我原先的判断不妥，倒是更倾向于认同你姐姐的看法。照我说，一个年轻人不会对一个不可能没人保护、也不可能没有朋友的姑娘动歪心眼，更何况，丽迪亚还住在上校家呢。所以我倾向于持乐观态度。难道他就想不到她的朋友会站出来保护她？难道他就没想到，在这样冒犯了福斯特上校之后，怎么好再回民兵团呢？他没有充分的理由去铤而走险。”

“您真这么想？”伊丽莎白叫道，一时之间脸上竟露出了笑容。

“老实说呀，”加迪纳太太说道，“我也开始赞同你舅舅的看法了。他要真是做出那样的事情，可就真是大失体面，名誉扫地，自己得不到丝毫的好处。我觉得不能把威克汉想得太坏。丽兹，你能对他完全失去信心，认为他会做那些伤天害理的事吗？”

“如果他不考虑别人的利益，他也会权衡一下自己的利益，假如果真如此，他就不敢铤而走险了。可是我不敢对这一点抱有奢望。如果事实真是这样，他们为什么不去苏格兰呢？”

“首先，现在还没有确凿的证据证明他们没有去苏格兰。”

“噢。不过，他们从原来的马车上下来换乘出租马车，由此就可以推断出他们没去苏格兰。更何况，在巴内特的大道上，也没有发现他们的踪影。”

“那么，我们现在假设他们就在伦敦。他们到那里可能只是便于隐藏，而不是为了其它特别的目的。他们两人的钱都不会多，所以他们会想到，在伦敦结婚虽然没有在苏格兰结婚那么方便，但是更省钱。”

“可是，他们为什么要这样偷偷摸摸呢？为什么害怕被人发现呢？为什么要秘密结婚呢？噢，不，不，这不可能！从简的来信中您也看到了，他的一位要好的朋友认为，他绝对没有打算娶她。威克汉绝对不会娶一位无钱无财的女人，他办不到。而丽迪亚除了年轻、健康和达观的性情之外，还有什么资本能让威克汉甘愿为她去放弃其它更有利可图的婚姻呢？至于说他是否会认为这次极不光彩的私奔会让他在官兵中丢面子，故而对自己的行为有所收敛，我无法作出判断，因为我对于他这一步可能会产生什么样的后果一无所知。至于您的另一个分析，恐怕也难站得住脚。丽迪亚没有兄弟为她撑腰，而且我父亲生性懒散，对家里的事情不闻不问，因此他可能由此认为我父亲遇到这类情况时，一定也会像其他父亲一样听之任之的。”

“你真是认为丽迪亚爱他爱到不顾一切，以至于同意不结婚就与他同居？”

“这似乎是极为让人震惊的事了。”伊丽莎白说道，泪眼蒙眬，“在这种时候，做姐姐的竟然怀疑妹妹品行不端。可是，我确实又不知该说什么好。或许我冤枉了她。可她的确年幼无知，也没人教她该怎样去想一些严肃点的问题，最近半年，不，最近一年来，她完全放纵自己寻欢作乐，贪慕虚荣，光知道游手好闲，轻佻放荡，向来我行我素，对别人好的意见充耳不闻，家里人也一味纵容她。自从民兵团驻扎在麦里屯之后，她的脑袋里就只有谈情说爱，打情骂俏，成天想着的就是那些军官，她挖空心思地想着这些事，谈着这些事，一心要让自己已经够多情的性格中再加点……我该怎么说好呢？……风骚。大家都知道，威克汉仪表堂堂，谈吐不俗，足以让女人神魂颠倒。”

“可是，你知道。”舅妈说道，“简可没有把威克汉想得那么坏，她都不认为他会有什么荒淫无耻的企图。”

“简把谁往坏处想过？无论一个人曾经做过什么，她都不会认为他会有这样卑劣的企图，除非证据确凿。可是简和我一样清楚威克汉的真实面目呀。我们俩都知道，威克汉是个不折不扣的浪荡公子，丝毫没有人格和荣誉可言，生性虚伪、奸诈，善于花言巧语献媚邀宠。”

“你真的了解他的底细？”加迪纳太太见她信息来源如此之广，不禁好奇起来。

“我确实了解，”伊丽莎白回答说，“记得有一天，我向你讲过他对达西的恶劣行径。达西待他可谓仁至义尽，可他是用什么样的方式在评论人家？这您在龙博恩可是亲眼瞧见到的呀。还有别的事例，我现在不便说出，当然也不值得说。但是，他针对彭伯里的谎言数不清道不完。他诋毁人家达西小姐，我还真认为她是一位高傲、矜持、难以相处的女孩呢。其实，他知道自己所说的都是反话。他自己一定清楚，她是一个亲切、纯真的姑娘，这一点我们不也看得明明白白吗？”

“可是，难道丽迪亚对这些全不知晓吗？你和简了解那么多，难道丽迪亚一点都不知道？”

“唉，是的。这，这就是最糟糕的事情。我也还是到了肯特郡与达西先生和他的亲戚菲茨威廉上校接触多了，才知道内情的。在这之前，我也是一无所知。等我回家的时候，民兵团再过一两个星期就要撤出麦里屯了。我把自己了解到的情况告诉了简，可是鉴于当时的情形，我和简都认为不必把有关威克汉的真实情况公开。既然当地的人对他印象颇佳，我们何必去推翻他们的观点，那样会对谁有好处呢？当丽迪亚随福斯特太太去布莱顿这件事最后敲定的时候，我怎么就没有想到有必要让她睁开眼睛看清威克汉的嘴脸呢？我的脑袋怎么就没有想到过她可能会受骗上当呢？您该看得出，我真没想到，怎么还会出现这样的结果？”

“这么说，民兵团换防到布莱顿的时候，你根本还不知道他们已经好上啦。”

“一点也不知道。我记不起有什么迹象表明他们相好。要真是发现了这方面的任何蛛丝马迹，您知道，我们家不会对这事听之任之。他刚加入民兵团的时候，她就心仪他了，其实大家都对他印象不错。开始的一两月，麦里屯上上下下的姑娘们都被他迷得神魂颠倒，他当时对丽迪亚并没有特别青睐。所以，她在痴恋了威克汉一阵之后，再没有对他有什么非分之想了。而民兵团里其他几个军官对她大献殷勤，又成了她的新宠。”

一路上，大家反反复复讨论着这个备受关注的话题。虽然说他们心中除了担心、希望、猜测，再没有什么新的内容，可是大家三句不离主题，谈到别的话题上也会立刻回到这件事上来。不过，伊丽莎白却一刻不停地想着这件事，心中充满了深深的不安和自责，没有片刻的宁静和轻松。

一行人一路疾驰，在途中休息了一晚，第二天晚饭时分到达了龙博恩。伊丽莎白感到欣慰的是，大家总算赶到了，没有让简经过更长时间等待的煎熬。

加迪纳夫妇的几个小孩一见马车驶进围场，都站在门口的台阶上等待大家的到来，内心的惊喜溢于言表，蹦蹦跳跳，浑身洋溢着喜悦。伊丽莎白三人一回到龙博恩，就受到了孩子们欣喜、真诚的欢迎。

伊丽莎白跳下马车，急急忙忙地给了每个孩子一个吻，便冲进门厅。这时简也从母亲的房间里出来，跑下楼梯，迎接妹妹。

伊丽莎白激动不已，一把搂住姐姐，两人相拥，泪如泉涌。然后，伊丽莎白连忙问姐姐，有没有逃跑者的新消息。

“还没有呢。”简回答道，“不过既然舅舅来了，我想一切都会好起来的。”

“爸爸还在城里吗？”

“是的，他星期二走的，就是我给你捎话的那天。”

“常常有他的消息吗？”

“只有一次。星期三的时候，他给我写了一封短信，说他已安全到达，并告诉了他的地址。我是特意要求他这么做的。他又加了一句，等有了重要消息再来信。”

“妈妈呢？她怎么样？你们都好吗？”

“我想，妈妈还算不错，只是精神受到了很大震动。她这会儿正在楼上，见到你们回来，一定会很高兴的。她到现在还没离开过梳妆室呢。谢天谢地，玛丽和凯蒂都还好。”

“你呢？你怎么样？”伊丽莎白叫道，“瞧你脸色苍白，一定吃了不少苦头。”

她的姐姐连忙安慰她，说自己一点没事。姐妹俩正谈着话时，在外面与孩子们逗乐了一阵子的加迪纳夫妇走进门厅。简连忙中断与妹妹的谈话，向舅舅、舅妈跑过去，向他们致谢，并欢迎他们到来，时而面带笑容，时而泪水涟涟，激动不已。

大家来到了客厅。加迪纳夫妇把伊丽莎白刚才问过的话又重复问了一遍，知道简在这时候没有新的消息。简一向宽容仁厚，此刻仍然满怀希望，她仍然相信一切都会有好的结局。她每天早晨都盼望着有信送到，要么是父亲的，要么是丽迪亚的，相信他们在信中都会介绍事情的进展，说不定还会宣告丽迪亚与威克汉结婚的消息呢。

大家叙了几分钟，便来到贝内特太太的房间。贝内特太太接待了他们，其情景跟大家先前想到的毫无二致。她痛哭流涕，懊悔不已，大骂威克汉的卑劣行径，一个劲儿地抱怨自己所受的苦难和冤屈，唯独没有责骂那个对女儿溺爱娇惯的那个人，主要就是那个人导致了女儿的错误结局。

“要是当初全家一起去了布莱顿，”她说，“就不会发生这样的事情了。可是，可怜的丽迪亚没有人照顾呀。福斯特夫妇为什么让她跑开了呢？要是好好照顾，她不会做出这等事来的，所以我敢说，

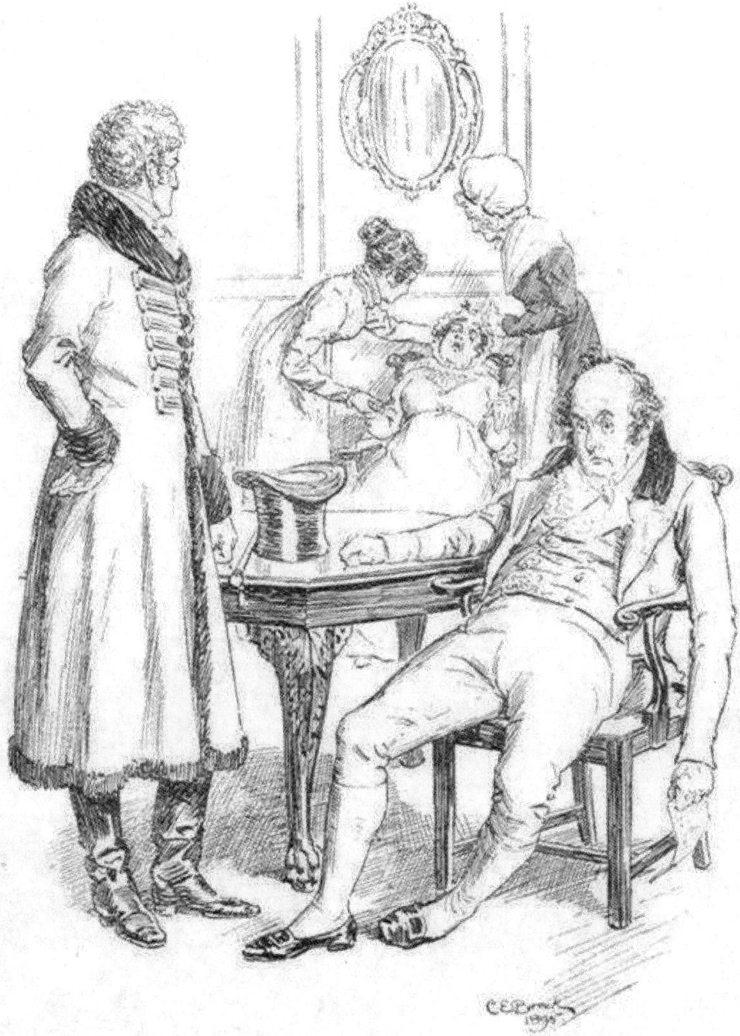

他们俩有重大失职。我早就认为这夫妇俩不适合照顾丽迪亚，可是没有人听，大家平常总是不听从我的意见。我可怜的孩子！这下可好，贝内特先生出去了，他要是撞上威克汉，一定会与他打起来的，要是那样子，老头子不被打死才怪呢，那我们该怎么办啊？老头子尸骨未寒，我们就会被柯林斯一家给扫地出门。弟弟，要是连你也不对我们好，我真不知道该怎么办啦。”

大家听她一说，一齐叫喊起来，怪她不该把事情想得这么可怕。加迪纳先生表明了自己对姐姐及姐姐全家的感情，并说自己打算第二天就上伦敦去，帮助贝内特先生一起找丽迪亚。

“不要无谓的担心，”他说，“虽说应该作最坏的打算，但也不应该把它想得那么绝对。他们离开布莱顿还不到一个星期呢。再过几天我们说不定就有了他们的消息。千万不要自暴自弃，等到我们把事情弄清，看他们有没有结婚，或者打算不打算结婚再说。我一进城，就去找姐夫，让他和我一起回到慈恩教堂街的家中，细细商量该怎么办。”

“噢，我的好兄弟！”贝内特太太叫了起来，“你这话说到我心眼里去了。你进城之后，务必把他们找出来，无论他们藏在哪里。要是他们还没结婚，就让他们结婚算了。至于说婚纱礼服，叫他们先结婚再说，她结婚之后，要多少钱买衣服，我都会如数给她。你要做的最重要的一件事，就是不要让贝内特先生打架。告诉他我的状况很糟，我已经神经错乱，浑身筛糠，腰部抽搐不已，头疼得厉害，心也是怦怦乱跳，白天黑夜没有一时半会儿安宁。告诉我的好丽迪亚，叫她不要自作主张地乱买衣服，等见了我再说，她不清楚哪家店铺最好。噢，弟弟，你真是太好了！我相信你会把一切办好的。”

加迪纳先生再次向姐姐表示，他将尽力而为，请姐姐放心。同时，他也不忘提醒她不要偏激，既不能希望太大，也不能担忧过多。大家就这么与贝内特太太说了一会儿话，等到晚饭上了桌，便陆续离开了。等女儿们一走，女管家来照顾她，听她倾吐心中的忧虑。

弟弟和弟媳虽说都认为贝内特夫人不必与大家分开吃饭，但也没作反对。他们知道，姐姐这个人说话口无遮拦，坐到桌上来乱说一气，让佣人们听了笑话，所以还是让一个最值得信赖的家仆去听她诉说牵挂和担心更好一些。

大家来到餐厅，不久玛丽和凯蒂也来了。先前她们俩在各自的房间忙着自己的事情，一个忙着读书，一个忙着化妆，还未来得及与大家打照面呢。两个人脸色都很平静，看不出有什么变化。只是凯蒂说话显得比较烦躁，或许是因为失去了最喜爱的妹妹而伤心，或许是因为这件丑事让她也沾上了火星而生气。至于玛丽，仍然一本正经，等大家落座，她带着一副充满忧思的神情，悄悄地对伊丽莎白说：

"这实在是家门不幸啊！人们一定会把这事吵得沸沸扬扬。我们可得团结起来，顶住恶浪，用姐妹深情抚慰每一个受伤的心灵。"

见伊丽莎白没有答腔的意思，她又说道："虽说这件事情是丽迪亚的不幸，但我们大家都应引以为戒。女人一旦失去贞洁，就无法挽回，正所谓一失足成千古恨。一个女人，美色难留，美名更难保啊！对于那种轻薄男人，一定要慎之又慎才行啊！"

伊丽莎白惊诧地抬起头来，可是因心情太过沉重，没有答话。玛丽也不管这些，继续津津有味地对大家面临的邪恶事件进行道德说教。

第二天下午，贝内特家的大小姐二小姐终于可以单独在一起呆上半个小时了。伊丽莎白接连不断地向姐姐问这问那，简也是迫不及待地一一作答。两人吁叹不已，伊丽莎白认为这事必定会产生可怕的后果，简也认为不是不可能的。伊丽莎白句句不离这个话题，说："有些事情我还不知道，请你详详细细地告诉我，再把事情说得具体一些，福斯特上校怎么说的？难道说他们私奔之前就没有任何迹象吗？一定有人见过他们幽会。"

"福斯特上校确实承认，他曾经怀疑过两人间存在恋情，尤其是丽迪亚，可当时未能引起警觉。我真替他遗憾。对这事，他算是尽心尽力，关怀备至。他还不清楚他们没有去苏格兰的时候，就要专程赶到我们家，安慰我们。等意识到这一点之后，他快马加鞭赶到了这里。”

“丹尼确实肯定威克汉不会娶丽迪亚吗？他知道他俩私奔的动机吗？福斯特上校有没有找丹尼面谈过？”

“找他谈过。不过，丹尼矢口否认自己知道他们俩的计划，也不愿说出他自己的真实想法，甚至没有再提到他原先的推想，在这之前他还认为他们不会结婚呢。所以，鉴于这一点，我倒是希望别人误解了他的话。”

“福斯特上校来之前，我想你们没人怀疑过他俩是否会真正结婚吧？”

“我们怎么可能这样想呢？我只是感到有点不安，有点担心，总想着妹妹嫁给他会不会幸福呢？因为我知道，他以前品行不端。爸爸妈妈根本就不知道这些，所以他们只是认为这桩婚事太唐突了一些。凯蒂似乎了解的情况比我们多，她得意地声称，丽迪亚在给她写的最后一封信就说准备走这步棋了。似乎她知道他俩几个星期之前就好上了。”

“可是在丽迪亚上布莱顿之前她并不知情呀。”

“我想，那时候她还不知情。”

“福斯特上校似乎对威克汉没有好感，是吗？他知道威克汉的真实为人吗？”

“我得承认，他对威克汉的评价不及从前。他说这人行为轻率，生活铺张。而且自从这件事发生之后，有人说他在麦里屯负债累累。我真希望这不是真的。”

“唉，简，要是我们对有些事情不那么守口如瓶，要是我们把了解到的有关他的情况告诉大家，这事或许就可以避免了。”

“情况可能会好些，”姐姐说道，“可是我们不顾别人此刻的心里感受，就揭他们以前的短处，似乎有悖于情理。我们那样做也算是仁至义尽了。”

“福斯特上校有没有重提丽迪亚给他夫人的留言呢？”

“他把那张留言条带给我们看了。”

简从皮夹里掏出那张留言条，递给伊丽莎白。信的内容如下：

亲爱的哈丽亚特：

明天早晨，当你发现我已远走高飞的时候，一定会大吃一惊，等你弄清我要去哪儿的时候，又一定会笑话我的。一想到你的惊奇样，我也忍不住笑了出来。我要去格里特纳格林。要是你猜不出我与谁一块儿跑了，那你就是个大笨蛋。在这个世界上让我爱的人只有一个，我想与他一起出走是不会受到伤害的。要是你不愿意，就不必给龙博恩传话，说我走了。我到时候会给他们写信的，当他们看到信的落款是丽迪亚·威克汉时，一定会倍觉意外的。这是一个多棒的玩笑！我直发笑，都笑得写不下去了。请代我向普拉特表示歉意，说我今天无法赴约与他跳舞了。请告诉他说我希望他了解情况之后原谅我，也请告诉他，我们下一次在舞会上相见时，我会十分乐意与他跳舞。我到格里特纳格林之后就让人来取我的衣物，但请让萨利收拾行李的时候，替我把那件细纱长礼服上的绽开的一条缝给补一补。再见！代我向福斯特上校祝福。真希望你们能为我们干杯，祝我们一路顺风。

你友好的朋友

丽迪亚·贝内特

“好一个没有脑子的丽迪亚！”伊丽莎白读完短信，叫出声来。“这是什么信呀，在这个时刻亏得她写得出来。不过，这至少表明她对这次出走还是很当一回事的。不管威克汉以后可能诱使她做出什么事，至少也不是存心要丢大家的脸。可怜的爸爸！他当时心头是个什么滋味呀！”

“我从来没见过有谁震惊到他那样，整整十分钟一个字都说不出来。妈妈当时就病倒了。当时全家上下一片混乱。”

“哦，简，该不会有哪个在场的仆人当天就把这事了解得清清楚楚了吧？”伊丽莎白惊叫道。

“我不知道，但愿不会。不过，当时那种场面，要想保密也难哪！妈妈当时歇斯底里的毛病又犯了，我尽力照顾周全，不过恐怕还是做得不够。我心里充满恐惧，生怕出了什么乱子，几乎吓得我方寸全乱。”

“你已经尽心尽力了。你的脸色也不太好。要是我陪着你就好了。这一阵子全是你一个在操心着急啊！”

“玛丽和凯蒂表现也不错，我想，她们也想尽力替我分忧，可我又觉得这样对她们俩都不好。凯蒂身单力薄，弱不禁风，玛丽学习十分用功，不能占用她的休息时间啊！星期二爸爸出门之后，菲力普姨妈也来龙博恩，一直陪着我到星期三，她的善行起了大作用，给了我们很大的安慰。卢卡斯夫人也十分友善，星期三早晨大老远走过来宽慰我们，并主动提出如果我们有用得着的地方，她和她女儿们随时愿意效劳。”

“她还是呆在自己家里要好些”，伊丽莎白喊着，“或许她是出于好意存心帮忙，可是遇上这样的不幸，还是与邻居们少见为妙。不可能让她们帮忙，她们安慰也只会增添难以忍受的痛苦。还是让她们站得远远的幸灾乐祸去吧。”

接着，她又问起了父亲准备进城之后，采取什么办法去寻找女儿。

“我想，他打算去厄普塞姆一趟，”简回答道，“就是他们换马车的地方，去找找马车夫，看能不能从他们那里了解一点什么。他主要的就是想弄清楚他们从克拉帕姆乘坐的马车的车号。他认为，那辆马车从伦敦来，上面载有客人，这一男一女乘客在这里换乘马车，可能有人注意到。所以他打算到克拉帕姆去打听一下。如果他能打听到马车夫把客人送到了哪一家旅店，他就决定到那一带仔细查访，相信还是有可能查出马车的停靠点和车号。除此之外，我就不知道他有没有别的办法了。可当时他行色匆匆，情绪极不稳定，连这些都是好不容易才问出来的。”

第四十八章

第二天早晨，全家人都盼望着贝内特先生的来信，可是邮差来了，却没有带来他的只言片语。虽然家里人都知道他平素慵懒，极少写信，不过现在是非常时期，大家还是认为他会勤写信回家的。既然他没有信来，大家只得认为他是没有什么令人鼓舞的消息向家人报告，尽管如此，他们仍然希望能够获得确切的信息。加迪纳先生出发之前，也一心盼着他能有信寄来。

加迪纳先生出发的时候，大家心里踏实了一些，至少可以随时了解事情进展的信息了。临别时，他答应大家，他会尽快说服贝内特先生回龙博恩。这对他姐姐是极大的安慰，她认为这是保住丈夫性命的唯一办法，因为他回到龙博恩，就不至于在决斗中给打死了。

加迪纳太太和孩子们将在赫特福郡多呆一些时日，她认为自己在场或许对外甥女们是一种帮忙。她也轮换着照料贝内特太太，等外甥女们闲下来的时候，也可以好好地安慰她们。姨妈也常来看望她们，用她本人的话来说，就是来安慰她们，让她们舒舒心。她每次来这里，都会讲述一些新鲜事例，来说明威克汉骄奢靡乱的生活和放荡不羁的本性；可是走了之后，外甥女们往往比她来时更沮丧。

三个月前，麦里屯的人把威克汉差不多捧成光明天使，而如今，似乎全城的人都在极力往他脸上涂黑。人们声称，这家伙在这一带的每个商人那里都债台高筑，还说他到处拈花惹草，而且尽是在一些生意人家做些偷腥食色的勾当。每个人都断言，这个年轻人是世界上最邪恶的人；每个人都发现，他们一直都被他俊逸的外表给蒙骗了。伊丽莎白对这些说法将信将疑，但对自己以前断定丽迪亚将被这人给毁掉的看法更加坚定。就连一直没有把事情看得如此糟糕的简，此刻也几乎绝望了。她以前一直抱有一丝希望，认为他们已经去了苏格兰，可是时间一天天过去了，就算他们去了苏格兰也该收到他们的消息呀。

加迪纳先生是星期天离开龙博恩的，到星期二，加迪纳夫人就收到了他的来信。上面说，他一到伦敦就找到了姐夫，并劝说他到慈恩教堂街住下，他到达之前，姐夫已经去过厄普塞姆和克拉帕姆，但并没有获得令人满意的信息；并说贝内特先生现在已经下定决心，要把伦敦城里的主要宾馆查遍，因为他相信那两个年轻人初到伦敦，在没找到住房之前，可能就住在其中一家旅馆。加迪纳先生并不指望采取这种办法会有收获，但看到姐夫一意孤行，也只好帮他了。他在信中还说，姐夫目前似乎无意离开伦敦，并表示会很快再写信来的。他在信的末尾加上了这样一段话：

> 我已经写信给福斯特上校，请求他帮忙尽可能从威克汉在民兵团里的好友那里查一查，看威克汉是否有一些亲友可能知道他在伦敦的藏身之处。如果能找到一个可能提供线索的人，那将是有重大意义，因为目前我们毫无头绪，只能盲目行动。我敢肯定，福斯特上校一定会尽其能力帮助我们的。不过，还有一点，我想或许丽兹更了解情况，更能告诉我们他有些什么亲戚。

伊丽莎白十分清楚舅舅为什么会这样注重她的信息，可是她却无法提供令人满意的信息，白白辜负了舅舅的信赖。

她只是听说过威克汉父母的情况，不过他们都已去世多年，除此之外，她再没有听说过他还有别的亲戚。或许，他在民兵团里的同伴能提供更多的消息；虽说她对此不抱多大希望，但还是值得去打听一下。

龙博恩的每一天都充满了焦虑，而每一天中最让人着急的还是等待邮差的那段时间。每天早晨，大家最迫不及待地期盼着的就是邮差送来信函，信中写的是好消息也好，坏消息也罢，大家毕竟可以了解一些情况。邮差走后，大家又开始盼望第二天会传来更有价值的消息。

当大家还在等待加迪纳先生的再次来信时，竟收到了一封寄自另一个区域的信，是柯林斯先生写给贝内特先生的！简事先得到过嘱托，父亲不在家时所有寄给他的信都由她收阅，于是她拆开信读起来。伊丽莎白知道柯林斯先生的信历来都是怪里怪气的，便凑到姐姐跟前一起读起来。信是这样写的：

尊敬的先生：

昨日收阅赫特福郡来信，获悉先生横遭不幸，厄运缠身。在下基于亲戚情分及自身的社会地位考虑，特修书一封以表同情。此番不幸，令人痛心疾首之至；家风蒙尘，实乃永无洗清之日。在下及内人深为先生及尊府痛惜，唯愿能解倒悬于大不幸，授慰藉以渡逆境。人世烦恼千重，伤父母心者莫不如此，所以令女如早夭或为不幸之万幸。据内人夏洛特所言，令女性情放荡不羁，源于溺爱纵容，实为可悲；然令女竟以弱龄之身铸成如此大错，在下以为实乃其生性顽劣所致，故先生及夫人不必引以自责。在下及内人均以为，先生亦甚可悲，凯瑟琳夫人及其爱女垂聆在下禀报，亦有同感。诸君所见一致，即一女之错，殃及其他。诚如凯瑟琳夫人所言，谁人肯与如此人家攀亲结缘？由此，在下不禁忆及去年十一月间往事，诚觉万幸，否则恐亦已身陷悲哀与羞辱之中。在下特奉劝先生善自宽慰，且应斩断与不肖女之亲情，使其自食其果。

恭祝大安

加迪纳先生等收到福斯特上校来信之后，才再给龙博恩写信，信中也没有令人欣慰的消息。据了解，威克汉没有一个亲戚与他往来，而且他的近亲都已去世。他的故交也不少，但自从他进民兵团之后，似乎就没与其中任何一人保持友谊，所以根本就找不出一个可能提供他的消息的人。事实上，他不仅害怕被丽迪亚的家人找到，他自己糟糕的财政状态也是他藏身的一个主要动机，因为人们刚刚发现他欠下一大笔赌债，无力偿还。福斯特上校认为，要清偿威克汉在布莱顿的欠债，至少要一千英镑。他在城里欠债不少，但他的赌债更为可观。加迪纳先生不想隐瞒任何细节，把情况一五一十地告诉了龙博恩一家人。简听得毛骨悚然，大叫道："赌徒！这真是万万没想到的事情，真是做梦也没想到啊！"

加迪纳先生在信中还说，她们渴望第二天，也就是星期六就看到父亲回家了。贝内特先生经过多方努力无果，神情黯然，终于接受了内弟的请求，即刻回家，留下内弟独守伦敦，相机继续追寻。贝内特太太虽说以前十分替丈夫性命担心，但听到这个消息之后，并没有像女儿们想象的那样喜不自禁。

"什么,他就要回来了？不管可怜的丽迪亚了？"她大声叫嚷着，"不找到他们，他不应该离开伦敦。他要是一走，谁会去与威克汉决斗，逼他娶我女儿呢？"

加迪纳太太也开始想家了，于是大家商定好，在贝内特先生从伦敦启程的同一天，她带着孩子们上路。这样，马车就可把加迪纳太太和孩子们送一站，再从那里把龙博恩的主人接回来。

加迪纳太太离开龙博恩都没有弄清楚关于伊丽莎白与她们德比郡的朋友的事情。其实，她在德比郡的时候就意识到了这一点。在她与丈夫面前，外甥女从来没有主动提到过那人的名字。加迪纳太太一直在将信将疑地期盼着这次回龙博恩之后，那人兴许会寄上一封信来，结果没有。伊丽莎白回家之后，还没有收到一封来自彭伯里的书信。

这次家中遭此不幸，伊丽莎白情绪低落，其原因不言自明，用不着从其它方面去找原因。因此，他舅妈从这一点上无法推断出什么，尽管伊丽莎白心里已经明白了自己对达西的情感，舅妈仍然看不出个所以然来。她想，要是不了解达西，她也不会为丽迪亚的丑行担惊受怕了，至少她能够有一半的时间晚上能睡得安稳一些。

贝内特先生回来了，脸上还是平时的豁达坦然的神情，言语也和以前一样不多，闭口不谈让他这次东奔西走四处忙碌的事情。这样一来，女儿们好长时间不敢议论这事。

直到下午，当贝内特先生与女儿们一起喝茶时，伊丽莎白斗胆提到了这个话题，简要地表达了自己的心情，说父亲这段时间一定吃尽了苦头，自己感到很难过。贝内特先生听了，赶紧说道："别提了。除了我之外，谁都不该为这件事受累。这事责任在我，理当由我受苦。"

"您不必对自己过于苛刻。"伊丽莎白说。

"你可以提醒我不要苛求自己，可人天生容易陷入这种深深的自责。唉，丽兹，请让我体味我自己种下的苦果吧！我这一生有多少事情值得自责啊！我不害怕会被恶名压倒，事情终将过去的。"

"您认为他们在伦敦吗？"

"是的，要不然他们怎么会藏得那么深呢？"

"丽迪亚以前就想去伦敦。"凯蒂补充了一句。

"这么说，她如愿以偿了，"父亲冷冰冰地说道，"她可能会在那里住上一阵子呢。"

稍稍沉默了一会儿之后，他继续说道："丽兹，五月份你那样说我，我一点不怨你。现在看来，你真有远见。"

他们的谈话被前来为妈妈端茶的简打断了。

"这样摆摆架子倒有好处，"他大声说道，"这倒是给不幸增添了些优雅。哪一天我也试试。我会坐在书房里，头戴睡帽，身穿睡衣，尽情地吆喝大家做这做那。或许，我可以推迟到以后，等凯蒂私奔的时候。”

“我才不会私奔呢，爸爸，”凯蒂气鼓鼓地说，“我要是去布莱顿，我会比丽迪亚规矩多了。”

“你去布莱顿？给我五十英镑我也不会让你去，连东博恩那么近的地方都不让去，我信不过你！不让去，凯蒂。我终于学会谨慎行事。你会感受到它的厉害的。以后任何军官都休想进我的家门，甚至别想经过村子。绝对不许参加舞会，要跳就和姐姐们一起跳。每天至少要做十分钟的正经事，否则一步也别想迈出家门。”

凯蒂听爸爸这么吓唬，信以为真，哭了起来。

“好了，好了，别让自己不开心。在未来十年里，你要一直都是好姑娘，等十年期满我就带你去看兵马大检阅。”

第四十九章

贝内特先生回到龙博恩已经两天了。这天，简和伊丽莎白正在屋后的矮树林里散步，忽然看见女管家朝这边走来。姐妹俩料定是母亲有事派她来找她们，便迎了上去。等走到女管家跟前，才发现不是母亲找她们，只听见女管家对简说："请原谅，小姐，这么冒昧打搅你们，是想请问一下您是不是已经听到城里传来的好消息。"

"希尔，你说什么？我们根本没收到城里来的消息呀。"

"小姐，"希尔太太诧异地叫道，"难道你们不知道，加迪纳先生派人给主人送来了一封急信？那人在这里等了半个小时呢，后来主人把信取走了。"

两位姑娘一听，拔腿就往回跑，匆匆忙忙连话都顾不上说了。她们穿过门厅，冲进餐厅，再跑到书房，都不见父亲的影子。她们正要上楼到母亲那儿去找，迎面碰到了男管家。男管家说：

"小姐，你们是不是在找主人？他朝小树林边走了。"

听到这个消息，姐妹俩立刻再一次冲出大厅，穿过草坪，追赶着父亲，远远地看见他正不慌不忙地朝着围场边的一片小树林走去。

简不如伊丽莎白轻盈，也没有她那样善跑，一会儿就落到了后边，而妹妹追上父亲的时候，也已经跑得上气不接下气了。她一追上父亲，迫不及待地问：

“哎，爸爸，什么消息？什么消息？你收到舅舅的信了吗？”

“是的，刚刚收到了他的一封急信。”

“上面有什么消息？好消息还是坏消息？”

“哪里会有好消息呢？”他边回答边从口袋里掏出那封信，“不过，或许你们也想看看。”

伊丽莎白急忙从他手中抓过信，这时，简也已经赶到了。

“大声点儿读，”只听见父亲又说道，“我自己都还没弄明白里面说了些什么呢。”

慈恩教堂星期一

八月二日

亲爱的姐夫：

我终于可以给你一些关于外甥女的消息了，希望大体上能让你满意。星期六，你离开伦敦之后，我碰巧发现了他们在城里的藏身之地。具体详情待我们见面再谈。现在只要知道他们已经被找到了就应该放心了。我已经与他们见过面了……

“这么说，果真是像我所希望的，他们算是结婚了。”简不由自主地叫了起来。伊丽莎白继续念道：

他们两人我都见了。他们没有结婚，我也没看出他们有结婚的打算。不过我已斗胆代你们向他们作出了承诺，如果你愿意接受这门婚事，我想用不了多久就可以操办。你必须做到下列几点：以法律形式向你女儿作出承诺，在你和我妹妹百年之后，你们给子女的五千英镑财产必须有她一份；而且得保证，在你有生之年，必须每年补贴她一百英镑。经过全面考虑，我觉得有权代你行使职责，所以我毫不犹豫地应允了这些条件。我特地修书一封，派专人快递，向你说明情况，希望能尽快收到你的回复。从这些情况来看，威克汉也并没有走上穷途末路。

人们在这一点都有误解。我非常高兴地告诉你，威克汉无须动用我外甥女的财产，自己完全有能力清偿债务，而且还有所节余可以给她。如果你充分授权我以你的名义代为操办这一切（我想你会的），我将立刻吩咐哈格斯顿准备办理有关手续。你也不必亲自再跑到伦敦来，放心地在龙博恩静享清闲，这边我会全盘打点好的。请尽快给我回信，并切记把意思说得明白些。我们认为，外甥女还是从我们家出嫁为好，希望你能应允。她今天要来这里，待其它事情决定之后，我再给你写信。

你的

爱德华·加迪纳

“这可能吗？”伊丽莎白刚读完信就大喊起来，“他可能娶她？”

“这么说来，威克汉倒并不像我们原先想的那样一无是处，”简说，“亲爱的父亲，祝贺你。”

“你回信了吗？”伊丽莎白问道。

“还没有，但事不宜迟。”

伊丽莎白缠着父亲，恳请他赶紧写信回复，一分钟也不要耽误。

“噢，亲爱的爸爸，”她叫道，“回去吧，赶紧回信，您想想，情况紧迫，一刻值千金啊！”

“要是你不喜欢动笔，我替你写！”简说道。

“我极不情愿回信，”父亲答道，“可是不得不写啊！”

说着，他转过身来，与女儿们一起往回走。

“请问一句，”伊丽莎白又开口了，“那些条件，我想是都要满足吧？”

“全部答应。他要求如此低，我也还有些愧疚呢。”

“那他们是铁定要结婚了，可惜他那人不咋样。”

“是啊，是啊，他们一定是要结婚了，别无选择。可是有两件事我很想弄清楚：一是你们舅舅填进了多少钱才把事情办到现在这个样子，二是我应该怎样报答他。”

“钱！舅舅！”简叫出声来，“你想说什么呀，爸爸？”

“我是说，像他那样贼精的男人，怎么会为图这点小利而娶她呢？你想想，我活着的时候每年只需给他一百英镑，死了之后只要给五千英镑啊！”

“这话不假！”伊丽莎白说道，“我以前怎么就没有想到呢？他能清偿债务，而且还有所节余！哦，这一定是舅舅从中垫钱了。真是个慷慨的大好人啊！只恐怕他苦了自己。像这样难办的事情，一点点钱是不够的。”

“是呀，威克汉又不是傻瓜，开价不到一万英镑，哪怕少一个子儿，他都不会娶丽迪亚的。我们这层新的关系才刚刚开始，我们就把他想得这么坏，按理说很不应该呀！”

“一万英镑！天哪！就算一半我们也还不起呀！”

贝内特先生没有做声，三个人都心事重重，默默地向前走着。回到家里，父亲到书房去写信，两个女儿则走进了餐厅。

“他们真的要结婚了？”伊丽莎白见四下无人，急忙嚷了起来，“真是天大的怪事！不过我们倒也该谢天谢地了。虽说他们几乎不可能有幸福，尽管他品行恶劣，可毕竟要结为夫妻了，怎么着我们也应替他们高兴啊！噢，丽迪亚！”

“我倒是觉得，”简说，“他要是对她没有真心实意的爱，是不会娶她的。好心的舅舅或许帮他还清了一些债务，但我绝不相信他垫了一万镑钱或者什么。他自己也有孩子，今后或许还会添丁加口，就算让他拿出一万镑的一半，恐怕也难。”

“我们要是能知道威克汉到底欠下了多少债，”伊丽莎白说道，“他到底给我们妹妹了多少钱，我们就能弄清楚舅舅为他们花了多少钱。反正威克汉是一个便士都拿不出来的。舅舅和舅妈的大恩大德恐怕一生都难以报答。他们把丽迪亚接回家，保护她，为她挽回面子，为了她作出了多大的牺牲啊！她怕是一辈子都感激不尽呢。现在她已经和他们在一起。要是这样的一片好心都不能幡然悔悟，她一辈子也不配得到幸福。她第一眼见到舅妈时，真不知心里有何感想呢！”

“我们得努力把他们俩的事情尽快忘记，”简说，“我仍然希望并且相信他们会幸福，他同意娶丽迪亚，这不正说明他正在端正思想，能够理性地考虑问题了吗？他们只要相亲相爱，也会天长地久的。所以我认为，他们会平平静静地生活，踏踏实实过日子的。到时候人们自然会忘掉他们以前的荒唐事了。”

“他们的荒唐事，无论是你、还是我、还是任何其他人，都不会忘记的。你那种说法是没有用的。”伊丽莎白说道。

两位姑娘突然想到，母亲可能对这件事情一点也不知晓，于是走进书房，去问父亲是否应该把情况跟母亲说一说。父亲正在写信，听到她们问话，头也没抬，只是冷冷地说：

“随便你们。”

“我们可以把舅舅的信拿去读给她听吗？”

“想拿什么就拿什么，拿了就走。”

伊丽莎白从他的写字台上拿起信，与简一起上楼去了。上楼一看，玛丽和凯蒂两人也陪着母亲，要是一读信，就等于全都知道了。大家一听说有好消息，刚刚安静下来，就听到简大声读起信来。贝内特太太几乎按捺不住自己的心情了。当简读到加迪纳舅舅说丽迪亚有希望马上结婚时，顿时欣喜不已，接下来每听一句话，自身都增了一分活力，她现在极度兴奋，欣喜若狂，与前一阵子惶恐不安、郁闷烦躁的心情形成了强烈的对比。只要知道女儿要出嫁这一点就够了，她再也不用担心她未来的幸福，也没有为女儿这段不检点的经历而羞耻。

“我的乖乖丽迪亚！”她大叫着，“这消息太好啦！……她就要嫁人啦！……我又可以见到她了！……她十六岁就要出嫁啦！……我弟弟真是大恩大德呀！……我就知道事情会是这样，我就知道我兄弟没有办不成的事。我真想早点见到她，见到我亲爱的威克汉。可是行头呢？婚纱礼服呢？我马上给弟媳写信，直接与她商量。丽兹，快跑下楼问问你爸爸，看他能给多少钱丽迪亚。别！别！还是我自个去。凯蒂，摇铃，叫希尔来。我要赶紧收拾行李。我的亲亲丽迪亚！我们再见面的时候，将是多开心呀！”

见母亲这样一惊一诧，情绪激动，简连忙想方设法让她平静些，便有意把她的注意力引向加迪纳先生身上，说他尽心尽力给大家做了不少好事。

“事情能有这么完美的结局，在很大程度上归功于舅舅的大力帮忙，”简接着说道，“我们都认为，他一定向威克汉许过诺，答应资助他钱财。”

“哦，这就对了！”母亲大声叫嚷着，“除了她的亲舅舅，还有谁会帮这种忙？要是他自己没有孩子，我和我的孩子们就可以分享他的财产了。你们知道，我们这也才是第一次真正从他那儿得到点东西，以前他不就是给了点小礼物吗？哎呀，我真高兴！眨眼功夫，我就要嫁出去一个女儿了。威克汉太太！听起来多神气！她上个月满十六岁呀！我的简乖乖，我心里别提有多激动了，信是写不好的了，那就我说，你替我写吧。一会儿我就去与你父亲落实钱的问题，可是嫁妆得赶紧订购啊。”

她接下来说出一大串的详细定购名目，什么细洋纱啦，印花布啦，麻纱啦，恨不得一下子把好多种明细购物单都说出来。简在旁边苦苦劝说,要她闲下来之后跟父亲商量之后再说,她才作罢。简说，这件事晚上一天也不打紧，母亲心情舒畅，竟然没有跟往常一样固执己见，不过她头脑里又有了其它的计划。

“我穿好衣服就去麦里屯，”她说，“我要把这个大好消息告诉我的妹妹菲力普太太。从那回来之后，我就去拜访卢卡斯夫人和龙太太。凯蒂，快下去叫人备马车。我相信，出去透透空气会对我大有好处。姑娘们，你们要是在麦里屯有事的话，我可以代劳。噢，希尔来了。亲爱的希尔，你听到了这个好消息吗？丽迪亚小姐要结婚了。到时候，你们都来喝喜酒，大家好好乐一乐。”

希尔太太一听，马上向各位道喜。伊丽莎白随大家接受了她的祝贺，后来实在厌烦了这种愚蠢的做法，回到了自己的房间，打算好好思考一会。

可怜的丽迪亚处境已经够糟糕了，好在还没有糟到不可收拾的地步，对这一点，伊丽莎白应该感到庆幸了。她自己也意识到了这一点。展望未来，妹妹既难获得应有的幸福，也难享受人间的荣华富贵；回首过去，她们两个小时之前还在为她担心着急。想到这点，她又觉得事情能有如此结局，已经算是万幸了。

第五十章

贝内特先生很早以前就常常在心里盘算，希望在自己有生之年里，每年从自己的开支中节余一点，将来给孩子们多补贴一点，如果妻子比他多活一些年数，也可以生活更好一点。此时此刻，他的这种愿望比以往任何时候都要强烈。要是他在这一方面早有作为，这次就用不着靠内弟的资助来为丽迪亚挽回脸面和荣誉了，也不会像现在这样，说服一个全英国最无耻的年轻人作为她丈夫，大家还心满意足。

他内心颇感自愧：一件本来无益于任何人的事情，竟然让内弟一人破费操办。因此，他下决心尽可能弄清内弟到底帮了多大的忙，希望能早日了却这笔人情债。

贝内特先生自己结婚之时，根本不用克俭持家，心里总想着会有个儿子的。等儿子长大成人，过世之后，他的遗孀和较小的孩子们也都会衣食无忧。他们夫妻俩虽然接连生了五个女儿，却总想着还会再生个儿子。即使在丽迪亚出生几年以后，贝内特太太都还满怀信心地要生个儿子，后来两口子终于死心了，不过攒钱的时机也错过了。贝内特太太不善于精打细算过日子，好在她丈夫还算爱动点心思，家里的财政还没有到入不敷出的地步。

根据当初的结婚契约，贝内特太太和孩子们可享有五千镑的遗产，至于她们怎么分配这笔遗产，应由父母的意愿来决定。这个问题现在就出现了，至少是必须确定丽迪亚的财产分配方案。对于贝内特先生来说，眼前这份建议不容拖延，必须尽快回复表示同意。他先是简单地向内弟的热情帮忙表示感谢，然后又白纸黑字地写明自己完全赞同内弟所作出的承诺，表示愿意内弟代他履行这些约定。他万万没想到，这件事情的结局竟然如此圆满。在说服威克汉娶自己女儿这件事上，他竟然不用费什么钱财。他虽然每年得支付他们一百镑，实际上每年只损失几乎不到十镑；因为丽迪亚在家里住的时候，她的食宿费和零用钱，以及她母亲经常给她的一些礼物，整个算起来也差不多是那个数目了。

另一个让他惊喜的是，解决这件棘手的事，自己竟不用花什么力气。这正迎合了他的一个想法，那就是麻烦越少越好，他刚刚听到丽迪亚私奔的消息时，怒不可遏，四处寻找女儿，可当他的怒气消散，他又自然而然地恢复了原来的懒散劲儿。尽管他做事拖沓，不过一旦真的动手，还是利索敏捷的，所以他给内弟的回信很快就发出去了。在信中，他请求加迪纳先生进一步告诉他一些详情，看自己到底欠内弟多少情；但是对丽迪亚还是十分恼火，所以对她只字未提。

好消息立刻传遍了全家上上下下，很快又传到街坊邻里的耳朵，大家对于这件事都显得十分开通豁达。当然，假如丽迪亚小姐突然回到家乡,或者在一处偏远的乡村隐居下来（这或许是最好的选择），人们又会大肆渲染了。事实上，仅仅是她出嫁这件事，就已经招致人们纷纷议论。麦里屯的那些可恶的老太太以前还总是一个劲儿地祝福她一生好运，可如今时过境迁，她们又饶有兴致地发表新论，说她嫁给这样一个丈夫，一生怕是脱不了苦海了。

贝内特太太已经两个星期没有下楼了，今天人逢喜事，又一次坐到了首席，情绪自然十分高涨，得意洋洋，全然没有一丝羞耻感。自从简满十六岁以后，女儿出嫁就成了她最大的心愿。如今眼看着就要实现了，她满脑子想到的、满嘴里说的全都是嫁妆彩礼，什么上好的细纹纱布啦，崭新的马车啦，甚至还有男仆女佣等等。她心里还在急急忙忙地搜索着，希望能在这一带为女儿找到一处合适的安家之所，不知道他们将来的经济收入怎样，也不管这些，只是觉得许多房舍不合她的意。她不是嫌这座房子太小，就是嫌那栋房子不气派。

“要是古尔丁一家搬走了就好，”她说，“海伊庄园应该不错。要是斯托克那幢豪宅客厅大一点，就好了。阿什沃思又太远。要是她住的地方离我十英里，我简直受不了。至于说波维斯住宅楼，那阁楼太糟糕了。”

碍于仆人就在跟前，丈夫没有打断她的话，让她一个人滔滔不绝地往下说。等仆人们一走，他立马就对妻子说：“贝内特太太，我们还是先把话说清楚。你可以为你的女儿、女婿租一套房子，或者把所有的房子租下来都行，可是有一处绝对不行。我绝对不会让他们上龙博恩来，我绝对不会助长他们厚颜无耻的行为。”

这话一出，两人立刻陷入长时间的争吵。贝内特先生态度坚决，没有商量的余地。争吵一阵之后，两人又扯到了另一件事上，贝内特太太见丈夫连一个子儿都不愿拿出来给女儿买嫁妆，又是惊诧又是恐慌。贝内特先生指出，丽迪亚别想从他这里得到一丝爱怜，这着实让贝内特太太难以理解。她万万没想到，他对女儿气恼到了深恶痛绝的程度，以至于一点机会都不肯给女儿，这岂不是让女儿的婚事难以顺利操办了吗？她只知道，女儿没有嫁妆是十分丢人现眼的事情，却从来没有认为女儿两个星期前就与威克汉私奔并且同居是件耻辱。

伊丽莎白现在十分后悔，认为当初不该因为一时苦闷把自己对妹妹担心和忧虑告诉了达西先生。现在既然这么快就能对她私奔的事情有一个体面的了结，他们一定希望把开头那段不光彩的事掩盖起来，瞒住局外人。

伊丽莎白倒不担心达西先生会把这事再说给别人听。说到保密，她对达西先生的信任超过了任何人。可是此时此刻，任何人了解丽迪亚丑行都不会让她如此难受。这倒不是因为她担心达西知晓情况会对她本人有什么不利影响，因为他们之间似乎已经存在着一道无法逾越的鸿沟。即使这一次丽迪亚的婚事办得体体面面、风风光光，达西先生也不可能再与这个家庭攀亲结缘。这个家本来就问题多多，如今竟然又和达西所蔑视的一个人结上了姻缘。

对伊丽莎白来说，要是达西望而止步，不想再续与她的姻缘，她不会感到奇怪。她在德比郡的时候着实感受到了达西对她的殷殷之情，然而经过这次打击，他原先极力讨她欢心的热情恐怕已经不复存在。她感到羞辱，感到痛心；她也懊悔，却不知到底为什么而懊悔。她不再指望他能一如既往地敬慕自己，却又对他念念不忘。她想要了解他现在的情况，却似乎又不可能获得什么消息。她断定与他一起生活将会是一种幸福，可惜他们今后相见都难了。

四个月前，她曾经多么高傲地拒绝了他的求婚，可如今他要是能再次求婚，她一定会心甘情愿满怀感激地接受他的。她常常想，要是他知道了她的这种心情，说不准会有多得意呢。她毫不怀疑，他是非常大度的人，他是男性中最大度的人。可他也是凡人，免不了会洋洋自得。

她现在开始意识到，他是真正适合于她的人。他有情有义，才华出众。他的见识阅历和性格脾气虽然与她不同，但正合她的心愿。他们俩的结合将是珠联璧合，利及双方。她性格活泼大方，对他可以怡情养性；而他思维细密，见多识广，对她裨益无穷。

可惜这宗幸福姻缘只是春梦一场，让纭纭众多有情男女无缘理解什么是真正的幸福婚姻。而另一桩毁灭了这段金玉良缘的性质全然不同的婚事即将在这个家庭上演。

伊丽莎白无法想像，威克汉与丽迪亚会怎样去维持他们我行我素的生活。然而，她却能清楚地看到，一对只顾情欲不顾道德的男女一起生活，是不会有长久幸福的。

很快，加迪纳先生又给姐夫写来了信。在信中，他对姐夫感激的话语只是简短地敷衍了几句，真诚地表示，愿意尽力促成姐夫一家幸福，并请姐夫不要再提这件事。他说这封信的目的是想告诉他们，威克汉已经决心离开民兵团了。

接下来，他这样写道：

我真心希望婚事一定下来，他马上离开民兵团。我认为他离开部队是众望所归，于他本人和我外甥女都好。我想你会同意我这么做的。威克汉本人则愿意去加入正规军，他以前的一些朋友也还能够帮助一把，并且愿意帮他一把。驻守北方的一位将军统辖的一个团已经答应接收他做旗手。他能远离此地将对他有利。他也承诺，到了一个新的环境，夫妻俩都会踏实做人，谨慎处事的。我希望如此。我已经写信给福斯特上校，向他说明了我们目前的安排，并请求他转告威克汉在布莱顿城里城外的债主们，威克汉所欠债务将由我来担保，一定会尽快偿还。我根据威克汉提供的信息，把他在麦里屯欠债情况列出清单，随信附上，请你也辛苦一下，把还债的事情向各位债主通告一声。他坦白了自己的欠债情况，希望他没有隐瞒。哈格斯顿已经接受了我们的委托，一周之内将办好所有手续。如果你们不邀请威克汉和丽迪亚回龙博恩一趟，他们将径直到部队报到。从我太太那里得知，我外甥女十分希望能在北上之前见你们一面。她很好。并让我代她向你和她妈妈问安。

你的

爱德华·加迪纳

和加迪纳先生一样，贝内特先生和女儿们都清楚地看到，威克汉离开民兵团还是更为有利一些，可是贝内特太太却并不满意这个安排。她一心指望丽迪亚能回到赫特福郡住下来，母女俩可以相互陪伴，优哉乐哉，可现在丽迪亚却要上北方生活，这对她来说是一大失望。再说，丽迪亚与民兵团人人混得烂熟，那里面个个喜欢她，要她就这样一走了之，让人痛惜呀！

“她与福斯特太太那样要好，”贝内特太太说，“要是就这样把她送出去，福斯特太太一定会大吃一惊的。那里还有几个她非常喜欢的年轻人呢。这两个年轻人一定会喜欢呆在那位将军团里的。”

丽迪亚请求在动身北上之前，能回家看看，按理说，这也是情理之中的事情，可是贝内特先生一开始就给断然拒绝了。简和伊丽莎白念及姐妹情意和妹妹现在的处境，也认为女儿结婚应该得到父母的认可，便柔声细语地劝说父亲，动之以情，晓之以理，妹妹结婚之后，他能在家里接待女儿女婿。父亲终于答应了却她们的心愿，按她们的话去做。母亲这下可满意了，想趁丽迪亚北上之前，把她刚刚嫁出去的女儿带出去，在邻居面前炫耀炫耀。贝内特先生再次给内弟写起信来，表示同意女儿两口子回龙博恩，并明确表示，让他们成婚之后即刻返乡。伊丽莎白没料到，威克汉竟然同意了这样的安排。就她个人来说，她最不愿意见到威克汉了。

第五十一章

丽迪亚的婚期到了，简和伊丽莎白都为她着急，或许超过了她自己。马车已经被派去迎接他们，预计晚饭之后就会回来。贝内特家两位大小姐心里惴惴不安，简尤其担心。她设身处地想，要是她自己成了这出丑剧主角，将要承受多大的痛苦啊！她每每想到这里，不由得心如刀绞。

新婚夫妇到了！全家人都在早餐厅等着他们。母亲脸上绽开了花。笑得合不拢嘴；父亲则神情严肃，让人觉得看不透；女儿们又是惊奇，又是急切，又感到不安。

只听得丽迪亚的声音从门厅传来，随后，门被推开了，她冲了进来。母亲连忙跑上前去，欣喜地拥抱着女儿，欢迎她回来，继而冲着跟在丽迪亚身后的威克汉热情一笑，伸出手去与他握手，祝愿他们夫妻俩幸福快乐。贝内特太太满脸笑容，乐不可支，俨然这是一桩真正幸福的婚姻。

两人转过身站到了贝内特先生跟前，接受父亲的欢迎。然而老头子却并不太热情。他脸色凝重，连嘴角都没有动一下。小两口一副无所谓的神情让他十分恼怒，伊丽莎白顿时觉得厌恶，就连简也感到惊愕。丽迪亚还是丽迪亚，还得那副桀骜不驯，野气十足，不知羞耻的样子，叽叽喳喳，无所顾忌。她从一个姐姐面前转到另一个姐姐面前，逐个向她们讨吉利话。等大家终于落座，她眼睛往四周一溜，找出了一些微小的变化，便大笑一声，说自己离开家太久了。

威克汉与丽迪亚一样，丝毫没有一丝沮丧的神情。他的言谈举止总是那样惹人喜爱。假如他真的品行端正，假如他真的是顺理成章地与丽迪亚结婚，那么他在提及自己新的身份时从容不迫的谈吐、微笑的面容一定会让大家非常愉快。伊丽莎白以前没曾想到过他竟然如此厚颜无耻。她坐了下来，心里恍然大悟：原来，人一旦无耻，没人能想像得到他多无耻。她的脸刷地红了，简的脸也红了；可是让她们心慌的两个人，自己却脸色不改。

席间，大家依然笑语喧哗。新娘与母亲话多得来不及细谈，威克汉则碰巧坐在离伊丽莎白不远处，竟向她问起这一带熟人的情况。他的语气轻松从容温文尔雅，让伊丽莎白望尘莫及。这新郎新娘心中似乎都是世间最美好的回忆，他们畅谈往事，丝毫没有痛苦的痕迹。丽迪亚竟然还厚着脸皮，主动扯到了那些连姐姐们都羞于启齿的话题。

"瞧，眨眼功夫我都出去三个月了。"她大声地嚷嚷着，"依我看，似乎只有两个星期，不过这期间发生的事情可不少啊！天哪！我当初离开这儿的时候，我敢说，根本就没想到自己会结了婚再回来。当时我只是想，我要是结婚了，一定很好玩。"

父亲抬起头来，简的心又沉了下去。伊丽莎白飞快地朝丽迪亚瞟了一眼，可是丽迪亚对不合心意的事情向来不闻不见。只听她继续兴致勃勃地说道："噢，妈妈，这一带的人都知道我今天结婚吧？恐怕大家不知情吧？回来的路上，我们的马车超过了另一辆马车，我眼睛一扫，发现那里面坐的竟然是威廉·古尔丁。我决定让他知道我结婚了，于是我把靠近他马的侧窗玻璃放下来，脱去手套，手扶到窗户框上，以便让他看见我的结婚戒指。我还朝他点了点头，冲他笑了笑呢。"

伊丽莎白忍无可忍，忙起身冲出了房间，直到听到大家穿过大厅朝餐厅走去，才返身回来。她一回来，就见丽迪亚急急忙忙地跟

着母亲，走到母亲的右侧，对大姐说："哈！简，我现在取代了你的位置，你降格了！因为我是已婚女人啦！"

丽迪亚从一开始就对自己的行为十分坦然，时间的流逝也就不可能让她多几分难为情，她反而更加怡然自得，更加春风得意了。她急于想去见菲力普姨妈、卢卡斯一家人，想去见所有的邻居，希望听到他们叫她"威克汉太太"。吃过饭后，她就找到希尔太太和两个女仆，在她们面前炫耀结婚戒指，显示自己已经结婚。

"喂，妈妈，"当大家又回到早餐厅的时候，她又开口了，"你认为我丈夫怎么样？难道说他没有魅力吗？我敢肯定，姐姐们都忌妒我。我只是希望她们能有我一半幸运就好了。她们都应该去布莱顿,那里才是我丈夫的地方。妈妈,上次我们没有一起去,真是遗憾!"

"一点不假。当时我要是下定决心，我们就去了。可是亲爱的丽迪亚，我真不舍得你去那么老远的地方。一定要去吗？"

"噢，天哪！非去不可！那也没什么的。我会喜欢上那儿的一切的。你和爸爸，还有姐姐们一定要去看我。我们整个冬天将是在纽卡索尔，我保证那里一定会有舞会的，我会留心帮她们找到好舞伴的。"

"这再好不过了。"母亲说。

"你们二老回家的时候，留下两个姐姐在我那里，我敢打保票，不出冬天，我一定给她们找到丈夫。"

"谢谢你的关心，"伊丽莎白说，"不过，我并不太喜欢你找丈夫的方式。"

客人在这里呆的时间不会超过十天。威克汉在离开伦敦前，就已经收到了委任状，必须在两个星期之内赶到团里报到。

除了贝内特太太外，没有一个为他们俩呆的时间太短而遗憾。贝内特太太独自一人为他们感到惋惜，于是大部分时间都带着丽迪亚走亲访友，并经常在家举行舞会。这些舞会谁都可以来参加，一些人倒有心来向他们道喜，更多的人则只是来凑凑热闹。

正如伊丽莎白所料到的那样，威克汉对丽迪亚的感情不及丽迪亚对他感情深厚。她用不着仔细观察，只需要稍加分析，就不难看出这一点，他们当初私奔，多半是因为丽迪亚对他的爱恋，而不是因为他对丽迪亚心动。她也并不奇怪，既然威克汉对丽迪亚并不钟情，为什么会选择与她私奔呢？伊丽莎白几乎可以肯定一点，威克汉的出走，是情势所逼。如果真的就是这样，像他这样的年轻人又怎会错过有个女人陪伴出走的机会呢？

丽迪亚十分喜欢他。什么时候他都是她“亲爱的威克汉”，没人能与他媲美。在她看来，他是世上最能干的人。她非常有信心，认为他九月一日那一天，他一定会比全国其他人打的鸟都多。

他们回龙博恩之后的一天早晨，丽迪亚与两个大姐姐坐在一起。她对伊丽莎白说：

“丽兹，我想，你还没有听我说过我们的婚礼情况吧？上次我向妈妈还有其他姐姐讲的时候你不在场。我把经过前前后后都讲了一遍。难道你一点都不想知道我们的婚礼是怎样操办的吗？”

“真的不想听！”伊丽莎白答道，“我想，这个话题还是少说为好。”

“唉，你这人真怪。可我必须告诉你婚礼的情况。你知道我们是在圣·克莱门特教堂举行的婚礼，因为威克汉以前住在那个教区。我们原定的是十一点到那儿，我与舅舅、舅妈一起去，其他人到时与我们在教堂汇合。好了，到了星期一早上，我感到十分紧张。你想，我真害怕会因为什么事情推迟婚礼，要是那样的话，我会发疯的。我在化妆的时候，舅妈口中念念有词，不停地说呀说，就像在念经一样。可是我竟然连十分之一的话都没听到，你可能猜得出，我心里一直想着我亲爱的威克汉。我总想知道他会不会穿上那件蓝上衣去参加婚礼。”

“好，我们和往常一样，十点钟吃早餐，当时我总感觉这早餐像是永远也吃不完似的。顺便说一句，我在舅舅家的时候，舅舅、舅妈对我不很友好。或许你相信，我在他们家住了两个星期，连一步都没有跨出家门过。没去参加过一次舞会，也没有一次消遣，什么都没有。说实在的，伦敦也真够单调的，可小剧院是开着的呀。好了，等马车到了门口，舅舅却被人叫去了，说是与那个可恶的斯通先生有事儿要谈。你知道，只要他们俩在一起就没完没了。唉，我当时多么害怕呀，我真不知道该怎么办才好。我得等舅舅来送我出嫁呀！要是误了点，那天可就结不成婚了。可是，还算幸运，过了十分钟，他回来了。于是我们出发了。不过，后来我回想起来了，即使他不能送我去，婚礼也不必推迟，因为达西先生也可以代替他嘛。"

"达西先生！"伊丽莎白惊诧万分，不觉重复了一遍。

"噢，是的。你知道，他将与威克汉一起去教堂。哦，天哪！我说漏嘴了！我不应该提到这件事的，我向他们保证过的。威克汉会怎样说我呢？这可是天大的秘密呀！"

"如果说这是秘密，"简说道，"就不要再提这事了。请你相信，我不会刨根问底的。"

"噢，我们一定不问。"伊丽莎白虽然嘴里这么说，心中却受着好奇的煎熬。

"谢谢你们！"丽迪亚说，"要是你们追问，我肯定会告诉你们的。可那样一来，威克汉一定会生气的。"

听丽迪亚这么一说，伊丽莎白认为这似乎是在鼓励自己往下问。她生怕自己抵制不住这种诱惑，赶紧抽身离开。可是，要是让她始终不知晓内情是不可能的，至少她不可能不打听一些情况。达西先生竟然出现在妹妹的婚礼上。那样一种场面，无疑是达西最不愿意参加的，那样一些人绝对是达西最不愿意见到的。伊丽莎白满脑子翻江倒海猜测着这里面的内幕，可是没有合适的解释。她十分愿意认为他的这一行为是出于高尚的动机，可似乎又不可能。她无法承受这种悬念的重压，于是匆匆抓住起一片纸，给舅妈写了一封短信，请她在不违背守信承诺的前提下，解释一下丽迪亚无意中说漏嘴的那句话。末了，她又加上这样几句话：

"一个与我们非亲非故而且还比较陌生的人，怎么可能在那个时候与你们在一起呢？我对此的好奇之心您一定能理解。请尽快写信给我，让我明白到底是怎么样一回事。当然，如果真的像丽迪亚所说的那样，确有必要保守秘密，我也不便多问。”

写完信后，她又自言自语道：“亲爱的舅妈，如果您不光明正大地告诉我，到头来我还是会不择手段想方设法地弄清楚的。”

简向来光明磊落，既然那句话是丽迪亚偶尔说漏嘴的，她也就没再与伊丽莎白私下谈到了，伊丽莎白倒也乐意这样。在她向舅妈打听的事情没有得到满意的答复之前，她不愿与任何人私下谈论这事。

第五十二章

没过多久，伊丽莎白如愿以偿，收到了舅妈的回信。拿到信后，她并没有急于拆开看，而是匆匆忙忙地跑到小树林里，估摸着这里没有人会来打扰，便找了一张凳子坐下来准备痛痛快快地读信。信很长，一看就知道舅妈没有让她失望。

慈恩教堂街

九月六日

亲爱的外甥女：

你的来信我已收到。考虑到三言两语不足以讲清楚我要告诉你的事情，所以我准备用一整个上午的时间来给你写回信。我必须承认，你的请求着实让我吃了一惊，我没想到你会提出这样的请求。请不要认为我在生气，我只是想告诉你，我没有想到你有必要打听这件事。如果你真不明白我的意思，也请原谅我说话直接。你舅舅和我都十分吃惊。那位先生之所以有如此举动，我们认为都是为了你的缘故。如果你还不明白，我只好把事情说得更清楚些。就在我从龙博恩回到伦敦的那一天，你舅舅接待了一位大家都意想不到的客人，来访的正是达西先生。他们俩关起门来密谈了几个小时。等我回家时，他们的谈话已经结束，因此，我也没有你那么强烈的好奇心。他来这里是想告诉加迪纳舅舅，他已经查出了你妹妹和威克汉先生的下落，并且和两个人都见面了，还谈了话。他与威克汉谈了多次，与丽迪亚谈过一次。据我推断，当时我们一离开德比郡，他第二天就出来了。他进城来，决心找到他们。他说，他之所以这样做，是因为他认为这件事情的发生是因他而起，怪他当初没有让威克汉的劣迹充分暴露，否则任何品行端正的年轻姑娘都不可能爱上他、相信他。他把整个过错都归咎于自己错误的傲慢，承认自己当时不屑于将威克汉这类人的卑劣行径公诸于世。总认为威克汉的品行迟早会自我暴露的。因此，他声称自己有责任挺身而出，竭力弥补由他本人引起的不幸。如果说他还有第二个动机，我觉得那个动机丝毫不会损害他的形象。他在城里呆了好几天都未能找到他们，不过他还是有些线索的，不像我们误打误撞。正是因为他自认为有些眉目才决心尾随我们进城找人。似乎有个叫杨格的太太，以前做过达西小姐的家庭教师。后来由于她做错了事情被开除了。达西先生没有说明具体原因。后来，杨格太太在爱德华街弄到了一幢大房子靠出租谋生。他知道，这位杨格太太与威克汉很熟，于是达西一进城就到她那里去打听威克汉的消息。可是他等了两三天才从她那里得到了想要的消息。我想，那位老太太要是没有钱去贿赂，是不会背叛朋友对她的信任的。她确实知道她那位朋友的下落。的确，威克汉一到伦敦就去找过她，要是她挽留，他们一定就住在她那儿了。不过，我们这位好心的朋友最终还是弄到了他们的地址，他们就住在某某大街。他见到了威克汉，随后又坚持要见丽迪亚。他认为，他找到丽迪亚的最初目的就是劝说她离开目前这不光彩的境地，由他出面与她的亲友沟通之后，就立刻回到他们身边。可后来他发现丽迪亚死心塌地呆在那里不走。她不在乎任何亲友，也不需要他的帮助，更不愿意听到离开威克汉的话。她相信，她与威克汉迟早要结为眷属，至于什么时候倒无关紧要。那位朋友心想，既然她有这等感情，那就只有尽力促成这桩婚事。可是当他与威克汉第一次谈话时，就清楚地发现，威克汉并无这种打算。威克汉只承认，他离开民兵团只是因为赌债所逼，并大言不惭地宣称，完全是由于丽迪亚的愚蠢行为才给她自己带来了恶劣影响。他打算马上辞职，至于将来，他想得很少。他该离开这里，却又不知该往哪里去；他明白自己已经走投无路，无以为生了。达西先生问他为什么不立刻与你妹妹结婚，虽说贝内特先生并不算富有，但威克汉至少可以为他做点事情，这样，威克汉要是与丽迪亚结婚，也可以改善自己的境况。可是，达西先生从威克汉对这个问题的回答中发现，这人仍然抱有希望，想到另外一个地方去找一位更有钱的女子结婚，趁机发一笔财，不过，话虽这样说，威克汉也未免一定会抵制得住眼前的诱惑：他只要抓住了机会，立时就可以解决生计问题。他们俩几次见面，谈了很多。威克汉当然尽量开高价，但最后不得不让步，接受了一个合理的补偿。一切谈定之后，达西先生接下来就来找你舅舅想把情况告诉他，他第一次上慈恩教堂街是在我回伦敦的前一天晚上，可惜你舅舅不在家，再一打听，他得知你父亲也在城里，不过第二天一早就要离开。他认为，与你父亲商量这件事毕竟不如与你舅舅商量合适，于是他决定待你父亲走了之后再来与你舅舅见面。当时他没留下姓名，大家只知道有一位先生来访过。第二天，也就是星期六，他再次来访，当时你父亲已经离开伦敦，你舅舅一人在家。就像我刚才所说的，他们谈了很多事情。他们星期天又一次见面了，这一次我也见到了他。事情到星期一才算完全决定。当时事情一定下来，就快马加鞭给龙博恩送去一封急信。可是我们那位客人格外固执。丽兹，我寻思着，固执己见确实是他的一个不足之处。人们不时地指责他这样那样的缺点，可固执才是真正的缺点。他事事都要自己操办，而我相信你舅舅也是十分希望整个事情由他自己来办（我这样说可不是图感激，所以请不要再提）。他们为此争论了很长时间，为了那两个男女这样尽力实在有所不值。可是，最后你舅舅还是被迫让步，他不但不能为外甥女出力，反而还无劳居功，实在有违他的初衷。我确实相信，今天早晨，你的来信给了他莫大的欣慰，因为这一番解释势必会让你看清他掠来的美名，使应当被赞美的人得到赞美。可是，丽兹，这些话只能你知道，最多你可以告诉简。我想，你一定清楚那位先生为那两位年轻人所做的事情。我想，光是替他还账就要一千多镑，除了给丽迪亚钱之外，他还又给了威克汉一千镑让他赠送给她，除此之外，他还又为威克汉捐了个官职。他之所以要一个人独自破费来操办这所有事情，其中的原因我在上面已经提到过了。他总是说事情的发生都怪他，怪他考虑欠妥，结果导致人们没有看清威克汉的人品，使人们上了当，把他当成了正人君子。或许这话有几分真实，但我认为，丽迪亚这件事既不能怪他不声不响，也不能怪别人没有声张。可是亲爱的丽兹，尽管他说的话堂而皇之，可我们要不是考虑到他插手这件事情还有另一个目的，你舅舅是决不会让步的。当所有这些解决之后，他又回到了彭伯里与朋友们重聚（他的朋友们都在彭伯里没有走）。不过大家已经商定好了，等举行婚礼时他会再来伦敦，并把所有的账务问题来一个最后了结。我想，我把每一件事情都讲给你听了，正如你所说的，这件事情的真相披露让你大吃一惊，但我希望它至少不至于产生不悦。丽迪亚来我们这儿一起住，威克汉也常来走动，他还是我在赫特福郡的时候见过的那副老样子。我本来不想告诉你，丽迪亚在我们这儿住的时候，她的行为举止实在难以让人满意。可是上个星期三，我收到了简的来信，知道丽迪亚回到家中之后仍然不思收敛，所以我现在把她的情况告诉你，也不至于给你增添新的烦恼了。我曾经与她严肃地谈过多次，向她指出她自己所作所为的害处和给家人造成的不幸。如果她听进了我的话，也算大幸，不过我可以肯定，她根本没听。有时候我真是恼怒至极，可是转念一想到我亲爱的伊丽莎白和简，看在她们的面子上我也得对她忍耐一些。达西先生如期回到伦敦，并且正如丽迪亚说漏嘴的时候提到的，还参加了婚礼。第二天他与我们共同进餐，准备星期三或者星期四离开伦敦。丽兹，要是我借此机会说我十分喜欢这位年轻人，你生气吗？我以前没敢说出这句话来。他对待我们的态度谈吐，方方面面，跟我们当初在德比郡的时候一样和蔼可亲。他的见识和思想都叫我佩服。他唯一缺乏的就是活泼。不过如果他在婚姻方面慎重一点，找个好妻子，他的妻子会教会他活泼的。以前我认为他很委婉，他几乎不提到你的名字。不过，委婉似乎是一种时尚。如果我说得过头了，请原谅我，就算不原谅也不要对我惩罚太重，至少不要连彭伯里都不让我去。我一定要把那个庄园游览个遍才算真正开心。

到时候我只需要一辆低盘轻便马车，套上一对漂亮的小马驹，就心满意足了。我不能再往下写了，孩子们已经叫了我半小时了呢。

你的非常真诚的

M.加迪纳

读着这封信，伊丽莎白顿时心潮翻涌，喜悦和痛苦交织，分不清是喜大于悲还是悲大于喜。她以前也有过这种含糊朦胧的感觉，猜想到达西可能做了一些事情来成全妹妹的婚事，可是她又不敢往下想，毕竟这样大的善举似乎不太可能，同时她也害怕这是真的，她害怕承受一个难以报偿的恩情。到头来，这个猜测终于被证明是真实的。他随她一行之后就出发到了城里，他竟然独自一人不辞劳苦不顾身份地寻找那两个人。他屈尊向一个自己所鄙夷和憎恨的女人打听信息，与自己一向唯恐避之不及、连名字都不想听到的男人会面，并且是多次会面，对他晓之以理，苦口婆心，最后竟然以贿赂的手段去说服他。他所做的一切都是为了一个他可能既不敬慕也不爱恋他的年轻姑娘。她的心中不断地说着，他做的这一切都是为了她。可是这一希望很快就受到了其它因素的制约。她想，自己虚荣心再强，也不能指望他去爱一个曾经拒绝过他的女人，更何况，他也难以逾越一道极为自然的情感障碍，那就是他讨厌与威克汉沾亲带故。做威克汉的姐夫！他每一丝骄傲都会反对这种关系的。他的确做出了不少的努力，但他也说出这样做的原因，无需特别解释就足以令人信服。他认为自己以前有错，现在将功补过也属情理之中；而且，他为人行侠仗义，也有条件去接济别人。尽管伊丽莎白不敢说自己是他挺身帮忙的主要原因，但她还是相信，他对她恋慕尚存，正是他余情未了，促使他极力解决困扰伊丽莎白精神世界的那件事。她越了解到他们全家上下蒙受一个人的如此大恩大德，可能永远难以报答，她越感到痛苦，极度的痛苦。丽迪亚能安全回来，她能够保全名节，这一切事情都归功于他的倾力相助。想当初，伊丽莎白曾经对他言语不恭，态度无礼，她不禁感到由衷地愧疚。她为自己感到羞愧，为达西感到骄傲。出于同情和正义，他使他自己做到了更好。舅舅、舅妈却坚定地认为她与达西之间的关系确实是由爱情和信任维系的。想到这一点，她不禁心中有几分喜悦，同时又生出几分后悔。

突然间，她听到有人走来，她停止了回忆，朝另一条小道上走去。还没等她走到那里，威克汉追上了她。

“你一个人散步呢。我没有打扰您吧，亲爱的姐姐？”威克汉走了过来，说道。

“你当然打扰了，”她微微一笑，答道，“当然这并不意味着这种打扰不受欢迎。”

“如果不受欢迎，我将深感遗憾。我们以前就是很好的朋友，现在关系就更好了。”

“不错。其他人都出去了吗？”

“我不知道。贝内特太太和丽迪亚坐马车上麦里屯去了。亲爱的姐姐，我从舅舅、舅妈那里听说，你真的去过彭伯里吗？”

她肯定地作了回答。

“我真要羡慕你有这等荣幸了。可惜我就没有那个福分了。要不然，我们去纽卡索尔的路途中完全可以去看看的。我想你一定见到了那位老管家。可怜的雷诺兹，她一直都很喜欢我的。当然，她一定没有向你提到我的名字。”

“不，她提起过你。”

“她是怎么说的？”

“她说你进了军队，并且担心你已经……变坏。不过，那么远的路程有些事情传来传去就走样了的。”

“当然了。”他咬着嘴唇说道。伊丽莎白真希望她这一句话把他镇住了，不想，过了不大一会儿，就听他说道：“上个月我竟然在城里碰到了达西先生。我们遇到过好几次，不知他在忙什么呢？”

“或许是在准备他与德·波尔小姐的婚事吧，”伊丽莎白说道，“他这个时候进城，一定是有什么特别的事情。”

“一定是。你在兰顿的时候见过他吗？从加迪纳夫妇的谈话中，我想你见过他了。”

“是的，他把我们介绍给了他妹妹。”

“你喜欢她吗？”

“非常喜欢。”

“我听人说，她最近一两年大有进步呢。我上次见到她时，还看不出她有多大出息。你能喜欢她，我真高兴。我希望她会非常出色。”

“我敢说，她一定会有出息的。她已经度过了人生最艰难的年龄。”

“你们路过金普顿村吗？”

“我想我们好像没有。”

“我之所以提到这个村子，是因为我本来应该到那儿获得一份圣职的。那地方真令人心旷神怡。牧师住宅楼特别出色，无论哪方面都适合于我。”

“你喜欢布道吗？”

“极其喜欢。我本来是要把布道视为我职责的一部分的，开头一定需要多多努力，不过以后就不要紧了。人生没有后悔药啊！不过，我的确很希望能得到那份差事。那种宁静清闲的生活将是对我幸福观的最好的解释。可惜不可能了。你在肯特郡时，有没有听达西说过这件事？”

“我听他讲过，并且觉得比较真实可靠。听说那个职位是有条件地留给你的，如何操作由现在的庄园主人做主。”

“你听说了，是的，的确是那么回事。你还记得吗，我可是一开始对你讲的正是这样。”

“我还听说，有一段时间，你并不像现在这样热心于传经布道；还听说你曾经下过决心，说永远不当牧师；还听说这件事后来经过双方妥协才得到了解决。”

“你全听说了！这不是无稽之谈。你一定还记得我们第一次谈到这个话题时候，我就对你说过这一点。”

很快他们就快要到要家门口了。她走得很快，竭力地想摆脱他，可是碍于妹妹的面子，又不情愿得罪他，所以她笑了笑，和声细语地答道：

“好了，威克汉，我们现在是姐弟了，不要再为过去的事情争论了。我希望我们将来都能心往一处想。”

她伸出手来，威克汉亲切而又殷勤地吻了一下，可是神情颇有些尴尬。随后，他们走进了家门。

第五十三章

威克汉与伊丽莎白的这一番谈话，算是让他彻底安心了，他再也不会提及这个话题自寻烦恼，也不会用这个话题去激怒这位亲爱的二姨子了。伊丽莎白也很满意，自己说了那么多，终于让他闭上了嘴。

转眼之间，就到了威克汉和丽迪亚该动身的那一天。贝内特太太满怀离愁别绪，却又无可奈何。本来她是要计划过一段时间上纽卡索尔去看望他们，可是她丈夫死活不同意，所以这次分别恐怕至少又是一年了。

“噢，亲爱的丽迪亚。”她大声喊着，“我们什么时候再相见呀？”

“噢，天哪，我不知道。可能这两三年见不着吧。”

“要经常给我写信，乖乖。”

“我会尽可能常写的。可是你知道，结婚的女人常常没有太多时间写信的。我的姐姐们可以写信给我。她们可没有别的事情做。”

威克汉先生与大家一一惜别，比妻子还动情。他脸上挂着微笑，看上去很有风度，嘴里说了很多动听的话。

“他是我见过的最优秀的人，”等那对小夫妻出了门，贝内特先生马上开口了，“他会假笑，会傻笑，会对我们亲热，让大家开心。我为他感到无比自豪。我敢肯定，就连威廉·卢卡斯爵士也拿不出这样的宝贝女婿。”

女儿的离开让贝内特太太连续几天郁郁寡欢。

“我常想啊，”她说，“世上最让人难受的就是与亲友的离别。要是没有他们做伴，那就太寂寞孤单了。”

“你看到了吧，这就是你要嫁女儿的结果，”伊丽莎白说，“要是让剩下四个女儿不嫁人，你会感觉到心里好受些的。”

“天下哪有这样的事？丽迪亚不是因为结婚才离开我的，只是因为她丈夫的团部离这儿太远。要是近一点的话，她就不会那么快就走了。”

与女儿女婿的诀别着实让贝内特太太郁闷了一阵子，可是这种精神不振的状态没多久就不复存在了。外面流传的一个消息又点燃了她心中的希望。泥泽地别墅的女管家已经接到了指示，要她准备迎接主人的到来。据说，她的主人再过一两天就到，准备在那里狩猎几个星期。贝内特太太听到这个消息，又开始坐立不安起来。她看了看简，笑了笑，又不时地摇头。

“好了，好了，宾利先生要回来了，姐姐。（菲力普太太第一个把这消息告诉她）好了，他回来就好。不过我倒并不在乎什么，你知道，他跟我们算什么呀。反正我再也不想见到他。不过，他愿意回到泥泽地别墅，我们也欢迎。谁知道会发生些什么呢？不过，那都不关我们的事。你知道，妹妹，我们很早就约定了的，不再提那件事了。这样说来，他肯定要回来了？”

“千真万确，”妹妹回答道，“尼古尔斯太太昨天晚上去过麦里屯。我看见她打那儿路过，特意出去向她打探实情。她告诉我说这绝对是真的。他最晚星期四回来，很可能是星期三。当时她对我说，她正要去肉店订一些肉，准备星期三用。她还买了六只鸭呢，随时准备杀。”

简一听说宾利要回来，止不住地脸红起来。她已经好几个月没有与伊丽莎白提起他的名字了，现在，她们俩一有机会单独在一起，她就对妹妹说道：

“今天，当姨妈告诉我们那个消息的时候，我看见你眼睛瞅着我。我知道我当时显得很忧郁，不过千万别想到我又动什么傻念头了。当时我只是感到一阵迷惑，我感觉到大家谈着谈着怎么都看着我了。我可以向你保证，这个消息既不会给我带来喜悦也不会带来痛苦。我只希望这次他是一个人来，那样我们就可能不经常见他了。我倒也不是担心我自己，我是担心别人又会有话说。”

伊丽莎白实在弄不明白这是怎么回事。要是她在德比郡没有见到宾利，或许她会想，宾利之所以来赫特福郡，就是像人们所说的那样，是为狩猎而来。可是她仍然认为，宾利依旧钟情于简。那他这次到底是得到了那位朋友的同意才来的，还是他大着胆子自作主张跑来的呢？哪种可能性更大呢？

她实在无法断定。

她有时候在心里说：“这个可怜的人要回到自己合法租用的房子，竟然要引起那么多的猜测！我还是不管他的事吧！”

不管姐姐嘴上怎么说，怎么去表现自己的感觉，伊丽莎白一眼就看得出，宾利要来的消息已经影响她的心境，她比以前任何时候都显得心神不宁了。

大约一年以前，父母之间曾经为宾利的事激烈地争吵过，如今开始旧事重提。

“亲爱的，宾利先生一来，你理当地去拜访他呀。”贝内特太太说。

“不行，不行，去年你就逼着我去拜访他，还说什么他会娶上我们一个女儿的。可到头来呢？一场空。我不再替一个傻瓜跑腿了。”

他太太立刻向他提出，宾利先生回到泥泽地别墅之后，本地的一些绅士少不了都要去拜会他的。

“我就讨厌这种繁文缛节，”他说，“要是他想与我们结交，那就让他主动来访啊！他知道我们家怎么走。要我把时间都耗在邻居身上，他们来来去去我都跟着他们转——没门儿！”

“得了，我只知道，你要是不去拜访人家，那就太失礼了。不过，我已经打定主意，你去不去拜访我都要请他来吃饭。我们马上给龙太太和古尔丁太太家发出邀请，再加上我们自己，一共十三个人，正好给他留出座位。”

贝内特太太打定主意之后，心里倒觉得踏实了一些，任凭丈夫怎样无礼，倒也都能忍下来。可这样一来，邻居们不就都先一步见到宾利了吗？她一想到这里，不免又烦恼起来。

眼看着宾利就要回来了。那天，简对伊丽莎白说：“他这一回来，我倒觉得不安起来了。见到他的时候我可以无所谓，可是我实在忍受不了大家无休止地谈论他。妈妈的心意是好的，可她哪里知道，她说的那些话让我多么痛苦啊！只有当他离开了泥泽地别墅之后，我才可能快乐。”

“我真想说点什么安慰你一下，”伊丽莎白回答道，“可我实在无能为力。你一定明白我的意思，人们安慰一个人的时候，总是劝他要有耐心，我可不会这样劝说你。因为你一直就很有耐心。”

宾利先生来了。贝内特太太派出仆人打探消息，终于最早弄到了这个消息，自然她焦急紧张、操心费神的时间就要长一些了。她扳着指头数着日子看哪一天可以发出请帖，请他来吃饭，同时心里又为不能早点见到他而感到沮丧。可是他到赫特福郡之后的第三天早晨，贝内特太太还在梳妆室，忽然从窗口看到他骑着马进了围场，朝房子这边走来。

她立刻呼唤着女儿们的名字，和她一起分享喜悦。简却坐在桌旁一动不动，伊丽莎白为了不扫母亲的兴致，走到了窗前，她往外一看，看到达西和宾利一块来了，便走回来在姐姐旁边坐下来。

“他旁边还有一位先生呢，妈妈，”凯蒂叫道，“那人是谁呢？”

“亲爱的，那可能是个熟人或者别的什么人，我肯定不认识。”

“喏！看上去像是以前总和他在一起的那个人，那个叫什么先生的，”凯蒂答道，“就是那个高高的，高傲的人。”

“天哪，达西先生！我敢肯定是他。好了，宾利先生的任何朋友我们都欢迎。不过，我得说，我讨厌见到他。”

简吃了一惊，关切地看了伊丽莎白一眼，她不知道妹妹曾经在德比郡与达西先生见过面，以为这是妹妹收到他那封解释的信以后第一次见面，以为她会感到窘迫的。两姐妹都感到不安。她们各怀心思，却又很体谅对方的情绪。妈妈在一旁不停地唠叨，说她不喜欢达西先生，可碍于他是宾利先生的朋友，又不得不下决心去对他客气一点。两个大女儿坐在一旁，丝毫都没有听到妈妈说了些什么。不过，伊丽莎白心中忐忑不安实在是另有隐情，是简根本就想不到的。伊丽莎白从来就没有勇气把加迪纳舅妈的信拿出来给姐姐看，也没有勇气向她解释自己对达西感情有了变化。对简来说，达西的求婚遭到了妹妹拒绝，他的品行被妹妹说得一钱不值。由于伊丽莎白了解更多的更全面的情况，在她眼里，达西是她家的第一恩人；她对达西的感情虽说不及简对宾利的感情那样细腻深切，却也入情入理，充满关切。这次见到他的到来，见到他来到龙博恩，而且又一次主动来看她，实在让她惊愕不已，她此时惊愕的程度不亚于她在德比郡见到他的言行举止发生很大变化时表现出来的惊诧。

她一想到达西对自己始终坚定不渝的爱情和美好心愿，她先前还是苍白的脸上立刻泛起了红晕，继而红光焕发，脸上荡漾起了一抹灿烂的微笑，把眼睛映衬得更有神采。不过，她还得再证实一下他的来意。

“我还是先观察他的举止，”她在心里说道，“现在作出预测还为时过早。”

她坐在那里假装专心做着针线活，极力让自己的内心平静下来，连眼皮都不敢抬一下。当仆人走到门口通报的时候，她才按捺不住心中的好奇，朝姐姐脸上望了一眼。简的脸色比平常显得苍白，却比伊丽莎白想象的要稳重。两位先生出现的时候，简的脸上立刻泛起一抹红晕，然而，她对待他们却十分从容，举止也很得体，既没有流露出忿恨，也没有现出无谓的受宠若惊的神色。

伊丽莎白只是与两人礼节性地问候了几句，便又坐回到座位上继续做手工，可是心中急切的心情却怎么也按捺不住，还是忍不住扫了达西一眼。他一如既往地满脸严肃。她心想，这更像以前在赫特福郡见到的达西，而不像在彭伯里见到的达西。或许，他在贝内特太太面前没有在加迪纳夫妇面前那么放得开。这种设想让人心中难过，但又不是不可能。

她也扫视了宾利一眼。在那一瞬间，她发现宾利既高兴又窘迫。贝内特太太对宾利格外客气，这与对待达西先生表现出来的冷淡的礼节性的礼貌形成了鲜明的对比，让两位大小姐汗颜。

伊丽莎白知道，正是达西先生帮助母亲把她最心爱的女儿从无可补救的身败名裂的境地中拯救出来，母亲欠他天大的人情，却竟然如此冷冰冰地对待人家。这种不公正地接待客人的方式让伊丽莎白尤其感到痛心和沮丧。

达西向伊丽莎白问起加迪纳夫妇的情况，她回答时一阵慌乱，之后就很少说话了。他没有坐在她的身旁，或许这就是他沉默寡言的原因。可是在德比郡的时候他并不是这样子的呀。在那儿的时候，即使他不与她说话，也一直在与她的朋友说话。然而，此时此刻，几分钟过去了，却没有听到他说一句话。有时候，伊丽莎白实在无法抵挡住好奇心的冲动，抬起眼来望了望他的脸，她常常发现他的眼睛时而打量着简，时而打量着她自己，更多的时候只是盯着脚下，什么也没看。这说明他心事更重了，他不再急于向她大献殷勤了。她顿时感到失望，可失望之余又怨起自己，为什么会产生这种情况呢？

“我还可能作别的指望吗？”她心想，“可他为什么要来呢？”

这个时候，她一心只想与达西说话，可是又几乎没有勇气开口。她向他询问他妹妹的情况，此外就找不到别的话说了。

“宾利先生，您一走就是这么长时间啊！”贝内特太太说道。他连连称是。

“我后来都开始担心你们再也不回这儿了呢。有人说，你打算在米迦勒节之前完全放弃这幢房子，我希望这不是真的。你上次走了以后，这儿的变化可大了呢。卢卡斯小姐已经结婚成家了，我的一个女儿也出嫁了。我想你恐怕听说了，事实上，你说不定在报上看到了她结婚的消息。我记得这消息是刊登在《泰晤士报》和《信使晚报》上。不过，那文稿弄得不怎么样，上面只是写着‘乔治·威克汉先生最近与丽迪亚·贝内特小姐喜结良缘’，竟然连她的父亲、住址等都没有提到。这都是我弟弟加迪纳先生起草的，我真不明白他怎么把文稿写得那么不清爽，你看到了吗？”

宾利说看到过了，并表示祝贺。伊丽莎白窘得不敢抬头看一眼，自然也不知道达西先生脸上是什么表情。

“女儿嫁个好人家是件大喜事啊，”母亲继续往下说，“可是，宾利先生，我又不忍心她去一个离我太远的地方。他们去了纽卡索尔，去了北方那个山高水远的地方，还不知道要在那里呆上多久呢。他们的团队就在那儿。我想您已经听说了他的事情，他现在已经离开了民兵团，加入了正规军。谢天谢地！总算是有几个朋友帮忙。他这样优秀的人应该朋友更多一些才是啊！”

伊丽莎白听出这话含沙射影，是冲着达西先生说的，羞愧难当，几乎坐不住了。不过，母亲这番话倒是起到了另外一层功效，居然让伊丽莎白极力地开口说起话来。只听她问宾利是否打算在乡下呆些时日，宾利先生说可能要呆上几个星期。

“等你们把自己庄园的鸟都打光了，”她母亲又开腔了，“尽管上贝内特先生的庄园来，宾利先生，您爱打多少打多少。他肯定会非常高兴让你来的，还会把最好的鹧鸪留给您呢。”

见母亲没话找话，乱献殷勤，伊丽莎白更加难受。一年以前，她们有着美好的憧憬，到头来仍是镜花水月；现如今，美景似乎正在展现，谁知这一切是否也会昙花一现，空留郁闷伤悲呢？她此刻觉得纵然最终获得幸福，可是一生的幸福也难以弥补她（或许还有简）眼前的痛苦。

“我最大的心愿是再不要与他们俩交往，”她自己对自己说，“与他们在一起，痛苦往往大于欢乐。但愿永远不再与他们相见。”

虽然伊丽莎白认为终生幸福难以弥补此刻的痛苦，可是此刻当她看到姐姐的美丽再一次燃起以前那位恋人的爱情之火，心中的痛苦不禁大减。当宾利刚刚进屋的时候，他与姐姐的说话并不多，可是接下来似乎每五分钟就会让他增加一分对姐姐的爱慕。他发现，眼前的简还是去年那位美丽的姑娘，与以前一样温文尔雅，一样纯真，只是没有以前那么多言语。简一心想让别人看不出她与以前有什么不同，还一直以为自己还是那样健谈呢。其实，这只是因为她心里一直有事，根本没有意识到自己在沉默。

当两位先生起身告辞的时候，贝内特太太想起了自己早已安排好的宴请计划，便邀请他到龙博恩来吃饭，时间定在几天之后。

“宾利先生，你还欠我一次回访呢，”贝内特太太说道，“去年冬天你进城之前，还答应过一回来就到这里来吃顿便饭的呢。我可没有忘记啊。不瞒你说，当时你没有回来履约，我可是非常失望。”

贝内特太太这么一说，宾利倒有点发懵了。他胡乱支吾了几句，说当时有事给耽搁了，实在抱歉。然后，两位先生离开了龙博恩。

贝内特太太本来很想当天就把他们留下来吃晚饭，可是，她家平时伙食再不错，也不能没有两道正菜呀。更何况她要招待的是她一心想着高攀的年近万镑的贵人，不精心安排准备几道符合他身份的美味饭菜怎么行呢？

第五十四章

两位先生走了以后，伊丽莎白立刻就走到屋外，想去清醒清醒头脑，或者说，去找个没人的地方好好想一想那些令她窒息的问题。达西先生的行为实在既让她震惊，又让她恼怒。

“他在这里话不多说，表情又严肃，对人也爱理不理的，那他来的目的是什么呢？”她暗自问道。

她找不出一个满意的回答。

“他在城里的时候，对我的舅舅、舅妈不是很和气，很讨人喜欢的吗？怎么不那样对我呢？要是他害怕我，何必要来呢？要是他不再在乎我，为什么不开口说出来呢？这人可真会捉弄人！我不再想他啦！”

正在这时，她看见姐姐走了过来，只好暂时把自己的决心放置一旁。姐姐走到她的身旁，满面春风。看得出，姐姐比伊丽莎白对今天的客人更满意得多。

“第一次见面算是结束了，”姐姐说，“我感觉完全轻松下来了。我知道我的能力，等下一次他来的时候我决不再扭扭捏捏。很高兴他星期二要来吃饭。到那个时候，大家就都可能看到，其实他与我只是普通的熟人，关系平淡得很。”

“是啊，的确很平淡，”伊丽莎白笑着说，“噢，简，小心为妙啊！”

“好丽兹，你不能把我看得那么脆弱，好像我又有了危险一样的。”

“我想，你现在的危险可大了，你可能会让他再一次疯狂地爱你的。”

星期二之前，她们再没有见过那两位先生。上一次他们在这里逗留了半小时，其间宾利兴致勃勃、礼貌周全又一次使贝内特太太沉睡的希望复燃，她再一次打起了她的如意算盘。

星期二那天，龙博恩府上宾客云集，那两位被众人翘首期盼的先生，果然不愧为守时的狩猎好手，如期而至。当大家走进餐厅的时候，伊丽莎白急切地注视着宾利，看他会不会像以前在聚会中那样坐到姐姐的身旁。她母亲也怀有同样的心情，显得格外谨慎，没敢请宾利坐到自己旁边。宾利进了餐厅，正在犹豫，碰巧简带着微笑在四处张望，他这才定下心来，坐到了简的旁边。

伊丽莎白颇感得意，不由得向宾利的朋友望去，见达西神态坦然，一副若无其事的样子。这时，正巧宾利也惊喜交加地看了达西一眼，要不然，伊丽莎白还真以为宾利得到了达西的示意才坐到简的旁边的呢。

席间，宾利的言行举止处处都流露出对简的爱慕之情，只不过比以前更谨慎了一些。伊丽莎白想，如果宾利对一切都能自己做主，那么他和姐姐的幸福很快就能实现。虽然说她还不能肯定这种结果一定会出现，但是看到他对姐姐殷情周到，十分欣慰。她本来郁郁寡欢，此刻她的情绪一下子高涨起来。达西坐在她母亲的旁边，与她差不多是隔桌相望。她知道，这种情形对双方都没有好处，两个人都不可能愉快。他与她母亲之间偶尔说说话，由于相距较远，伊丽莎白无法听清他们谈话的内容，但只要他们说话都可以看到彼此都很拘谨冷淡。她母亲缺乏礼貌和热情，让伊丽莎白倍感痛苦，毕竟他们家欠人家一份情！她真想不顾一切地向他解释，说他们全家并不是人人都知道他的善意帮助，也不是人人都不知恩图报的。

她寄希望于晚上，希望晚上他们俩能有机会单独在一起；她也希望这次聚会结束之前，她不要仅仅只是在他进门的时候礼节性地向他问候了一下，而要能与他多谈一些。吃完饭后，她在客厅里等待着两位先生过来，等了很久，她等得困倦不堪、烦闷不安，直想发脾气。她盼望他们的出现，认为这是自己今晚能否过得愉快的关键。

“要是他还不来，”她心中说道，“那我就把他完全放弃算了。”

两位先生走进了客厅，她以为达西可以满足她的心愿了。可是，天哪，女士们早已经把桌子围了个水泄不通。简正在沏茶，伊丽莎白忙着倒咖啡，她想在旁边加一把椅子都找不到空位子。看到两位先生走了过来，一个女孩向她靠得更紧，还低声对她说：

“那些男人别想来把我们分开，谁来都不行，好吗？”

达西走到客厅的另一边，伊丽莎白眼睛紧紧跟着他，心里妒忌着每一个和他说话的人。她再也没有心思给大家倒咖啡了，只是一个劲地怨恨自己太笨。

“这个男人的求婚不是已经让我给拒绝过吗？我怎么还能愚弄自己，指望他再次向自己求婚呢？难道说男人中还有谁会如此糟践自己，竟然第二次向同一位女士求婚？不过，又有谁会像我这样亵渎他们的感情呢？”

达西先生主动把咖啡杯递过来，她的希望不禁又苏醒过来，赶紧抓住机会说道：

“你妹妹还在彭伯里吗？”

“是的，她要在那儿呆到圣诞节呢。”

“一个人住那儿吗？她所有的朋友都走了？”

“安尼斯丽太太陪着她呢。其他人都去了斯卡波罗，在那儿呆了三个星期了呢。”

她再想不出来该说什么了，不过如果他想要与她谈话，或许能说得更多。可惜，达西站在她旁边，几分钟都没有说话。后来，那个年轻的姑娘又向伊丽莎白低声说起什么，达西见此情景，走开了。

茶具撤走之后，客厅里摆上了茶桌，女士们纷纷站起身来，伊丽莎白想到，达西会过来找她。可是希望又落空了，只见他又成了她母亲的俘虏，被她母亲硬是拉过去，与其他人一起在牌桌旁坐下来玩牌。她现在万念俱灰，所有快乐的期待全部落空。整个晚上，他们各自坐在不同桌上，她已经不抱任何希望。达西时不时地朝她这边张望，结果两人都输了。

贝内特太太本来打算把两位泥泽地别墅的先生留下来让他们吃晚饭之后再走，可是不巧，他们的马车比其他客人先备好，所以不便再挽留。

“好了，姑娘们，”等所有的客人都走了，贝内特太太忙开口了，“你们说今天过得怎么样？我感觉一切非常如意。饭菜美味可口，不输给任何一家；鹿肉烧得恰到火候，人人都说，从没吃过这么肥的鹿腰肉呢；煲的汤要比上星期我们在卢卡斯家吃到的好出五十倍，连达西先生也承认，鹧鸪肉烧得特棒。我想，他们家至少雇着两三个法国厨师吧。还有，我亲爱的简，我从来没见过你有今天这么漂亮。我问龙太太，你以前是不是都不如今天漂亮，她也说是。你猜她还说了些什么？‘啊，贝内特太太，我们迟早要看到她嫁到泥泽地别墅去的。’她的确是这样说的。我一直都认为龙太太是个顶好的人，她的侄女们虽然模样不算俊秀，但个个举止文雅。我无比喜欢她们。”

总之，贝内特太太兴致极高。她今天可是把宾利对待简的言行举止看了个真真切切，相信她终究会得到他的。此时，她喜笑颜开，想入非非，满脑子都是想着这门亲事将让全家受益。结果，第二天还没见到宾利上门求亲，她的情绪一落千丈。

“今天过得太愉快了，”贝内特小姐对伊丽莎白说，“参加宴会的客人挑选得好，大家都十分合得来。我真想经常举行这样的聚会。”

伊丽莎白微微笑了笑。

“丽兹，你可不能笑我，你不能怀疑我。这是伤我的心！说实在的，我开始喜欢与他谈话了，他那个年轻人，说话又和气，又通情达理。我对他倒不是有什么非分之想。我只是觉得他举止坦然，并不刻意迎合我的心情，我很满意这一点。他与别人不同的，就是他声音悦耳，对任何人都非常亲切随和。

“你也太残忍了，”伊丽莎白说道，“居然不让我笑。实际上你每时每刻都在引我发笑。”

“有些事情真让人难以置信。”

“有些事情又太不可能了。”

“那你又为什么要以为我口是心非呢？”

“这个问题我还真不知道该怎样回答。我们都喜欢说教，可是又都只会说一些无用的话。请原谅，如果你继续说自己对他无心，就别跟我说悄悄话。”

第五十五章

这次拜访之后没过几天，宾利先生再次来到了龙博恩，不过是一个人来的。他的那位朋友当天早晨去了伦敦，不过十天之内还会回来的。宾利与贝内特家的人坐了一个多小时，兴致很高。贝内特太太请他留下来吃午饭，他一再表示歉意，说自己另有约会，得赶往别的地方。

“下一次你来的时候，”贝内特太太说，“我希望你能赏脸。”

他说了一通他可能随时会来打扰之类的话，并说这次离开之后，他会很快又可能来拜访的。

“你明天能来吗？”

是的，他明天碰巧没有事，于是接受了贝内特太太的邀请。

第二天他果然来了，来得也正当时，女士们还没化妆打扮呢。贝内特太太穿着睡衣，头发刚梳理了一半，冲进了女儿的房间，大声叫道：

“亲爱的简，快，快点下楼去。他来了！宾利先生来了！真的。赶快，赶快。莎拉！来贝内特小姐这里，帮她穿好长礼服。先不要管丽兹的头发！”

“我们很快就下楼来。”简说道，“凯蒂肯定比我们更利索，她半小时以前就上楼了。”

“噢，该死的凯蒂！她去干什么？得，你快点！快点！你的腰带在哪儿，宝贝？”

等妈妈一走，简又不愿意一个人下楼了，她想要一个妹妹陪同。

从早到晚，贝内特太太的急切心情毫不减弱。喝过茶后，贝内特先生和往常一样，回到了自己的书房，玛丽上楼弹琴去了。五个障碍中有两个被清除之后，贝内特太太坐在那里不停地向伊丽莎白和凯瑟琳眨眼睛。她这样眨了好长时间，没起作用。伊丽莎白装作没看见；凯蒂终于看到了，却天真地叫了起来：“妈妈，你怎么啦？你为什么总朝我眨眼睛呀？您要我干什么？”

“不干什么，孩子，不干什么。我没朝你眨眼睛呀。”她在那里又坐了五分钟。她实在不忍心浪费这宝贵的机会，突然站了起来，对凯蒂说：“来这儿，宝贝，我有话要对你说。”说完就拽着她往外走。简立刻向伊丽莎白看了一眼，那眼神流露出她对母亲这种出丑的举动感到难过，同时也是在恳求伊丽莎白不要听从母亲的摆布。过了几分钟，贝内特太太把门推开一道缝，喊道：

“丽兹，亲爱的，我想和你说点事。”

伊丽莎白无奈地走开了。

“我们最好还是让他们俩单独在一起，”她一走进大厅，就听到母亲说道，“凯蒂和我要上楼到我的化妆间去坐一会。”

伊丽莎白没想与母亲理论，只是静静地站在大厅里，等母亲和凯蒂一走开，马上就又回到了客厅。

贝内特太太的计划今天没有奏效。宾利样样都讨人喜欢，唯一令人遗憾的是他还不是简的正式恋人。他举止从容，谈笑风生，成为贝内特家晚上聚会最惹人喜欢的客人。贝内特太太乱献殷勤，尽说蠢话，他都能忍受得了，并且能处之泰然，不动声色，这着实叫简感激不已。

他几乎没让主人挽留就留下来吃晚饭了。临走时，贝内特太太还与他约定，他第二天早晨来这里与贝内特先生一同去打鸟。

这天以后，简再没有说过一句对他不理不睬的话了。姐妹之间谈话虽然都没有提到宾利，可是伊丽莎白上床的时候都还在冒出一些开心的想法，认为如果达西先生不在原定的时间期间回来，一切都会很快就有个结局的。细细一想，似乎这一切都是达西先生事先认可了似的。

宾利十分守约，第二天早晨，他就如约与贝内特先生一起相处了一个上午。他发现，贝内特先生比自己原先想象的要和蔼得多。猜测起来，这可能是因为宾利自己没有高傲的架势，没有做出蠢事，要不然贝内特先生还是会冷嘲热讽，或者由于厌恶而一言不发的。今天，贝内特先生显得极不平常，他似乎比较健谈，也没有平时那么古怪。猎鸟之后，宾利理所当然也跟着上贝内特先生回家吃饭。到了晚上，贝内特太太又想方设法把大家支开，让宾利和简单独相处。喝完茶后，伊丽莎白进早餐厅写信去了。因为别的人都坐下来玩牌了，她也不想与母亲冲撞。

伊丽莎白写完信，正要回到客厅时，她看到无比惊人的一幕，她不得不佩服母亲，母亲到底还是比她聪明得多。当时，她推开客厅门，就发现姐姐与宾利站在壁炉前面，正真心诚意地说着什么。如果说这还不足以引起怀疑，那么两人一见有人进来，疾速转过身去，拉开距离，那两副表情说明了一切。他们俩十分尴尬，可伊丽莎白更是感到自己的处境难堪。他们两人都没有吭声，一起坐了下来。伊丽莎白正准备离开，却看见宾利猛地站起来，低声和她姐姐说了些什么，就跑出了屋子。

简要是遇上高兴事，一定会毫无保留地告诉伊丽莎白。这时，她一把搂住伊丽莎白，用最后令人振奋的声音告诉妹妹，说她简直就是世界上最幸福的人。

“太幸福了，”她说，“太幸福了！我配不上啊。啊！为什么不是所有的人都能像我这样快乐幸福呢？”

伊丽莎白立刻向她道贺，她说得那样真诚、温馨、愉快，简直无法用语言来形容。每一句善意的祝贺，对简来说都是一股新的幸福清泉。可是此时此刻，简还不能与妹妹呆得太久，掩埋在心里的

话半句都说不出来。

“我得赶紧去通知妈妈，”她喊道，“我可不能让她再为我们牵挂替我们操心了。噢，丽兹，我得去亲自把消息告诉她，他已经去找父亲去了。噢，丽兹，家里人听到我告诉他们的消息之后，一定会非常高兴。这巨大的幸福真让我难以承受啊！”

简赶紧去找母亲，却见母亲早已有意识地解散了牌场，正由凯蒂陪着在楼上坐等好消息呢。

伊丽莎白独自一人留在客厅里，想着这门亲事几个月来给大家带来了多大的忧虑和苦闷，到如今终于有了良好的结局，这结局来的又是如此之快，如此轻松！她不禁笑了。

“他那位朋友再也不用处心积虑地提防了，他的妹妹再也不用自欺欺人了。这是一个最幸福、最明智、最合理的结局！”

几分钟后，宾利过来了。他与她父亲的会谈简短而富有成效。

“你姐姐呢？”他推门进来急急忙忙地问道。

“在楼上与妈妈在一起。她肯定会马上下楼来的。”

他这才关了门，向伊丽莎白走来，准备接受小姨子的祝福和问候。伊丽莎白由衷地向他道喜，真诚地祝福他们。说完，两人亲切地握了握手，然后，伊丽莎白就听着宾利滔滔不绝地描绘起未来的幸福，大谈特谈简的优点和美德。她一直听到简从楼上下来。尽管刚才那些话是由作为恋人的宾利说出来的，伊丽莎白却深信，他所有幸福的憧憬都会如愿，因为他们两人都能很好地体察对方，在情趣方面非常投缘，而且简的性格完美无瑕，这一切构成了实现他们幸福的基础。

这一个晚上，大家都异常高兴。简心里像灌了蜜似的，脸上容光焕发，光彩照人，比以前更俊俏美艳。凯蒂也满面笑容，希望自己也能早日获得幸福。贝内特太太虽说与宾利谈了半个小时，一个劲儿地表示同意这桩婚事，还总觉得自己说得还不够热情诚恳，不足以表明自己的心情。贝内特先生出来和大家一起吃晚饭，他说话的声音，他的一举一动无不流露出他发自内心的喜悦。

客人在场时，他却一句话都没有提及宾利与简的婚事，可是客人一走，他就转过身来对女儿说：

“简，恭喜你！你会成为一位非常幸福的人。”

简立刻走到父亲身边，吻了他一下，感谢他的良好祝愿。

“你是一位好姑娘，”他又说道，“想到你有了这样幸福的婚姻，我非常高兴。我绝对相信你们会生活得很好，因为你们的性格脾气极为相似。但你们都比较谦恭，办事常常会缺乏主见，你们又都很随和，那些仆人难免会欺负你们；你们都生性慷慨大方，到头来恐怕会常常入不敷出。”

“但愿事情不会这样。我在钱财事务上一定要谨小慎微考虑周全。”

“入不敷出！贝内特先生，”贝内特太太大喊起来，“你在说什么呀？嗨，他可是一年收入四五千镑呢，或许还要多。”然后又对女儿说道：“噢简，我的亲亲宝贝，我真高兴！我今天晚上一定会眼皮都合不上的。我早就知道会有这样的大好结局。我总是说，事情一定会是这样的，果然不错！我一直就认为你这么漂亮，不可能找不到好人家的。我记得，去年他初到赫特福郡的时候，我猛一见他，就想到你们俩可能会走到一起。噢，他是我见过的最帅的年轻人。”

威克汉、丽迪亚已经被忘到了九霄云外，简无可争议地成为了贝内特太太的掌上明珠。此刻，她的心中只有简，小妹妹们也很快就与简热乎起来，都希望将来能沾点光。

玛丽请求使用泥泽地别墅的书房，凯蒂则乞求每年冬天多举行几场舞会。

从这天起，宾利理所当然地成为了龙博恩的常客。他天天来，而且常常是早饭之前就到了，一直呆到晚饭之后再走。除非是哪位不识趣又不怕惹人厌的邻居请他吃饭，他觉得非去不可的时候，才不上龙博恩来。

伊丽莎白没有时间与姐姐说话了，只要宾利在，姐姐眼里就没有了别人。不过，伊丽莎白也发现，这两位恋人短暂分开的时候，她还是挺有用的。简不在场时，宾利总是喜欢找她说话，而宾利走了以后，简又总是找她解闷。

“他对我说，”一天晚上，简对伊丽莎白说，“今年春天他根本就不知道我在城里，我听了真高兴。我原来就认为他不可能知道嘛！”

“当时我也挺纳闷的，”伊丽莎白说，“可他是怎样解释的呢？”

“他说这一定是他妹妹捣的鬼。她们当然不希望他与我相好啦。这也难怪，他本来可以找一位在各个方面比我更出色的女人嘛。不过，她们会看到她们的兄弟与我在一起非常幸福。她们一定会的。她们会慢慢认同我的。尽管我们不可能像以前那样亲密无间，但我们还是会很好地相处的。”

“这是我第一次听你说出这么不饶人的话，我的好姐姐！”伊丽莎白说，“要是我再看到你被宾利小姐的虚情假意给蒙蔽，我会难过的。”

“丽兹，你信不信，他去年冬天进城的时候，他还是真心爱着我的，只是有人提醒他，说我对他并未动情，所以他就没有再回来了。”

“他肯定有点小误会。不过，那只是因为他太谦虚了。”

简一听到这话，连忙说起宾利的确为人谦虚，而且从不炫耀自己的优点。

伊丽莎白则从中高兴地发现，宾利并没有说出他的朋友干涉这门亲事的情况。虽说简的宽厚仁慈的心肠世间少有，但她了解真相之后也难免对达西心存芥蒂。

“我相信，我就是世界上最幸福的人！”简大声叫着，“噢，丽兹，为什么唯独我这么幸运呢？家里人为什么不都和我一样有福气呢？但愿你也能找到幸福！但愿你也能找到一位优秀的丈夫！”

“你就算送给我四十个这样的男人，我也赶不上你这样幸福。除非我有你那样的性格和善良，否则我仍然不能享受到你那样的幸福。不，不，我还是顺其自然吧。或许我会大行好运，再碰上一个柯林斯先生呢。”

没过多久，龙博恩的喜事就不再是秘密了。贝内特太太先告诉了菲力普太太，菲力普太太在没有经过允许的情况下，擅自把这消息传给了她在麦里屯的邻居街坊。

几个星期之前，丽迪亚私奔的时候，贝内特一家被人们一致认为是最倒霉的，谁曾想到，转眼之间，又成为世界上最幸运的人了。

第五十六章

宾利与简订婚已经一个星期了。这天早晨，他正与贝内特家的几位女士坐在餐厅里聊天，忽然听到马车辘辘驶来的声音。大家循声往窗外望去，只见一辆驷马大车向门口的草坪驶来。这么一大早不会有客人来访呀！再说，从马车上的装备来看，来人不是附近的邻居。马匹却是附近驿站的，至于那马车和车夫的号衣大家都没见过。肯定是个什么重要人物来访，宾利立刻让简跟他去矮树林里走走，以免有人来时脱不了身。他们俩出门散步去了，剩下三位还坐在那里，怎么也猜不出个名堂来。门开了，她们的客人走进屋来。原来是凯瑟琳·德·波尔夫人！

众人大感意外，而且是难以想像的意外。贝内特太太和凯蒂虽说根本就不认识这位来客，可吃惊的程度远甚于伊丽莎白。

德·波尔夫人走进屋来，看那气势毫无大家风范。伊丽莎白上前向她施礼，可是这位夫人不理不睬，只是微微点了点头，便坐下来，一句话也不说。她进门的时候，虽然没有请求伊丽莎白作介绍，伊丽莎白还是把她的名字告诉了母亲。

贝内特太太既大感惊诧，又受宠若惊，见如此高贵的人光临，实在是荣幸之至，连忙用最客气的方式接待这位贵宾。德·波尔夫人落座之后沉默了一会儿，然后用生硬的语气对伊丽莎白说：

“我想你一定过得不错，贝内特小姐。我没猜错的话，那位女士一定是你母亲了。”

伊丽莎白非常简洁地回答了一声，是。

“我想这一位是你的一位妹妹了。”

“是的，夫人，”贝内特太太觉得能与凯瑟琳夫人讲话是一种荣幸，便忙不迭地插了一句，“她排行倒数第二，我最小的女儿最近刚刚结婚，我的大女儿这会正在外面与一位年轻人散步呢，他恐怕很快就要成为我们家的一员啦！”

“你们家庄园并不大呀！”凯瑟琳夫人沉默了一会儿，才说道。

“这与罗辛斯庄园相比，可就是小巫见大巫了，夫人，不过，肯定比威廉·卢卡斯家的庄园要大一些。”

“这间客厅窗户全部朝西，夏天的傍晚在这里纳凉肯定极不方便。”

贝内特太太忙说，她们家吃完晚饭之后从来不在这儿多坐，并且补充了一句：

“敢问这位夫人，您离开家的时候，柯林斯夫妇都还好吗？”

“噢，非常好。前天晚上我还见到他们。”

伊丽莎白想：凯瑟琳夫人这次前来，或许唯一的目的就是替夏洛特转交一封信。她真希望对方能掏出那封信来。可是没有信，她茫然了。

贝内特太太极为客气地请求这位夫人吃点心，凯瑟琳夫人谢绝了。她谢绝得那么果断，甚至到了无礼的程度。接着，她站起身来，对伊丽莎白说：

“贝内特小姐，你们家草坪的那一侧有点荒原景色的味道，看上去有点意思，你能赏脸陪我去那边看一看吗？”

“去吧，亲爱的，”贝内特太太叫嚷着，“把夫人领到各条小路上走走。我想，她会喜欢这世外桃源的。”

伊丽莎白听从了妈妈的话，赶紧跑到自己的房间取了一把太阳伞，侍候着这位尊贵的客人下楼去了。当她们穿过大厅的时候，凯

瑟琳夫人推开餐室的门和客厅的门，扫视了一阵子之后，说这些房间看上去还不错，然后又往前走。

马车就停在门口，伊丽莎白看见她的侍女在车上。她们俩仍然没有言语，顺着通往小树林的石子路默默地走着。伊丽莎白觉得这位夫人比以前更高傲，更让人厌恶，她打定主意不主动与她说话。

“她怎么一点都不像她外甥呀？”伊丽莎白瞅了瞅凯瑟琳夫人的脸，心里说道。

两个人一走进矮树林，凯瑟琳夫人就这样开始了她们之间的谈话：

“你不会不明白我这次来这儿的目的吧，贝内特小姐？你的感情，你的良知，都应该告诉你我为什么要来。”

伊丽莎白完全愕然了。

“其实，您可能弄错了，夫人。我根本就不知道您这次光临寒舍的动机如何。”

“贝内特小姐，”夫人的语气有点愤怒了，“你应该明白，我可不是好让人糊弄的。无论你怎样不真诚，我都是真诚待人的。我这人的个性就是这样：真诚、坦率。即使在现在这种情况下，我也不失我的一贯品格。两天之前，我收到一份惊人的报告，说你们家不只是你的大姐攀上了一个富人家，马上就要结婚了，而且你，伊丽莎白·贝内特小姐，也可能很快就会与我的外甥达西结婚。虽然我知道，这可能是一种无耻的谣传，虽然我不愿意认为这就是事实，以免伤害了我的外甥，但是我还是立刻下决心，赶往这里，我想把我的想法告诉你。”

伊丽莎白一听，既惊诧，又鄙夷，脸涨得通红。她说道：“既然您认为这是谣传，那您为什么还不辞辛苦地赶来呢？您这样做到底是为了什么呢？”

“请你立刻消除这个谣传。”

“您赶到龙博恩来看我和我的家人，如果真的有这种传言的话，那岂不是证实了这种谣传吗？”伊丽莎白冷冷地说道。

“如果？那你是假装不知啰？难道这不是你们自己在背后煽动吗？难道你不知道这件事已经传得沸沸扬扬了吗？”

“我从来没有听说过。”

“你能够说，这种谣传只是空穴来风、无凭无据吗？”

“我可不敢像您那样坦率。你尽管问问题，我都可以不作回答。”

“岂有此理。我今天不达目的誓不罢休。我的外甥，他有没有向你求婚？”

“夫人您已经说过，决不可能有这种事。”

“这应该是不可能的，如果他还有点理智，就决不可能。可是，你会以各种手段来诱惑，使他一时之间忘记自己的身份，忘记自己对家族的责任，你会让他陷得很深的。”

“就算我真是这样，我也决不会承认。”

“贝内特小姐，你知道我是什么人吗？我还不习惯于听到你以这样的口气跟我说话。我是他世上最亲的亲人，我可以这样说，我有权过问他的人生大事。”

“可是您无权过问我的人生大事。而且，您这种态度也不可能让我讲真话。”

“我还是对你明说吧，你千万百计想高攀这门亲事，妄想！决不会成功！达西先生已经与我女儿订婚了。你还有什么好说的？”

“一句话，那就是，既然他已经订婚了，你就没有理由怀疑他会向我求婚。”

凯瑟琳夫人犹豫了半晌，然后又开口说道：

“他们订婚可是一件非同寻常的事情。他们还在襁褓中的时候，就已经互订了终身。这可是他们双方的母亲的心愿。他们在摇篮的时候，这桩姻缘就订下来了，现在眼看着他们两人就要结婚，我们两姐妹的心愿就要了却了，半路上却杀出了一个出身卑微、地位低贱、与我们这个家族没有丝毫渊源的黄毛丫头。难道你就丝毫不顾及他亲友的意愿？不顾及他与德·波尔小姐约定在先的婚约？难道你就没有了丝毫的廉耻之心，也全然不顾体统？难道你没有听我说过，他们俩从小就互订了终身吗？”

“的确，我以前听说过。可是那与我有什么关系？我知道了他的母亲和姨妈希望他能够娶德·波尔小姐，可是如果没有其他的理由阻止我嫁给你外甥，我决不会因为别人的意愿而止步不前。在儿女的婚姻问题上，你们尽了你们的力；可是实现这个梦想却要取决于别人。如果达西先生既不想尽这种义务也没有丝毫意愿去与表妹相守，他为什么又不能再作一次选择呢？假如他选中了我，我为什么又不可以接受他呢？”

“因为荣誉、门风、礼仪，不，利益等等都不允许。是的，贝内特小姐，利益！如果你一意孤行，违背众人意愿，就别想被他的家族和朋友看得起，你就会被他周围的人谴责、鄙视、厌恶，你们的结合就将是一种耻辱！你的名字将被所有人所不齿！”

“这些的确都是大不幸！”伊丽莎白说，“不过，谁要是能做达西先生的太太，本身就蕴藏着非同一般的乐趣和幸福。所以从总体上来说，她不会懊悔的。”

“你这个姑娘真是顽固不化，死不开窍。我真为你害臊。今年春天我对你盛情招待，难道你就以这样方式来感激我？难道说你就不知道知恩图报？来，让我们坐下来谈一谈。贝内特小姐，你必须明白，这次我来的时候，就已经下定了决心，不达目的誓不罢休。我也决不会气馁。我还从来没有屈从于别人的意愿，别想要点手腕就让我退缩。我想做的事情，从来都没有办不到的。”

“照这样说来，夫人您目前的情形一定会更加难堪。因为您那一套在我这里行不通。”

“我说话别插嘴，静静地听着。我的外甥和我女儿是天生的一对，他们的母亲都有高贵的血统，他们的父亲虽然没有加封晋爵，却也都是出身于古老的名门望族。双方的家产都非常可观。我们这两个家族的每个人都说，他们俩命中注定就要结为夫妻。还有什么可以分开他们？就凭你，一没有高贵门第，二没有显贵亲戚，三没有显赫的家产，凭你痴心妄想就把他们拆散？是可忍，孰不可忍！你要是有自知之明，你就不会妄想飞黄腾达。你是什么出身，就老老实实守你的本分。”

“我觉得嫁给你的外甥，并不是想飞黄腾达。他是一位绅士，我是一位绅士女儿，所以我们也算门当户对。”

“不错，你是一位绅士的女儿，可是你母亲是什么样的货色？还有你舅舅、舅妈、姨父、姨妈呢？别以为我不知道他们的底细。”

“无论我的亲戚是什么样的人，只要您的外甥不嫌弃就行。他们与您毫无关系。”伊丽莎白说道。

“干干脆脆地告诉我，你与他订婚了吗？”

伊丽莎白本来不想买她的账，可是沉吟了一会儿之后，还是回答了她的问题。她说：

“还没有。”

凯瑟琳夫人似乎心满意足了。

“你能不能向我保证永远也不要与他订婚？”

“我不会作出这样的承诺。”

“贝内特小姐，你真让我感到震惊。我本来还以为你是一位通情达理的姑娘呢。你别自欺欺人，以为我会退步。我会呆在这里等你作出了承诺再走。”

“我决不会向您作出这种承诺。别以为吓唬一下我就会屈服于这种无理的要求。夫人您想要达西先生娶你女儿，可是难道我作出了您想要的承诺，他就一定会娶她吗？假如他爱上了我，难道说我拒绝了他的求婚就一定能让他爱上他的表妹？请允许我说一句，凯瑟琳夫人，您刚才的要求实在荒唐，也实在不明智。如果您认为那几句威胁的话就能把我吓倒，那么您就大错特错了，您根本不了解我的秉性。我不知道，您的外甥在多大程度上会接受您对他婚姻的干涉，但是您却绝对没有权力把您的意志强加于我。所以，请您不要在这件事情上再纠缠下去了。”

“请你不要这么匆忙，我的话还没说完呢。除刚才所说到的反对达西与你结婚的理由之外，还有一点。我对你小妹妹私奔的事情并不是一无所知，我知道得清清楚楚。那位年轻人娶了她，也是因为你父亲和舅舅、姨父们花钱，才收拾了这个烂摊子。这样的姑娘也配做我外甥的小姨子？她的丈夫，也是达西已故的父亲生前管家的儿子，有资格做他的连襟？老天哪！你对这一点是怎样看的呢？难道彭伯里的美名就要这样给污没掉？”

“您现在该说完了吧？”伊丽莎白忿忿地说，“您是在极尽所能羞辱我。我要回屋里去了。”

她边说边站起身来。凯瑟琳夫人也站了起来，一起往回走。那位夫人肺都要气炸了。

“这么说，你一点都不顾及我外甥的荣誉和名声啰？无情无义，自私自利！难道你就没有想到，他要是与你结婚，会在世人面前丢尽脸面？

“凯瑟琳夫人，我不想再说下去了。你已经知道了我的意思。”

“那你是下决心得到他啦？”

“我说过，这是没影的事儿。我只是下定决心按照我自己的方式去寻找幸福，决不会顾及你的或者任何与我毫不相干的人的意愿。”

“很好！那你是不听我的劝告了？你竟然不顾道义、荣誉，不知恩图报，仍然要我行我素！你是决心要毁掉他，让朋友们瞧不起他，让整个世界都鄙视他！”

“在这件事情上，谈不上道义、荣誉、知恩图报。即便我与达西先生结婚也犯不上这些清规戒律中的哪一条。如果说我们的婚姻可能会激起他们家族的愤慨，我不在乎；至于说担心世人会因此而鄙视我们，我想大多数人都还是通情达理明辨是非的，决不会一哄而上对我们肆意指责的。”

“这就是你的真心话？这就是你最后的表态？很好！我现在知道该怎么做了。贝内特小姐，别幻想你的野心会实现。我来就是想试探试探你，没想到你这么不讲道理。等着瞧，我会达到目的的。”

凯瑟琳夫人就这样不停地说着，走到了马车门前，她一个急转身，又朝着伊丽莎白说了一通：

“我不会向你道别，贝内特小姐，也不愿问候你母亲。你们不配这种礼遇！我对你们极端不满。”

伊丽莎白没有回答，也没有挽留这位夫人进屋歇息一会，她静静地走了，进了自家的门口当她迈上楼梯的时候，听见屋子外的马车辘辘地驶出了。母亲迫不及待地迎了出来，在化妆室外门口遇到女儿，忙问，凯瑟琳夫人为什么不再进屋歇息一下再去呢？

“她不愿意，”女儿答，“她想走就走啦。”

“她是个十分标致的女人。她能光临我们家，实在是太客气了。我想，她来这儿只是想捎个话，说柯林斯夫妇都很好。她肯定是要去哪儿，经过麦里屯，于是就想顺便看看你。我想，她应该没有什么特别的事要向你说吧，丽兹？”

伊丽莎白不得不撒了个小谎，对她来说，要把刚才谈话的内容都说出来，那是不可能的。

第五十七章

不同寻常的来客把伊丽莎白的心绪搅得纷乱，久久难以平静，在随后的好几个小时里，这件事情一直在脑海里萦绕，挥之不去。看来，凯瑟琳夫人这次是专程从罗辛斯庄园赶到这里来的，而且是特地前来斩断传说中她与达西先生的婚约的。计划得可真周密啊！可是关于她与达西先生订婚的传言又起于哪里呢？她久思不得其解。后来，她突然想到，达西先生是宾利的密友，而她自己又是简的妹妹，这可能就是谜底了。人们看到宾利与简即将成亲了，人们自然就急切地期盼着另一桩婚事，于是产生了达西与她订婚的说法。实际上，就连伊丽莎白自己都没想到，姐姐的婚姻倒可以给她和达西带来更多彼此接触的机会。这样一来，她们住在卢卡斯府邸的邻居可能就认为，她说不定（几乎是肯定）会很快与达西先生结婚，他们可能把这种猜测写在信中，寄给了柯林斯夫妇，就这样到了凯瑟琳夫人那里。

回想起凯瑟琳夫人刚才的话，伊丽莎白心中颇有几分不安，生怕这位夫人执意干涉，产生不利的后果。凯瑟琳夫人刚才说，要阻止他俩的婚姻，从这话中，伊丽莎白感觉到，这位夫人一定会向外甥施加压力。至于说达西在多大程度上会认同他姨妈的观点、认为与她的结合有着百般不利，她现在还说不出。她不知道达西对他姨妈的感情有多深，他在怎样的程度上对姨妈言听计从，但是有一点是情理之中的，那就是他对他姨妈比伊丽莎白对他姨妈更尊重一些。还有一点，他的姨妈肯定会向他历数这一桩门不当户不对的婚姻，这势必会击中他的薄弱点。虽然说对伊丽莎白而言，这些观点非常可笑，经不住推敲，可是对于达西这样一个讲体面的人来说，这些话自然有其善意和合理之处。

现在该怎么办？对于这一个问题达西本来就处于犹豫之中，他似乎常常这样举棋不定，在这一时刻，这样的一位至亲哪怕给他一个建议或者一点开导，就可能打消他的犹豫，让他下定决心，在能保持自己尊贵身份的情况下去寻找自己的幸福。要是那样，他就不会再回泥泽地别墅了。凯瑟琳夫人到伦敦的时候或许会与他见面，这样一来，他原来与宾利的约定就会成空，他再也不会回来了。

“要是这几天他给宾利写信来，找个借口说不会来了，”伊丽莎白想，“我就明白是怎么一回事了。我以后就不再对他抱有希望，也不再指望他对我用情坚定了。现在他本来可以得到我的爱情，得到他求婚时所希望的答复。可是此时此刻，如果他不爱我了，如果他在失去我之后只是感到惋惜，那么我连对他的惋惜都不会有。”

家里人听说有过贵人来访，都十分惊讶。不过，好在大家的猜测与贝内特太太一样，也算是满足了各自的好奇心，便没有在这件事上拿伊丽莎白开心。

第二天早晨，她刚一下楼，迎面碰到了她父亲。父亲正从书房出来，手里拿着一封信。

“丽兹，”他叫道，“我正找你呢，来，来，进房间说。”

她跟随着父亲进了书房，猜想着父亲要告诉她的可能与他手中的那封信有关。她的好奇心一下子高起来。她突然想到，那可能是凯瑟琳夫人写来的信，心往下一沉，沮丧地盘算着该如何向父亲作一些相关的解释。

她跟着父亲走到壁炉跟前。两个人坐下之后，就听到父亲说道：

“今天早晨我收到了一封信，里面的内容让我大为震惊。这事主要与你有关，所以你应该知道上面的内容。我以前还不知道，我竟然有两个女儿都即将结婚了。请让我祝贺你，祝贺你征服了一个重要人物。”

伊丽莎白脸上立刻热血翻涌，脸颊涨得通红，也立刻断定这封信是那位外甥写来的，而不是他的姨妈。不过，她心里也比较矛盾，不知到底是应该为他终于来信倾诉衷肠而高兴，还是应该为他没有直接写信给自己而恼怒。这时候，她又听父亲说道：

“你看起来心里很清楚。年轻姑娘们在这方面可是具有非凡的洞察力哟。不过我想，你很有悟性，却不一定悟得出你的崇拜者姓甚名谁。这封信是柯林斯先生写来的。”

“柯林斯先生！他能说些什么？”

“当然是一些重要的话了。他一开始就恭喜我的大女儿即将出嫁——这一消息似乎是卢卡斯家里那些多嘴的好心人传出来的。我就不吊你的胃口了，免得你等得不耐烦。我还是把关于你的那部分内容读给你听吧。听着，这些是关于你的：‘值贵府大喜之际，在下谨携内人柯林斯太太向您致以真挚的祝贺。此外，在下自同一人口中得知，继尊府大小姐之后，令女伊丽莎白亦行将出阁，其终身伴侣实为大富大贵之人’。”

“丽兹，听了这几句之后，你能猜出是谁吗？‘此为一年轻绅士洪福齐天，凡心所慕，莫不一应俱全。家财赫赫，门第显贵，权力无边。虽有诸多诱惑动人心扉，在下斗胆向先生和表妹伊丽莎白进言：如若遇贵人求婚切不可草率应承，以免招致后患。切记为幸。’”

“你猜测到了吗，丽兹？这位先生是谁呢？现在谜底出来了。‘在下所以进言提醒，实因贵人之姨母凯瑟琳·德·波尔夫人之故，恐如此美事难获其恩准。’”

“达西先生，瞧，那位先生就是达西！好了，丽兹，我可能让你大吃一惊了吧？这柯林斯先生，还有那卢卡斯先生，怎么就是在我们熟人圈子里挑出这个人来制造谣言呢？难道这个人的名字能够让他们的谣言更显得真实一些？达西先生，他可是从来见到女人就觉得晦气的人，说不定他压根儿都没用正眼瞧过你呢。真让人佩服！”

伊丽莎白试图与父亲一起逗逗乐，最终只是勉强挤出了一丝苦笑。父亲的幽默感还从来没有像今天这样让她乐不起来呢。

“你不觉得滑稽吗？”

“噢，是的，请往下读。”

“‘昨晚向夫人提及此事，夫人不惜屈尊，直陈隐忧。因表妹门第之故，不利多多，如终成眷属，亦有失体面，故夫人万难首肯。在下视之为己任，特快信告知表妹，望表妹与其贵人双双醒悟，明晓义理，万勿私订终身，铸成大错。’柯林斯先生还说：‘表妹丽迪亚之劣行终得以圆满解决，在下深感欣慰；唯有一事惴惴不安，即恐其夫妇二人接入府中，实在令在下骇然不已，此必助长伤风败俗之邪气。如若在下主道龙博恩，必竭力阻拦。先生既身为基督教徒，必当视此二人为同道中人而宽恕，然而先生亦当拒不见其人，拒不闻其名。’那就是他所鼓吹的基督教的宽恕精神！信的其它部分都是关于他亲爱的夏洛特的情况，还说他们就要为人父母了。丽兹，你听了这些似乎不大高兴。别耍小姐脾气，不要因为几句不着边际的话就生气。人生一世，不就是拿街坊邻居开玩笑，别人也拿我们找乐子吗？”

伊丽莎白叫了起来，说：“噢，这种说法倒是很有趣，只是太怪了一点。”

“不错，正是这样才有趣呢。他们要是说到的是另外一个人，或许说得过去。可是偏偏提到的是不把人放在眼里的达西和极端厌恶他的你，就未免让人感到滑稽可笑了。就像我平时讨厌写信，却不愿和柯林斯先生断绝书信往来一样，我那个女婿大大咧咧，又很虚伪，我却还比较喜欢他；丽兹，凯瑟琳夫人对这事是怎么说的？她赶来这里就是专门来表示反对的？”

他的女儿听到这样的问题，一阵大笑算作答。不过，见父亲只是随口问问而已，心里并没有猜疑，心里也就坦然了一些，让他不断地问下去。伊丽莎白从来没有像现在这样茫然，心里想着一套，表面上还得装出另一套来。笑是很有必要的。要不然她就会哭起来的。父亲总是说达西怎么样无情之类的话来残忍地折磨她。她心里面想，父亲实在太缺乏洞察力，可是她又担心自己判断错了，或许父亲观察到的并不少，而是自己幻想得太多。

第五十八章

自从凯瑟琳夫人来访后，又是好多天过去了，伊丽莎白本来以为达西先生会给宾利来信，同时她也怕达西先生有信来。结果，宾利没有把达西的信带来，倒是把他本人给带来了。两位先生很早就来到了龙博恩。伊丽莎白正在担心妈妈会把达西的姨妈来访的消息告诉他，这时候宾利提出大家一块出去走走。其实他也想和简单独在一块。贝内特太太从来没有散步的习惯，玛丽又抽不出时间，剩下的五个人就一起出去了。刚一出门，宾利和简就让其他人在前面走，他们有意落在后面，伊丽莎白、凯蒂和达西就在前面一起走。他们三个人说话不多：凯蒂害怕和达西说话，伊丽莎白心里悄悄地准备作最后的决断，或许达西也在想着同样的问题。

他们朝卢卡斯府邸走去，凯蒂想去看望玛丽亚。伊丽莎白则觉得没有必要一起去卢卡斯家，于是等凯蒂一离开，她就大着胆子一个人陪着达西继续散步。现在该是她最后决断的时候了。她立刻鼓起勇气，对达西说道：

“达西先生，我是一个非常自私的人。有时候，只图自己心里好受，结果说了很多伤害你的话。你帮助了我可怜的妹妹，我真诚感谢您的这番无与伦比的善意之举。自从我知道这件事之后，我就一直急于想向你表示我由衷的感激之情。要是我们家其他人都知道了这件事，那么要表达谢意的就不是我一个人了。”

“我很遗憾，极其遗憾，”达西惊诧而又动情地答道，“你竟然知道了这件事！我本来担心会让你产生误解，引起你不安的。真没想到加迪纳太太那么不值得信赖。”

“你不能怪我姨妈。丽迪亚无意中漏出了一句让我想到，你与这件事一定有关联。当然，不弄清具体情况我决不会心甘地接受同情和慷慨帮助，请让我代表全家再一次谢谢你，谢谢你不辞辛劳地找他们，为了这件事，你还忍受了那么多的屈辱。”

“如果你要谢谢我，就以你自己的名义谢吧！”达西答道，“我之所以出手帮助，还有一个重要原因，那就是希望你能高兴。这一点我不否认。可你家里人不欠我什么。虽然说我也很尊重他们，可心里想到的却只有你。”

伊丽莎白窘得一个字也说不出来。沉默了一会儿之后，她的这位同伴又说：“你是个慷慨大度的人，你是不会捉弄我的。如果你的感情还是像今年四月那样，请立刻就告诉我。我对你的爱慕之情和美好心愿一点没变，不过你一句话就可以让我在这件事上永远沉默下去。”

伊丽莎白十分理解此时此刻达西非同寻常的心情，他心里既尴尬又着急，她不得不强迫自己大胆地表白。于是她吞吞吐吐地告诉达西，自从上次读了他信里的解释后，她的情感发生了很大的变化，现在对他充满了感激，十分乐意接受他的一切请求。伊丽莎白的回答顿时让达西产生了一种前所未有的幸福感，他立刻抓住机会，表白自己的情感。他是那样善解人意，那样热情奔放，一看就知道他正深陷于爱河。伊丽莎白要是敢抬头与他的眼睛对视一下，她会看到他那发自心底的喜悦是如何发散到他的脸庞，构成一个真实的达西的。当然虽然她看不到，却能听得到。他娓娓倾诉着自己的情感，字字句句都证明了她在他心中的重要地位，使她更加珍惜他的爱情。

他们漫无目的地走着。他们要想的太多，要感觉的太多，要说的太多，全然无心留意周围的景色。她现在了解到她与达西目前能够这样很好地相互理解，还真得感谢他的姨妈所做出的努力。凯瑟琳夫人在返回罗辛庄园的途中经过伦敦的时候，的确去找过达西，向他讲述了自己到龙博恩去的经过、动机以及与伊丽莎白谈话的内容，还特意把伊丽莎白所说的每一句话都复述了一遍。照这位夫人的理解，伊丽莎白的字字句句无不反映出她的狂妄任性。凯瑟琳夫人其实指望经自己这么一说，达西一定会向她作出伊丽莎白所没有作出的承诺。结果不幸得很，她的话却起到了相反的效果。

"她的话反倒给了我前所未有的希望。我了解你的性格,我知道,如果你仍然对我深恶痛绝，你一定会向凯瑟琳夫人承认这一点的，而且会很坦诚地公然承认。"

伊丽莎白脸一红,笑道:"是的,你知道我直言快语,绝对做得到。我当着你的面都敢骂你，当着你亲戚的面就更无所顾忌了。"

"你骂我骂得对，哪句不该骂呢？虽说你的指责都证据不足，前提也不对，单凭我当时对人的态度都应该遭到批评。我当时的态度的确不可原谅，现在回想起来都懊悔不已。"

"我们就不要再谈论那天晚上谁更应该受到责备了。"伊丽莎白说，"仔细分析起来，我们俩的行为都该指责，不过，我倒认为，从那之后，我们彼此更客气了。"

"我可没有那样轻松就原谅自己。一回想起那天晚上我说的话、做的事，想起我当时的态度和说话方式，我就痛苦不堪，这连续几个月来都是这样。有一句你骂得很好，我会永远记住的。你说：'但愿你做事多一点绅士风度。'这是你的原话。你很难想象，这句话是怎样在拷打着我啊！我承认，过了好一阵子，我才明白过来，你的话还真有道理呢！"

"我真的没想到我的话能产生这么强烈的影响。我一点儿都没有感觉到这一点啊！"

"这不难相信。我敢说，你当时觉得我一点都不通情达理。你说,任凭我怎样花言巧语,都不会接受我的求婚。当时你说话的时候，脸色都变了。那情景我终生难忘啊。"

“噢，别再提我当时的那些话了，以后也不要再提起。说实话，我一直在为自己的话感到羞愧呢。”

达西提到了他的信，他问道：“那封信是不是很快就让人改变了对我的看法？你读信的时候，相信不相信里面的内容呢？”

她把那封信对她产生的影响，她以前对他的偏见是怎样消除的，都一五一十讲述了一遍。

达西说：“我当时就知道，那封信一定会让你痛苦，可是这也是迫不得已。我真希望你把这封信毁掉了。特别是信中有一部分，就是开头部分，真不愿意让你再看上一眼。有些话说不定会让你对我恨得咬牙切齿呢。”

“如果你觉得要保持对我的爱，非烧掉那封信不可的话，那就把它烧掉。不过，话说回来，就算我的情感和态度不完全坚定，我想也不至于因为那封信就与你分道扬镳吧。”

“我当时写信的时候，”达西说，“我自以为是很平静很从容的，可后来我才意识到，当时自己心里竟是憋足了痛苦和怨气。”

“可能这封信是以满腔愤怒开头的，不过结尾就不是那样，信的结尾显出一副慈悲心肠。不过，再别谈那封信了，写信人和收信人的内心感受现已经完全不同了。一切不愉快的情景都应该被抛到脑后。你应该知道我的原则：只回忆快乐往事。”

“我不可能按照你的这种人生哲学去做。你回想着往事，找不到一丝可以自责的地方，可以感到心安理得。你的这种说法不是一种处世哲学，而是对自己经历的一种满足和肯定。可我就不一样了。我回忆往事就有痛苦，那是抹不去也不应该抹去的痛苦。我这一生都很自私，虽然我不主张自私，可是实际上却是这样在做。小时候，大家只教我什么是正确的，却没有教会我怎样去完善自己的性情。他们给我制订了许多条条框框，但我总是以一种自负傲慢的姿态去执行。不幸的是，我是独子，在很多年里我只是家里唯一的孩子——我让父母给宠坏了。虽说他们自己为人很好，尤其是我父亲，他慷慨大度、和蔼可亲，可是他们却放任纵容甚至教导我自私自利、高傲自大，只关心家里人瞧不起天下人，最起码是认为他们的见识和财富不如自己。从八岁到二十八岁，我就是这样；要不是你，我最亲爱的、最可爱的伊丽莎白，我这德行可能会继续下去。我欠你的太多了！你给我上了一课。起初的确很难接受，后来却受益无穷。你对我那一阵羞辱，恰到好处。当初向你求婚，根本就没想过竟然不被接受。你让我看到，要取悦一位值得取悦的女子，自命不凡的方式绝对行不通！”

“那时候你认为我值得取悦吗？”

“的确这么认为，你又会想到我太自负了吧？我当时还真的以为人们希望并且期待着我向你求婚呢。”

“我的行为举止一定让你误会了，不过，决不是有心的。我从来没想到要欺骗你，可是我兴致一起来就常常做错事。那天骂你后，你恨过我吗？”

“瞧你！或许一开始我也只是很生气，不过后来我就知道该生谁的气了。”

“我真不敢想，你在彭伯里见到我的时候，是怎样看待我的？你责怪我不该上那儿去吗？”

“根本就没有。我只是感到意外。”

“你肯定没有想到当时我看见你时的诧异。我的良心告诉我，我不能让你对我特别客气。说实话，我真没想到我竟会得到你的特别款待。”

“我当时的目的，”达西说道，“就是要尽量礼貌周全，让你看到我达西并没心胸狭隘到对过去的事情耿耿于怀的程度，我就是要让你看到你对我的指责已经得到了足够的重视，希望能赢得你的谅解，减轻你对我的偏见。至于说我是什么时候又开始萌生出别的一些念头，我也说不上来，不过我想，大约是在见到人之后半小时左右吧。”

然后，他又谈到乔治亚娜对于结识伊丽莎白非常高兴，但对于她突然离开深感失望。话题自然就转移到了她那次突然离开的原因，这时，伊丽莎白才知道达西当时在她住的旅馆里就已经下定了决心，等她们一行走了之后，就从德比郡出发去寻找她的妹妹，他当时在客房里表情严肃，神色凝重，也并不是因为别的事情而焦虑，而是在考虑如何处理这件事。

伊丽莎白又一次向达西表示感谢。不过，这个话题实在是太沉重了，两个人都没有深谈下去。

两个人从从容容地走着，不知不觉走了几英里的路程，由于忙于交流思想,竟然都对此毫无觉察。待他们醒过神来,各自看看怀表，才发现该回家了。

“宾利先生和简可能就要大喜了！”这一句充满好奇的话又引得两人开始讨论他们自己的大事。达西对他们订婚的事感到由衷的高兴，他说：“宾利早就把这个消息告诉给我了哩！”

“我是想问你，你感到意外吗？”伊丽莎白说道。

“一点也不意外。我进城的时候就觉得这是迟早的事。”

“也就是说，他是得到了你的允许了。我算是猜着了。”尽管达西对这一说法作了辩解，伊丽莎白还是觉得事情十有八九就是这样。

“我动身去伦敦的前一天晚上，”达西说，“我终于向他作了坦白，其实，我早该向他坦白了。我把自己先前干涉他感情问题的事情全部作了交待，的确太荒唐太冒失了。他大吃一惊，他压根儿就没想到竟然有这种事情。我还对他说，当初我认为你姐姐并没有对他对动情，实在是一种判断错误；我一眼就看出他对你姐姐的爱可以说是坚定不移，所以我坚信，他们俩一定会幸福的。”

伊丽莎白见达西如此轻松地左右朋友，忍不住笑了。

“你对他说，我姐姐爱他，”她说，“这是你自己的观察，还是仅仅只是在今年春天从我口里听到的。”

“凭我自己的观察。最近我两次到你们家来，仔细观察过你的姐姐，发现她确实对宾利有情。”

“我想，既然你已经确信无疑，他自然马上也会相信的。”

“的确是这样。宾利为人谦和，毫不掩饰。遇到如此伤心劳神的事情，总是缺乏自信，无法自己定夺，所以他常常听听我的意见，这样一来，事情就迎刃而解了。有一件事我不便隐瞒，后来就告诉了他，这着实让他恼怒了一阵子。不过这也难怪他，去年冬天你姐姐在城里住了三个月，我明明知道这事，却还有意瞒住他。不过他生气归生气，我想，当他一听说你姐姐也爱着他，就怒气全消。现在，他已经彻底原谅我了。”

伊丽莎白真想脱口说，宾利先生真是一位让人开心的朋友，那么容易被人牵着走，真是难能可贵。不过她还是忍住没说出来。她想到，现在就与达西开玩笑，还为时过早，他还得学一阵子呢。达西滔滔不绝地谈论着宾利的情况，期待着他的幸福早日来到（当然，自己的幸福还是最大的幸福），不知不觉中，两人已经到家了。进了门厅，两人就分开了。

第五十九章

“亲爱的丽兹，你们到哪里散步去了？”伊丽莎白一进屋，便听到简问道。大家坐到餐桌上之后也纷纷问到了这个问题。她只是说他们出去随便走走，连自己都不知道溜达到哪儿啦。她说话时，脸却红了。不过，她的神态和答话却没有引起大家的怀疑。

晚上的时间平平静静地过去了，没有什么特别的事情发生。已经公开了关系的那对恋人说说笑笑；而那对秘密的恋人却一言不发。达西的性格内敛，喜悦从不外露；伊丽莎白则心猿意马，躁动不安，知道自己幸福，却没有体味到自己的幸福。她一方面感到窘迫，一方面又感觉到悬在前面的一道道难题。她猜测着，一旦她与达西的事情公开了，家里人的感觉将是怎样。她知道，家里人除了简以外都不喜欢他，她担心大家对他的不喜欢已经根深蒂固，恐怕他的财富和地位都无法消除他们心中的厌恶。

晚上，她向姐姐敞开了心扉。虽然简一向不喜欢多疑，但这一次她对妹妹的一番话绝不相信。

“开玩笑吧，丽兹。这不可能！与达西先生订婚！不！不！别骗我了。我知道这是不可能的。”

“真是开局不利！我可是全部希望都寄托给你了。你要是不相信，肯定就没人信了，可我的确是认真的，我说的都是实话呀！他仍然爱着我，我们已经订婚了。”

简看着妹妹，仍然有几分怀疑，说:“噢，丽兹，这是不可能的。我知道你对他厌恶至极。”

“你是不知道真相。那都是过去的事了，该统统忘掉。或许我从来没有像现在这样爱他，正是对于这些是非恩怨，我们应该忘却，不应该耿耿于怀。这将是我最后一次回忆这些痛苦往事了。”

贝内特小姐仍然十分惊诧地看着伊丽莎白，伊丽莎白再一次郑重其事地让姐姐相信，自己所说的都是事实。

“天哪！真是这样吗？不管怎么说，我必须相信你，”简大声说道，“我亲爱的丽兹，我想……我祝福你……可你有把握吗？请原谅我这么问你。你肯定和他一起生活会获得幸福吗？”

“毫无疑问！我们俩都坚定地认为，我们将成为世上最幸福的夫妻。你为我们高兴吧，简？你愿意有一个这样的妹夫吗？”

“非常愿意。没有什么比这能够让我和宾利更高兴的了。我们以前想到过,也谈论过,都觉得不可能。你真的很爱他吗？噢,丽兹！任何事情都可以没有感情，唯独婚姻不能。你能肯定你有足够的感情吗？”

“肯定。等我告诉你事情的来龙去脉，你还会觉得我对他的感情再深也不算过分。”

“你想说什么？”

“好，我承认我对他的感情超过了我对宾利的感情。你可别生气哟。”

“好妹妹，你正经的。我想与你正儿八经地谈事情。请你把一切该说的都说出来，不要再拖延下去了。告诉我，你爱他多久了？”

“我对他的爱是慢慢积累起来的，说不清是从什么时候开始的。我想，我可以一直往前追溯到我第一眼看到彭伯里庄园美丽景色的时候。”

姐姐又一次提醒她要正经一点，才算奏效。伊丽莎白向姐姐庄重地讲述了自己的情感经历。简这才对妹妹的话坚信不疑，十分满

意，没有再提出别的要求。

“看到你马上就要像我一样幸福，”简说道，“我十分高兴。其实我一向很敬重他的。即使没有其它因素，单凭他对你的爱，我也该永远敬重他。现在，他既是宾利的朋友，又是你未来的丈夫，自然除了你和宾利之外，我最喜欢的就是他了。不过，丽兹，你可真狡猾呀，在我面前还一直那么守口如瓶。在彭伯里和兰顿发生的事情你竟然还对我保密。我了解到这些情况可不是因为你，而是另一个人。”

伊丽莎白连忙向她解释，自己不向她吐露直情自有苦衷。当初她实在不愿意提到宾利的名字，而且自己的感情也只是朦朦胧胧的，自然也不愿意提到宾利那位朋友。现在，她也不可能再向她隐瞒达西为丽迪亚的婚事尽心尽力的事情了，索性把整个事情全部告诉了姐姐。就这样，姐妹俩一直谈到了深夜。

第二天早晨，贝内特太太在窗口往外看，突然大叫起来：“天哪！那个达西先生真讨厌，怎么又跟着我们亲爱的宾利先生来了呢？他老是这样不辞辛苦地往这儿跑，到底是为什么呢？他要是去打鸟或者做点别的什么都行，我真不希望他打扰我们。我们该拿他怎么办？丽兹，你得再和他出去走走，不能让他妨碍了宾利。”

伊丽莎白一听，正中心意，不由得笑了起来，可同时她见妈妈总是这样贬低达西，又不免有些气恼。

两位先生一进屋，宾利颇耐人寻味地看着伊丽莎白，与她热情地握手，那情形充分说明他已经了解了整个情况。一会儿之后，只听他大声说道：“贝内特太太，您这附近还有没有别的一些羊肠小道可以让丽兹再迷一次路？”

贝内特太太忙说：“我倒有个建议，今年早晨，达西先生、丽兹、凯蒂可以一起上奥克汉山去溜达。上那儿还有一些距离，正好达西先生还从来没有看过那边的景色呢。”

“上那去达西先生和丽兹倒正好，”宾利说道，“可是对凯蒂来说，那段路程的确有点远。是吧，凯蒂？”

凯蒂说，她还是呆在家里算了。达西声称他很想上山去看看风景，伊丽莎白默不做声，算是同意这一安排。她上楼去作点准备的时候，贝内特太太追了上来，说：

“我很难过，又要你去陪那个讨厌鬼了，但愿你不介意。这都是为简好，你知道。你也不用和他说得太多，有一句没一句地敷衍一下就行了，别让自己太劳神。”

达西与伊丽莎白散步的时候，两人商量好了，今天晚上就做贝内特先生的工作，争取他同意这桩婚事。至于母亲那边，伊丽莎白说她去做工作，她还无法断定她母亲对这件事的态度如何，有时候她甚至认为，或许达西的财富和显赫的门第都不足以消除母亲对他的厌恶感。不过，对于这桩婚事，无论母亲是极力反对，还是极度满意，她的言行举止都只会不合常理，惹人笑话；无论母亲是欣喜若狂，还是气势汹汹，伊丽莎白都不愿让达西面对。

到了晚上，贝内特先生回到书房不一会，达西也起身跟了进去。伊丽莎白看着这种情景，急得心都提到嗓子眼里了。她并不担心父亲会反对她的婚事，而是担心他会因此而不快。她想，自己作为父亲最宠爱的女儿，要是因为自己择偶的方式使他沮丧，让他为自己的终身大事操心伤神，实在太让人难以接受了。正当她愁思满腹的时候,达西出现了。她朝他看了一眼,从他的微笑中得到了一丝安慰。过了几分钟，他朝伊丽莎白与凯蒂谈话的桌子走了过来，假装在欣赏她的手工活,低声对她说:“去书房,你父亲找你。”伊丽莎白一听，径自去了。

她父亲正在书房来回踱步，神情严肃，面色焦虑。“丽兹，”见女儿进来，他说，“你到底在干什么？你疯了，你怎么能接受这类人的求婚？你不总是恨他吗？”

此刻她是多么希望自己当初发表那些不利于达西的观点时更理智一些，话语更温和一些！要是那样，不就省得自己那样尴尬地解释和分析了。但是现在，她必须做出解释。于是她慌乱地向父亲说，她的确爱上了达西先生。

“换句话来说，就是你要嫁给他？他有钱，这不假。嫁给他，你就可以得到比简都还要多的漂亮衣服和华丽的马车。可是这些能让你幸福吗？”

“您还有没有其它的理由来反对这桩婚事呢？难道就只是认为我对他没有感情这一点？”

“没有。我们都知道他是一个高傲、讨厌的家伙。如果你真的喜欢他，难道这些都不重要吗？”

“我确实喜欢他，”她眼泪汪汪地说，“我爱他。事实上，他的傲慢并不是不合情理的，他百分之百地和蔼可亲。您并不知道他真正的为人。请您不要再用这样的词语来刺痛我。”

“丽兹，我已经同意了他的求婚，”父亲说道，“像他这样有身份的人，只要他不嫌弃，他提出什么请求我都不敢不答应。如果你决心嫁他，我也同意。不过，请听我一句忠告，要思之再三。我了解你的性格，丽兹。假如你不敬重你的丈夫，假如你不认为他高你一等，你既不会幸福，也不会受人尊敬。在这样一桩门不当户不对的婚姻中，你的聪颖智慧将把你带入危险之中，你无法逃脱羞辱和悲惨的结局。我的孩子，请在生活中务必尊重你的丈夫，不要因为你在这方面的错误让我伤心。要知道，这事非同小可呀！”

伊丽莎白越来越动情，说话的声音也变得诚恳严肃起来。她反复向父亲说：达西先生是她终身的选择，不停地解释自己对他的敬慕是如何逐步演变而来的，并绝对保证他的感情不是一时冲动，而是经历了多个月来风风雨雨的考验，并极力陈述他的优秀品质。终于，她消除了父亲的疑虑，让他欣然同意了这桩婚事。

“好了，亲爱的，”听了伊丽莎白的一番话，贝内特先生说道，“我无话可说了。如果真是这样，他配得上你，我可不能把你送给一个与你不般配的人，丽兹。”

为了让父亲对达西的印象更好些，她接着又把达西主动帮助解决丽迪亚问题的事情告诉了父亲。他听得目瞪口呆。

“这真是一个充满奇迹的晚上！这么说，样样都是达西先生做的了：撮合姻缘，慷慨解囊帮助那家伙还账，还替他捐官！这是再好不过的事儿啊！替我省下了天大的麻烦和不少的钱财。假如这都是舅舅做的，我一定得还这个情啊！结果都是这个恋爱中疯狂的年轻人把这些事情一手揽下。明天我就向他提出还钱的事，他一定会拒不接受，并顺势渲染一番他对你的爱情。这样一来，还钱的事不就不了了之了吗？”

贝内特先生回想起了前几天读威克汉的来信时伊丽莎白的一副窘态，又拿她开心了一阵之后，让她走了。伊丽莎白离开房间的时候，他说：“要是有人来向玛丽和凯蒂求婚，就请他们进来，反正我也是闲着呢。”

伊丽莎白的心头一块大石头终于落地了，轻松了很多。她一个人躲在自己的房间里，静静地想着心事，半个小时之后，终于可以比较镇定地回到众人中间。最近一段时间，事情发生得太突然了，她根本还来不及欣喜，可是今天晚上却显得格外平静。她不再有什么重大的事情值得担忧，心中即生起一种轻松、自然、亲切的惬意。

夜晚，当母亲上楼去化妆室的时候，伊丽莎白也跟了进去，把这件重要的事情向母亲作了禀报。她的这一步起到了超乎异常的效果。刚刚听到这个消息的时候，贝内特太太坐在那里，一动不动，也没有一句话，硬是过了好半天才听懂伊丽莎白的话。这可是一反常态的事情，平常遇到对家里有益的消息，或者遇上有人来向女儿表达爱情，她的反应常常是很灵敏的。不过，她终于恢复了常态，已经坐立不安了。她一会儿从椅上站起来，一会儿又坐下去，惊叹不已，不停地祝福：

“老天爷！主保佑我吧！瞧！天哪！达西先生！谁曾想到过呢？这是真的吗？噢，我的亲亲丽兹！你一定会很富有很高贵！你会有好多好多钱财，闪闪发光的珠宝，威风华丽的马车！相比之下，简都算不了什么啦——根本就不算什么！我太满意了！太高兴了！多么有魅力的男人！多么英俊！多么高大！——噢，我的亲亲丽兹！请原谅这段时间我对他的态度不好，我不该那么厌恶他。但愿他不会计较这些。亲亲丽兹啊，城里的房子！一切那么迷人！一下子嫁出三个女儿！年进万镑啊！噢，主啊！我是怎样的高兴呀！我都要疯了！”

她的这些话足以证明她已经同意了伊丽莎白的婚事。伊丽莎白见母亲那些疯疯癫癫的话没有被别人听去，心里暗自庆幸。不大一会儿，她就走开了。可是她回到自己房间不出一会儿，她母亲又跟了进来。她大声说道：

“我最亲的宝贝，我满脑子都是这件事。一年一万镑的进账啊！说不定还不止呢。这是天下再好不过的事了。特别结婚证！你们结婚一定要弄一张特别结婚证！可是我的亲亲，快告诉我达西先生特别爱用什么样的盘子，我明天就去买。”

这实在不是一个好兆头，看来母亲又要在那位先生面前丢人了。伊丽莎白发现，现在虽然赢得了达西最热烈的爱情，也获得了家人的首肯，但她心里仍放心不下。不过，第二天的情况比预料的好。幸好贝内特太太对这位未来的女婿心存几分敬畏，一直不敢与他说话，只是力所能及地为他端茶送水，或者对他的卓识才干夸奖一番。

伊丽莎白满意地看到父亲开始下工夫与达西交流了。后来贝内特先生就向女儿保证说，他对达西的敬重每小时都在增加。

“我对三个女婿都很赏识，”他说，“威克汉可能算得上是我最得意的了，你和简的女婿我也很喜欢。”

第六十章

伊丽莎白的情绪很快又高涨起来，恢复了以前的顽皮性情。她要达西讲一讲他是怎样爱上她的。“你是怎样开始的？”她问道，“我十分清楚，你在迈出第一步之后，一直走得很精彩，可是你的第一步是怎样迈出的呢？”

“至于什么时候萌发出爱情，我的确无法说出是从什么时间、什么地点，或是你的什么神态、什么言语开始。那是很久以前的事了。等我明白过来的时候，我已经远离起点了。”

“你并不在意我的容貌。至于说我的举止嘛——在你眼中，我的举止近乎粗鄙，而我与你说话的时候，总是想着去刺痛你。你说句老实话，是不是因为我唐突冒失你才爱我？”

“我是爱你思想中的那分灵性。”

“你还是称之为唐突吧，这样更恰如其分。事实上，你厌倦了那一套繁文缛节、屈从迎合、虚情假意；你厌恶那些言谈举止处处投你所好、满脑子的心思都只为博你欢心的女子。我激怒你，也激起了你的兴趣，因为我不同于她们。要是你并不和蔼，你一定会因此而恨我；可事实上，你尽管极力伪装自己，你的内心却高尚而且正直。在你的心目中最让你鄙视的是那些刻意邀宠的人。看——还是我替你说了，省得你费尽口舌解释，而且，总体看来，我的这

"Accompanied by their aunt"

种解释还的确合情合理。可以肯定地说，你并不知道我真正好在哪里。——可是恋爱中的人谁会想得到呢？”

“简病倒在泥泽地别墅时，你那么情深意长、对姐姐体贴入微，难道不算是优点吗？”

“可爱的简！有谁不会竭力去关爱她呢？那好，就算是我的一条优点吧。我的好品质反正是你说了算，你爱怎样夸大就夸大吧。反过来，我也找到了许多与你取乐斗嘴的机会。那我就直入主题了。请问，你为什么迟迟不愿进入实质性的问题呢？你第一次来做客，以及后来到这里吃饭，为什么总是对我羞羞藏藏的呢？特别是当你来做客的时候，你为什么要装出一副不在乎我的神情呢？”

“因为你一脸严肃，又不说话，让我没有勇气。”

“可我是很窘呀。”

“我也是。”

“你来吃饭的时候，可以与我多说会儿话呀。”

“缺少那份感觉的人，可能会多说话。”

“算我说不赢你！你竟然还会来一个合情合理的解释，而又偏偏遇上了我这样一个通情达理的人能够接受它。可是，要是你照样我行我素，还不知道你会把你的心里话憋多久呢。要是我不问，你会讲出来吗？我决心为丽迪亚的事情感谢你，这种心情极大地促进了我对你的感情。我想，那样又实在太过分了。要是我们的安逸生活是建立在别人违背诺言的基础之上，那还有什么道义可言呢？我实在不应该旧事重提。实在不应该呀！”

“你用不着沮丧。道义是很公平的。凯瑟琳夫人极力分开我们，实在不近情理，可是到头来我们俩之间猜疑的清除还得益于她老人家的良苦用心呢。我们今天的幸福并不是源于你急于表达感激之情的愿望。我没有兴趣去等着你开口。我姨妈提供的情况给了我希望，我立刻就想把事情弄个明白。”

“凯瑟琳夫人起了很大的作用，这应该让她高兴才是，她不是喜欢体现自己的作用吗？请告诉我，你这次来泥泽地，目的何在？

仅仅只是为了赶到龙博恩受气？还是另有其它重要目的？”

“我主要的目的是来看你，如果可能的话，我还想弄清楚我是否可能让你爱我。不过，我对外或者说对我自己则称，我是来看你姐姐是否仍然对宾利有意，如果她仍然爱恋着他，我就可以向他坦白当初我横加干涉的事情。”

“你会有勇气向凯瑟琳夫人宣布对她不利的消息吗？”

“伊丽莎白，我可能更需要的是时间而不是勇气。当然，这件事也必须做。如果你给我一张纸，我立马就写信给她。”

“假如我不是自己也要写信，我一定会守在你身旁，就像以前一位小姐那样，欣赏你流畅的书写字迹。我也得写信给我的舅妈，尽快把我们的事情告诉她。”

加迪纳太太上次的一封长信过高地估计了伊丽莎白与达西的关系，她一直不愿意承认这一层关系，所以一直没有给舅妈写回信。此刻，她要把这个舅妈一定会乐于听到的消息告诉舅妈，却发现舅舅舅妈已经少快乐了三天，不由得羞愧起来。于是，她立刻提笔写道：

亲爱的舅妈，非常感谢您上次写的那封长信，向我解释了事情的原委细节。本应早日给您回信致谢，可是心中实在烦恼，所以没有动笔。您上次的来信中有很多言过其实的猜测，不过您现在尽管猜测好了。您现在可以让您的想像自由飞翔。只要您不认为我已结婚，大概你猜得都是八九不离十。您还得尽快写一封信来，用比上一次更热情的笔调对他加以赞扬。我一直感谢您，幸好您没有把我带到湖区度假。当初我怎么那么傻，竟然还希望去那儿呢！您想骑着小马驹逛彭伯里庄园的主意很不错，我们以后可以天天游园。我是天底下最幸福的人。或许其他人也说过这话，不过他们都名不副实。我比简更幸福！她只是微微一笑，我却是放声大笑。达西从对我的爱中分出一些向你问候。欢迎你们到彭伯里过圣诞节。

您的……

达西写给她的姨妈凯瑟琳夫人的写作风格就完全不同了。贝内特先生给柯林斯先生上一封信写的回信风格更不一样。

亲爱的先生：

请劳烦再写一封信来祝贺。伊丽莎白即将成为达西先生的妻子了。请尽量安慰好凯瑟琳夫人。不过，我如果是你，我一定会站到夫人的外甥一边。他会给人带来更多的好处。

您真诚的……

随着宾利婚期临近，宾利小姐也写信来祝福兄长。信中尽是虚情假意，毫无真诚。她甚至给简也写来了一封信，表达她的喜悦之情，不过信中尽量重复前一封信的祝贺语句。简没有上当，却深受感动。虽说简并不信赖宾利小姐，却还是给她回了一封信，语气格外亲切，足以让她汗颜。

达西小姐也得到了类似的消息，欣喜不已，在给哥哥写的信中，她那真挚的感情毫不逊色于达西先生在给她的信中表露的感情。她的信长达四页，竟然还不足以表达自己的喜悦心情，不足以表达她对于与未来的嫂嫂相亲相爱的真诚愿望。

大家没有收到柯林斯先生的来信，也没有收到他的夫人的祝福，却有一个消息从卢卡斯府邸传到了龙博恩，说是柯林斯夫妇已经回到了卢卡斯家中。很快，他们突然动身来这儿的原因就明朗了。凯瑟琳夫人接到外甥的信后，被信中的内容给激怒了。夏洛特确实为这桩婚姻感到高兴，急于想躲出去，等夫人那一阵怒气消散之后再说。此时此刻，闺阁密友的到来让伊丽莎白感到真心的高兴。不过几次见面之后，她就发现这种愉快是以高昂的代价换来的，因为夏洛特的丈夫尽其所能，向达西极力献媚邀宠。达西却以惊人的平静承受住了柯林斯先生的种种言行，甚至还能极其镇定地倾听卢卡斯爵士对他的恭维。他说达西攫走了这个地方最绚丽的珠宝，并表示希望能够经常在詹姆士王宫里见面。

达西一直等威廉·卢卡斯爵士走远之后，才耸了耸肩。

菲力普太太言行粗俗，让达西更难以忍受。菲力普太太似乎也像姐姐一样对达西敬而远之，所以也不敢多说话，不过，她只要一开口就显得俗不可耐。这会儿她只是出于对达西的敬畏，不敢多开口说话，并不是突然之间变得文雅了起来。伊丽莎白总是想尽办法不让达西走到她自己身边，不让他与那姐妹俩在一起，免得她们俩又要大献殷勤，丢人现眼。伊丽莎白一方面极力陪达西说话，一面把他与家里几位让人难堪的成员分开。这样的努力的确让她心里不舒坦，恋爱季节的乐趣被冲淡了。不过这倒也为她增添了憧憬未来的色彩，顿时又高兴起来，期待尽快摆脱眼前这些令人生厌的同伴，去彭伯里享受舒适温馨、优雅怡人的生活。

第六十一章

转眼就到了最有出息的两个女儿出嫁的日子，这一天作为母亲的贝内特太太高兴到了极点。打这以后，她少不了去看看宾利太太，跟别人谈一谈达西太太，她那份喜悦和骄傲是可以想像得到的。看在这一家人的情分上，我倒想加上一句：由于这么多女儿找到了归宿，实现了她最珍贵的心愿，她自己也发生了喜人的变化，在她人生长河的最后一个阶段，竟然变得通情达理、和蔼可亲、见多识广了。不过，她还是偶尔有些神经质，始终改不了她那笨头笨脑的习性。这或许还成为了她丈夫的福分呢，要不然，他怎么能享受到这样不同寻常的家庭幸福呢?

贝内特先生对二女儿想念得最为心切，这份思念之情促使他频繁地出门去看望，他喜欢上彭伯里，而且专爱找一些大家最意想不到的时候去。

宾利先生和简在泥泽地别墅只住了一年。虽说宾利先生性情随和，简也看重亲情，可是这个地方实在是离她母亲和麦里屯的亲戚家太近，终归不美。后来宾利先生终于满足了他家姐妹的心愿，在德比郡邻近的一个地方购置了一套房产。这样一来，多方高兴，对于简与伊丽莎白来说实在太妙，姐妹俩现在相距不足三十英里。

凯蒂大部分时间都呆在两位姐姐家里，受益自然不浅。社交圈子比以前要高尚得多，这算是她的一大进步。她不像丽迪亚那样不服管束，况且现在也远离了丽迪亚的影响，再加上两位姐姐悉心关照和管教，她不像以前那样暴躁、无知，也不像以前那样没一点灵气了。她现在被管束很严，生怕再与丽迪亚呆在一起而受到不好的影响。虽然威克汉太太几次三番邀请她去做伴，并许诺带她上舞会，结识年轻人，她的父亲都没放她走。

玛丽是留在家里的唯一女儿了。贝内特太太不甘于孤独，常常拉她陪伴，搅得她没有心思追求学业成就。玛丽无可奈何，只得忙于社交应酬，还好，她每天上午接待来访的客人之后，还可以搬出一套道德教条对来人作出一番评论，对自己不及姐姐们美丽的容貌也不再自惭形秽了。她的父亲见此情景，心中猜想，这玛丽竟然也因为家里的变化有些洋洋自得了。

威克汉和丽迪亚还是那副德性，并没有因为姐姐们出嫁而有所收敛。威克汉心中明白，伊丽莎白原先对他不太了解，对他恩将仇报、招摇撞骗的行径一无所知，而现在可能已经看透了他。不过，他还是十分沉得住气，指望达西会给他一些施舍呢。伊丽莎白出嫁的时候，曾经收到过妹妹丽迪亚的一封信，从信中可以看出，即使威克汉没有心存这一希望，丽迪亚也抱着这种心理。信是这样写的：

亲爱的丽兹：

祝福你。只要你对达西先生的感情有我对威克汉的一半，你也会非常幸福的。你现在算是富甲一方了，真为你高兴。希望你有空的时候多想想我们的处境。现在我们如果不靠别人接济，恐怕就难以糊口了。威克汉想到王宫去谋职，什么差事都行，每年只要能有三四百镑的收入就可以了。你要是不想把这事告诉达西先生，就不必提起。

妹妹

C E Brock

正如丽迪亚所料，伊丽莎白并不想打扰达西，于是她私下里写了一封回信，劝妹妹打消这种念头，不要再提这类的要求。不过，她还是从自己的零用钱中省出一些来接济丽迪亚夫妇。她早就明白，这夫妻俩挣钱不多，却花钱大方，从不考虑将来，结果总是两手空空，缺衣少穿。他们几次搬家都向简和伊丽莎白伸手要钱，要她们帮忙还债。即使和平时期到来之后，他们退伍了，也总是东奔西跑，从不安安稳稳地过日子。他们到处找廉价房，不断地搬家，折腾进去不少冤枉钱。后来，威克汉对丽迪亚的感情淡漠下来，丽迪亚虽然年轻放荡，但想到这桩婚姻毕竟给了自己一些名分，所以她的感情稍稍持久一点。

达西虽然始终不让威克汉上彭伯里来，不过看在伊丽莎白的分上，还是替他找了一份工作。威克汉仍然喜欢到伦敦、巴思等地到处寻欢。每当这个时候，丽迪亚就常来这里做客。贝内特老夫妇三天两头往宾利家跑，而且一住就是好几天。这样天长日久，连性情随和的宾利也厌烦了，甚至还提出让他们走呢。

宾利小姐见达西结婚，难过不已。可是她不想放弃继续到彭伯里做客的权利，也就消除了原先的忿恨情绪。现在她对乔治亚娜更加钟爱，对达西殷勤不减，而对伊丽莎白，她则极力补偿先前的失礼之处。

乔治亚娜回到彭伯里住了。正如达西所期望的那样，她与嫂嫂相处得十分融洽契合，相互敬重，情投意合。在乔治亚娜眼中，伊丽莎白最值得推崇了。不过，一开始的时候，当听到她用顽皮活泼的口吻对哥哥说话时，她感到极为惊讶，甚至是惊恐。她一向敬重兄长，她对兄长的敬重甚至超过了对他的爱，如今竟然发现自己敬重的哥哥竟成了被肆意取乐的对象。她后来才慢慢了解到许多新的东西。在伊丽莎白的引导之下，她开始明白，做妻子的可以在丈夫面前任意撒娇，但是做妹妹的（尤其是小十多岁的妹妹）却不一定能在哥哥面前随心所欲。

凯瑟琳夫人听到外甥结婚的消息后，暴跳如雷。外甥写信向她报喜，她怒不可遏，写了一封回信，咬牙切齿地把达西大骂一顿，把伊丽莎白也骂得狗血淋头，此后双方中断往来了一段时间。后来，伊丽莎白深明大义，劝丈夫争取与姨妈和好。起初，姨妈还很强硬，后来怨气也就散了。她知道，彭伯里有了这样一位外甥媳妇，再加上常从城里赶来看望她的舅舅、舅妈，那片宁静的山林一定会被搅得乌烟瘴气。也许是出于对外甥的爱怜，也许是出于好奇，想亲眼看看这个外甥媳妇是怎样不守礼义，她也顾不了这许多了，竟然屈尊特意赶来彭伯里看望这对新婚夫妇。

达西和伊丽莎白一直与加迪纳夫妇保持着最为亲密的关系，并真诚地爱他们，一直把他们的恩情铭刻在心。正是他们把伊丽莎白带到德比郡，才将她与达西永远地连结到了一起。

“名家音频讲播版”：听名家讲名著

★著名作家+知名学者+一线名师倾情打造，权威、专业

★提纯名著精华，跟随名家半小时读完一本书

★音频讲播，多元体验，带您品味文学名著的不朽魅力

局外人	马　原	知名作家
红字	马　原	知名作家
神曲	欧阳江河	诗人、批评家
日瓦戈医生	刘文飞	翻译家、中国俄罗斯文学研究会会长
普希金诗选	刘文飞	翻译家、中国俄罗斯文学研究会会长
月亮和六便士	朱宾忠	武汉大学英语系教授
静静的顿河	周　露	浙江大学外语系副教授
傲慢与偏见	周　露	浙江大学外语系副教授
少年维特的烦恼	梁永安	复旦大学中文系副教授
了不起的盖茨比	唐建清	南京大学文学院副教授
源氏物语	王　辉	湖北大学日语系副教授
红与黑	梁　欢	湖北大学法语系副教授
包法利夫人	邓毓珂	湖北大学日语系副教授
巴黎圣母院	程红兵	语文特级教师
羊脂球	李镇西	语文特级教师
一千零一夜	肖培东	语文特级教师
老人与海	柳袁照	语文特级教师
小王子	孙建锋	语文特级教师
名人传	张文质	教育学者
海底两万里	罗　灼	语文教师
悲惨世界	谌志惠	语文教师
格列佛游记	宋丽婷	语文教师
基督山伯爵	黎志新	语文教师
呼啸山庄	樊青芳	语文教师
高老头	孟兴国	语文教师
钢铁是怎样炼成的	李　秋	语文教师
欧也妮·葛朗台	刘　欢	语文教师

扫码听周露讲
《傲慢与偏见》